MADAME
HONORÉ DE BALZAC

JACQUES DELAYE

MADAME
HONORÉ DE BALZAC

PERRIN

Vouloir nous brûle et
Pouvoir nous détruit.
Honoré de Balzac.

A Françoise

CHAPITRE PREMIER

UNE PETITE FILLE DE HAUTE NOBLESSE

Tôt ce matin, comme à l'accoutumée, la nourrice l'a réveillée au son d'une chanson naïve : un valeureux cosaque voit s'éloigner la frêle jeune fille dont il est épris, serve vendue à de nouveaux maîtres. Désespoir de la séparation. Retrouvailles. L'amour triomphe. Enlèvement de la jouvencelle au rythme joyeux d'une szumkas. L'affliction se change en allégresse. Dieu accroche ses étoiles dans la nuit bleue du ciel.

Toilette. Perdue dans la longue baignoire de marbre, la fillette regarde les mains agiles de la nourrice promener le savon au parfum vivifiant qui devient mousse sur son corps. A la poursuite du rêve interrompu, elle se tortille afin de mieux discerner à travers les rideaux de la fenêtre, au pied de la tour médiévale, les points jaunes des nénuphars qui affleurent à la surface de l'étang. En ouvrant les yeux puis en refermant très fort ses paupières, Eveline se voit : oui, c'est elle cette jeune fille qui sort de l'onde vêtue d'une longue robe blanche. Sur la rive, un garçon grand, blond, le front ceint d'un ruban d'or, la hisse sur son palefroi qui part au galop vers une terre inconnue.

La nourrice conduit l'enfant chaudement vêtue

dans la grande salle sombre et glaciale du donjon. C'est l'heure de la première leçon quotidienne : histoire de la famille. Dans ce sanctuaire, le père d'Eveline a rassemblé les portraits des Rzewuski, ses ancêtres, grands conquérants ou célèbres politiques. Voici Florian, le visage balafré, combattant les Turcs et libérant le roi des mains des infidèles. Puis Stanislas Matthieu, hetman des cosaques d'Ukraine, trisaïeul d'Eveline, debout sur son cheval cabré, luttant contre les armées de Charles X pour libérer la Pologne. Et Wenceslas en grande tenue d'ambassadeur, la poitrine constellée de médailles, le coude appuyé sur un guéridon ; enlevé par ordre de Catherine II pour s'être opposé à la candidature de Stanislas Poniatowski, il fut exilé à Kalouga de 1758 à 1762 ce qui lui permit de devenir un écrivain célèbre. Et tous les autres, Stanislas, fils aîné du précédent, chef élu des clans cosaques, et Charles Radziwill grand-oncle d'Eveline, l'homme le plus riche de toute la Pologne qui entretenait à ses frais une armée de dix mille hommes... Ces toiles sont signées Titien, Lawrence ou Greuze.

Ensuite, la descendante de ces héros légendaires est conduite dans la salle d'études où l'attend son institutrice française car les Rzewuski, comme toutes les grandes familles polonaises, ont, en ce début du XIX° siècle, leur « Mademoiselle ». Ce sont de jeunes aristocrates qui, aux heures les plus chaudes de la Révolution, ont réussi à s'expatrier et à trouver en Ukraine, en Podolie ou en Volhynie de nouveaux foyers sur une terre accueillante où bientôt prédomine la culture française. Ecrivains et poètes sont aussi célèbres en Ukraine qu'à Paris. Il est de bon ton de donner aux enfants des prénoms qui chantent la douceur de la France : les frères d'Eveline se prénomment Henri, Adam et Ernest, ses sœurs Caroline, Pauline et Aline. Tous s'expriment et écrivent avec la même aisance en français comme en polonais.

1805. On ne parle que de Napoléon qui après s'être fait sacrer empereur s'est proclamé roi d'Italie. Depuis 1795, date de la capitulation de Varsovie, la Pologne est occupée par la Russie, la Prusse et l'Autriche. Le père d'Eveline, Adam Laurent Rzewuski, ex-ambassadeur au Danemark, est nommé, après la chute de la Pologne, maréchal de la noblesse du gouvernement de Kiev puis sénateur de l'Etat russe. Il n'est pas question pour lui de trahir sa patrie qu'il vénère, mais d'aider à son rétablissement. C'est pourquoi il se range aux côtés d'Alexandre qui a promis de rendre à la Pologne ses anciennes frontières. En fait Alexandre, successeur du tsar Paul Iᵉʳ, n'aspire qu'à reconstituer le royaume polonais à son profit. Et maintenant la Pologne n'espère plus qu'en Napoléon Bonaparte pour se libérer.

Mademoiselle commence sa leçon par une prière en français. Puis elle désigne le nouveau tableau qui depuis la veille orne le panneau principal de la salle d'études. Adam Laurent Rzewuski est représenté en pied, vêtu d'un zupan en lamé d'argent constellé de fleurs jaunes, la taille enfermée dans une ceinture à trame d'or. Sur le zupan, le cordon de l'Aigle blanc et autour du cou la croix de Saint-Stanislas. Les bottes sont jaunes à fers d'argent et le pantalon en satin cramoisi. Sur la tête, un bonnet de zibeline avec aigrette en plumes de héron retenue par une agrafe garnie d'une émeraude entourée de brillants gros comme des pois.

Un doigt sur les lèvres, la fillette écoute Mademoiselle décrire la tenue d'apparat de ce père, alors ambassadeur au Danemark, qu'elle ne rencontre que rarement. Elle voit plus souvent sa mère mais sans plaisir. Toujours pressée, austère et rigoureuse, la comtesse Rzewuska élève sévèrement ses enfants sans pour autant leur accorder beaucoup de temps. Nourrices, institutrices et domestiques sont là pour se charger de cette besogne.

Mademoiselle suit scrupuleusement l'emploi du

temps quotidien : leçon de français, catéchisme, lecture de textes d'auteurs classiques, leçons d'histoire et
de géographie. Repas rapide suivi d'une heure de piano,
cours d'arithmétique, leçon de maintien et enfin séance
d'équitation sous la surveillance du premier écuyer du
comte. L'air froid et sec grise la fillette. Elle voudrait
s'échapper au galop vers les steppes parsemées de
fleurs, courir dans les sentiers, découvrir les plaines
qui se cachent derrière les méandres de la Ros. Mais
le serviteur la suit à distance et, dès qu'elle s'écarte
de la promenade autorisée, le tour du château, il
oblige respectueusement sa jeune maîtresse à reprendre le droit chemin.

Le château de Pohrebyze est une citadelle moyenâgeuse bordée d'un étang naturel ; son donjon émerge
d'une forêt de peupliers blancs. Les vieilles pierres de
ce domaine monumental datent du XIIIe siècle. Il
domine une vallée. Partout alentour des forêts et des
champs fertiles s'étendent à l'infini. Au pied de la forteresse, une agglomération rurale. De somptueuses
demeures entourées de parcs appartiennent aux seigneurs. Elles sont entourées de petites maisons blanches aux toits de chaume qui surgissent au milieu
des champs de blés, habitées par des serfs dépendants
de petits propriétaires, eux-mêmes vassaux d'Adam
Laurent Rzewuski, souverain seigneur de l'ensemble
des domaines, auquel ils sont tenus de rendre compte
de la terrure de leur fief. Ce peuple d'esclaves vit sous
la protection de maîtres tout à la fois employeurs, per-
cepteurs, policiers et juges suprêmes, dans un régime
féodal qui échappe au pouvoir central et ne connaît
que ses propres lois.

La famille Rzewuski règne sur deux mille hectares de
terres, des centaines de vassaux et des milliers de serfs
et de serves. Ces neuf personnes disposent pour leur
service personnel de deux cents domestiques logés à
demeure dans le château. Les mœurs slaves sont faites

de contrastes et d'inégalités. Tout est disproportionné. Et pourtant rien ne choque ni ne gêne. Le peuple a ses fêtes, ses récompenses et ses punitions qu'il accepte tout uniment. Dans la classe noble, mariages, anniversaires, baptêmes donnent lieu à des réceptions démesurées qui durent plusieurs jours, voire plusieurs semaines. Cent à deux cents invités sont accueillis par le maître et la maîtresse des lieux. Ils sont conduits aussitôt jusque dans leur appartement ou leur chambre selon leurs titres et leurs fonctions. Puis tous se retrouvent dans la chapelle pour assister aux vêpres. Aussitôt après, un joyeux souper les réunit dans la grande salle du château : montagne de lard, mortadelle, saucisses, museau, pâtés, poisson des étangs, suite de volailles et de rôts en broche défilent tandis que les conversations s'animent à la chaleur du tokay, de l'hydromel puis de l'eau-de-vie. On parle beaucoup de chasse, de récoltes et de surnaturel aussi. L'esprit slave est façonné d'ésotérisme. Vers onze heures, l'assemblée gagne la salle de danse au parquet de chêne ciré. Un grand orchestre interprète une mazurka. Le comte s'incline devant la plus noble dame de l'assistance et ouvre le bal ; danseurs et danseuses envahissent la piste. Face-à-face cérémonieux, départ d'un même élan sur le rythme à trois temps. Bottes, éperons, sabres, lamés aux fils d'argent, lourds tissus brochés d'or et mousseline de soie mêlent les cliquetis aux froufrous. Au programme des jours suivants : chasse, promenades en barque sur le lac, feux d'artifice et bals qui succèdent aux bals. Deux ou trois semaines plus tard, les invités prendront congé pour regagner leurs châteaux en calèche ou en traîneau selon la saison.

Il fait nuit. Mademoiselle fait réciter la prière du soir à sa jeune élève qu'elle salue ensuite en s'inclinant à trois reprises. Dans sa chambre, Eveline retrouve sa nourrice qui l'aide à se dévêtir, retire ensuite les embrasses et ferme les rideaux. Le lourd brocart à ramages efface doucement la pleine lune qui éclaire le lit de la fillette. Demeure cependant un rai de lumière que l'enfant fixe avec force pour ne pas s'endormir. Parce que demain commence la fête la plus importante de l'année, celle de son père le comte Rzewuski. Devant une foule de spectateurs, dans le théâtre du château, Eveline, ses frères et ses sœurs interpréteront en français *les Surprises de l'amour* de Marivaux. Eveline portera cette perruque blanche, poudrée, qu'elle aperçoit dans la lueur blafarde sur une tête de carton bouilli. Sa robe à crinoline est là, dans la grande armoire. Elle est partagée entre la peur et le plaisir de paraître en public. Ce qui la rassure c'est que Thaddée, le petit cousin qui partage ses jeux, sera dans la salle, attentif, présence chaude, rassurante.

Demain, le château sera en fête : dès l'aube, sur le perron, quatre rangées de domestiques attendront les calèches d'où sortiront les invités accueillis par le comte et la comtesse. Ils s'installeront dans leurs appartements puis redescendront pour assister à la messe anniversaire du châtelain. Retour au château et, selon le rite immuable, défilé des invités, des serviteurs, des paysans et des serfs qui viendront souhaiter longue vie à leur seigneur. Chacun recevra un cadeau. Vers une heure après midi le traditionnel repas réunira les invités dans les grands salons tendus de percale paille. On ne quittera la table que le soir vers neuf heures pour assister au spectacle. Eveline montera sur la scène pour la première fois de sa vie : son rôle est insignifiant et elle rêve d'avoir quinze ans afin de jouer la naïve Agnès de *l'Ecole des femmes*. Ce personnage de jeune fille au double visage, orgueilleuse et ingénue, tendre et cruelle, la fascine... Elle voudrait, plus tard, lui ressembler.

Perdue dans l'une des deux cents chambres de ce

château de Pohrebyze, perché sur une colline au pied de laquelle s'étendent les résidences seigneuriales, les milliers de huttes où dorment les serfs et l'infini désert de blé, la petite fille de haute noblesse s'endort, brindille égarée dans une forêt d'opale et d'or.

CHAPITRE II

DE BALSSA A BALZAC

Ce même 12 juin 1807, tirée par deux chevaux, une voiture à quatre roues en provenance de Tours s'arrête à Vendôme devant le porche du collège des oratoriens, un établissement réputé sévère. Un homme grand et large sort du véhicule et se retourne pour aider une jeune femme à descendre. Elle est élégante, son visage est fin mais grave et crispé. Elle tire par la main en le secouant pour l'obliger à la suivre un gosse âgé d'une dizaine d'années. Il porte des culottes courtes qui couvrent ses genoux, d'épais bas de laine bleue, une vareuse en drap marine et un béret enfoncé jusqu'aux sourcils. Ce que l'on observe immédiatement sur son visage est un nez gros et rond. Il est bougon et sans grâce.

L'homme agite la sonnette du portail. Un prêtre ouvre et conduit le couple et l'enfant jusque dans le bureau du surveillant général. Il les présente sous le nom de M. et Mme Balzac et leur fils, puis se retire. Le père supérieur les invite à s'asseoir après avoir marqué une légère surprise. C'est qu'entre ce M. Balzac et son épouse, la différence d'âge semble être d'au moins une trentaine d'années. Impression confirmée lorsque l'homme tend au surveillant général l'acte de naissance de son fils enregistré à Tours et daté du 20 mai 1799 : « Aujourd'hui 2 prairial, an VII de la République, a été présenté devant moi Jacques Duvuvier, officier de police soussigné, un enfant mâle par le citoyen Bernard François Balzac, propriétaire, âgé de cinquante-trois ans, demeurant en cette commune rue de l'Armée-d'Italie... » L'homme a donc soixante et un ans et son épouse n'est âgée que de vingt-neuf ans...

Quant au petit Honoré, il n'est pas « de » Balzac. Est-il seulement né Balzac ? Car son père Bernard François est issu d'une famille Balssa, demeurant au hameau de la Nougairié, près de Canezac. Il a un jour, c'est certain, transformé son patronyme en Balzac. Pourquoi ? On connaît peu de chose sur ces Balssa et ce peu que l'on sait n'est guère fameux. Le grand-père d'Honoré fut un misérable ouvrier agricole dont les onze enfants nichaient dans une masure. L'un d'eux deviendra un criminel célèbre qui entachera le nom des Balssa : en 1819, à l'âge de cinquante-quatre ans, il assassinera une jeune femme enceinte. Pour ce terrible meurtre, l'oncle d'Honoré sera condamné à mort et guillotiné.

Dès leur plus jeune âge, les onze enfants sont mis à la tâche et travaillent dix heures par jour la dure terre du Languedoc. Ils savent traire les vaches, récurer la bauge, atteler les chevaux à la charrue et mener les bêtes à l'herbage. Seul, Bernard François bénéficie en sa qualité d'aîné d'un régime plus clément, parce que son père décide un jour que son fils deviendra prêtre. Alors, il le confie au curé du village qui lui apprend à lire, à écrire, à calculer et lui enseigne aussi le latin. A seize ans il est le clerc du notaire du village alors que ses frères continuent de labourer les champs et de nettoyer les écuries. Mais le savoir le rend ambitieux : c'est un garçon fort, sanguin, aimant la bonne chère et les filles et donc bien décidé à ne jamais

17

devenir curé ou paysan. Au presbytère d'un hameau perdu, à la chambre grouillante de marmaille, il préfère les plaisirs de la ville. Alors, il décide de « monter » à Paris et de prendre le nom de Balzac, sans doute parce que ce patronyme, porté par une grande famille de la région, les Balzac d'Entraygues, lui semble plus brillant et digne de réussite que celui des nombreux et plébéiens Balssa de son village. C'est cet adolescent découvrant Paris et disant : « A nous deux maintenant ! » que décrira plus tard, sous les traits de Rastignac, son fils Honoré dans *le Père Goriot*.

De fait, Bernard François, intelligent, solide, bel homme entreprenant et énergique, fait rapidement carrière. Ses études de droit lui permettent de devenir secrétaire d'un procureur puis d'un maître des requêtes au Conseil du roi, Joseph d'Albert, enfin de Bertrand de Moleville, ministre de la Marine de Louis XVI. Rien, pas même la Révolution, n'arrêtera cet arriviste. Il lui suffit de changer de veste pour devenir militant des clubs révolutionnaires, membre de la Commune et président du Tribunal de police. Il nage à merveille dans les remous de cette trouble période d'exception propice à l'ascension d'un fils du peuple. Quelques mois plus tard, il est nommé commissaire des vivres et des approvisionnements de l'armée du Nord, administration dirigée par le banquier Daniel Doumerc. Sa vitalité et son courage séduisent son chef qui le nomme secrétaire général de sa banque parisienne. En 1795, Daniel Doumerc l'oriente vers l'intendance et les fournitures militaires où un garçon débrouillard peut faire de brillantes affaires. Résidant à Brest puis à Tours, à la tête des approvisionnements pour l'armée de Vendée, il se fait de nombreuses relations, s'assagit, devient bourgeois et bien-pensant ; sa situation lui permet d'amasser un joli capital. Ce croquant devenu petit-bourgeois décide d'entrer dans la grande bourgeoisie. Rastignac va devenir le Bourgeois Gentilhomme. Il a cinquante et un ans, l'âge de se marier. C'est à son protecteur qu'il fait appel et Daniel Doumerc arrange pour lui en 1797 un riche mariage avec Charlotte Laure, fille de Joseph Sallambier, son ami et collaborateur, également membre de la direction des vivres et approvisionnements, appartenant à la franc-maçonnerie du monde de la finance.

Les grands-parents de Charlotte Laure Sallambier n'étaient que d'humbles boutiquiers établis passementiers-brodeurs rue Saint-Denis. En tant que fournisseurs des soldats de l'an II en galons et aiguillettes, ils firent d'excellentes affaires. Le père de Charlotte Laure, leur fils, reprit l'entreprise et fit la connaissance de Daniel Doumerc qui le nomma directeur de l'habillement et de l'équipement des troupes puis lui confia un poste important dans sa banque. Sallambier et Bernard François Balzac suivirent en quelque sorte une route parallèle à l'ombre du financier. L'un et l'autre lui durent leur réussite, réussite qui trouva son accomplissement dans l'association de ces deux familles grâce au mariage organisé par le riche banquier. Et voilà qu'à cinquante et un ans, Bernard François, homme d'esprit, en pleine santé, fieffé luron aux conquêtes faciles, emportées à la hussarde, tambour battant, comme il mène ses affaires, hérite une jolie jeune fille qui lui apporte en dot outre ses dix-neuf ans, une ferme près de Rambouillet d'une valeur de 30 000 francs et dont le rapport annuel lui suffirait à bien vivre. Le train de vie de Bernard François augmente, et fort heureusement sa fortune aussi, car il fait la connaissance d'un nouveau protecteur, le général Pommereul qui, en 1802, le nomme à la préfecture de Tours puis, en 1805, lui obtient la direction de l'hospice et le titre d'adjoint au maire. C'est alors que décède le père de Charlotte Laure. Il laisse à sa fille des biens qui permettent au jeune marié d'acquérir au cœur de la ville un somptueux hôtel particulier de trois étages avec

jardin, cour et remise. Grand luxe des petites villes :
il roule carrosse et possède un domestique de sept ou
huit serviteurs. Né coiffé, ce fils de tâcheron devenu
royaliste puis révolutionnaire, compromis au sein
d'une police répressive et sanguinaire, fréquente l'aristocratie, la société huppée, gère la municipalité, admi-
nistre l'hôpital et devient une estimable personnalité.
Grâce à la Révolution, ce subalterne est devenu chef
et, en vrai parvenu, jouit d'une large aisance.

C'est dans cette famille, considérée par tous comme
très respectable, que vient au monde le petit Honoré,
aussitôt placé en nourrice à Saint-Cyr-sur-Loire, chez
une belle et jeune femme de gendarme. Bien soigné, il
y passera les quatre premières années de sa vie. Ses
parents vivent dans le luxe, mais leur entente ne dure
que le temps d'une lune de miel, non parce que trente-
deux années les séparent mais parce que tout les
oppose. Il est réaliste et joyeux : elle est romantique
et sévère. Il est fort et brutal : elle est fragile et réfléchie. Il est dispendieux : elle est avaricieuse. Il est
autodidacte : elle a bénéficié de l'éducation des meil-
leurs maîtres. Il est libertin : élevée dans la religion, le
respect des vertus théologales, elle ne peut admettre
la paillardise de son époux. Si, en fille obéissante, elle
a accepté de se soumettre à la volonté de ses parents
en épousant ce Balzac, Charlotte Laure ne tarde pas
à le juger et à le mépriser. Enceinte une nouvelle fois,
elle met au monde, le 29 septembre 1800, la petite
Laure puis, le 28 avril 1802 Laurence, seconde sœur
du futur romancier. Cette naissance marquera la fin
de ses relations conjugales avec Bernard François. Elle
n'en peut plus de dégoût pour ce viveur qui la trompe
et arrive dans son lit imprégné de l'odeur d'une servante ou du parfum lourd d'une fille de nuit, pour la
forcer comme un butor. Un jour, au cours d'une scène
violente, s'estimant outragée, elle menace son mari :
« Une pierre au cou et le Pont-Neuf ! » Enfin, tout en

DE BALSSA A BALZAC

continuant de donner l'image d'un couple uni pour sauvegarder les apparences, elle décide de l'ignorer, s'enferme dans une solitude peuplée de rêves, se passionne pour une littérature à la mode, romantique et mystique : anges et démons sont seuls responsables des comportements des humains. Cette philosophie simpliste lui permet de basculer dans la frivolité. Charlotte Laure est fine, jolie et porte avec élégance les toilettes lascives, les robes voluptueuses du Premier Empire. Les jeunes colonels accourent à ses réceptions et, ma foi, puisque son mari court la gueuse, elle fleurette de galons en galons, connaît quelques liaisons passionnées et éphémères dont elle demande à Dieu de bien vouloir l'absoudre dans son infinie clémence.

En 1803, Honoré a quatre ans, l'âge de quitter sa nourrice pour réintégrer le domicile paternel. C'est un bel enfant d'humeur joyeuse, aux grands yeux bruns et doux, dont la chevelure noire et le nez épaté attirent l'attention. Il quitte le gendarme et sa femme, milieu familial simple et sain, pour s'installer dans une famille incohérente. Sa mère a hérité la parcimonie propre à ses boutiquiers de parents et dirige sa demeure à la manière dont son père gouvernait son négoce. On retrouve son portrait dans *la Maison du chat qui pelote* : « Cette figure blême annonçait la patience, la sagesse commerciale, et l'espèce de cupidité rusée que réclament les affaires. Levé le premier de sa maison, il attendait de pied ferme l'arrivée de ses trois commis pour les gourmander en cas de retard (...) Le soir, Guillaume, enfermé avec son commis et sa femme, soldait les comptes, écrivait aux retardataires et dressait des factures. Tous trois préparaient ce travail immense dont le résultat tenait sur un carré de papier tellière[1] et prouvait à la maison Guillaume qu'il existait tant en argent, tant en marchandises, tant en traites et billets ;

------
1. Papier de grand format.

21

qu'elle ne devait pas un sou, qu'il lui était dû 100 ou 200 000 francs ; que le capital avait augmenté ; que les fermes, les maisons, les rentes allaient être ou arrondies, ou réparées, ou doublées. De là résultait la nécessité de recommencer avec plus d'ardeur que jamais à ramasser de nouveaux écus, sans qu'il vînt en tête de ces courageuses fourmis de se demander : à quoi bon ? »

Ainsi modelée, Charlotte Laure, d'un naturel autoritaire, devient de plus en plus dominatrice et exige de tous, époux, enfants, domestiques, respect et dévouement. Volontiers pleurnicharde, elle se plaint du train de vie élevé, des folles dépenses de son mari. Quoique riche, elle craint la misère. Alors, en cachette, elle fait de petits placements, de médiocres spéculations. Elle enseigne à ses enfants qu'ils sont au monde pour gagner de l'argent et que le dépenser est vilenie. Pour les filles, un seul but : trouver « un bon parti ». Quant au garçon, il devra beaucoup travailler pour parvenir à une haute situation sociale. Ces leçons interminablement remâchées, cette absence de tendresse créent au sein de la famille un climat froid, austère où filtrent la méfiance et la crainte du futur. Tout est sinistre, même **les fêtes carillonnées** ou familiales. Pour cadeaux, « des bourses en filet qu'elle avait soin de remplir de coton pour faire valoir leurs dessins à jour, des bretelles fortement conditionnées ou des paires de bas de soie bien lourdes [1] ». Elle repousse les mouvements de tendresse de ses enfants par crainte de débordements, surtout ceux de son fils car Honoré ressemble à son père : même visage rond, même joie de vivre, même faconde avec un côté câlin qui l'insupporte. Elle le repousse lorsqu'il pose sa tête sur ses genoux en quête d'un baiser. En revanche, la moindre faute est sévèrement punie. Combien de fois comparaît-il devant elle ?

---

1. *La Maison du chat qui pelote.*

Combien d'heures passe-t-il agenouillé, immobile, à ses pieds, tandis qu'elle s'occupe à broder une toile de lin sur son tambour ? Et le soir, avant de s'endormir, a lieu l'examen de conscience, véritable confession, l'âme à vif, suivie de la prise de bonnes résolutions pour le lendemain. Le lendemain, la terreur commence dès le matin : « Mon frère s'est souvenu longtemps des petits effrois qui nous saisissaient quand, le matin, nous allions dans son salon pour lui souhaiter le bonjour... » écrira plus tard sa sœur Laure. Alors l'enfant reporte le trop-plein de son cœur sur cette sœur cadette douce et jolie et qui, comme lui, sursaute dès qu'elle entend le son de la voix maternelle. Sitôt qu'elle sort de sa chambre, il se précipite pour aider sa sœur et lui éviter de chuter en descendant les trois marches inégales et sans rampe qui la séparent du palier. Souvent, il se laisse punir à sa place et lorsque Laure décide d'avouer honnêtement sa faute, il l'en dissuade, la supplie de n'en rien faire, l'assurant qu'il aime à être grondé pour elle. C'est le premier amour de Balzac. Toute la vie d'un homme, dit-on, découle de son enfance. Il portera la marque de ces deux femmes, sa mère et sa sœur, et ses amours seront toujours d'adoration et de soumission.

C'est aussi dans cette période que naît sa passion pour la lecture : il s'enferme avec Laure et passe des heures à lui lire de superbes contes de fées et de fantastiques histoires. Plus la situation est tragique, plus Honoré se sent heureux au point de trépigner de joie et d'admiration. Dès l'âge de cinq ans, il part au lever du jour, chargé de volumes, avec un morceau de pain dans la poche. Il gagne le fond d'un bois et lit jusqu'à la nuit tombante : « Quoique délaissé par ma mère, j'étais parfois l'objet de ses scrupules ; parfois elle parlait de mon instruction et manifestait le désir de s'en occuper. Il me passait alors des frissons horribles en songeant aux déchirements que me causerait ce contact journalier avec elle. Je bénissais mon abandon et me trouvais heureux de pouvoir rester dans le jardin à jouer avec des cailloux, à observer des insectes, à regarder le bleu du firmament [1]. »

Cet heureux temps ne dure guère : Mme Balzac décide d'envoyer son fils à l'école. Chaque jour, la gouvernante ou un domestique l'acompagne à la pension Le Guay, muni d'un panier chichement garni dont se moquent ses camarades qui apportent d'abondantes provisions parmi lesquelles les célèbres rillettes et rillons de Tours : « Jamais je n'eus le bonheur de voir étendu pour moi cette brune confiture sur une tartine de pain ; mais elle n'aurait pas été de mode à la pension, mon envie n'en eût pas été moins vive, car elle était devenue comme une idée fixe. Mes camarades qui, presque tous, appartenaient à la petite bourgeoisie, venaient me présenter leurs excellentes rillettes, en me demandant si je savais comment elles se faisaient... Ils se pourléchaient les lèvres en dévorant les rillons ; ils découvraient mon panier, n'y trouvaient que des fromages d'Olivet ou des fruits secs et m'assassinaient d'un : — Tu n'as donc pas de quoi [1] ? » Plus que jamais, il a le sentiment d'être incompris, repoussé. Sensible à l'extrême, frustré de tendresse, il sera toute sa vie en quête de l'amour caressant et protecteur. Il se réfugie dans une rêverie solitaire, s'adresse aux étoiles, ce qui le fait passer pour un enfant distrait, rêveur et paresseux : « ... J'eus donc souvent le fouet pour mon étoile : ne pouvant me confier à personne, je lui disais mon chagrin dans ce délicieux ramage intérieur par lequel un enfant bégaie ses premières idées, comme naguère il a bégayé ses premières paroles [1]. » Une compensation cependant : au retour de l'école, le soir, il a le plaisir de retrouver sa chambre sous les toits (les enfants logent à l'étage des domesti-

---

1. *Le Lys dans la vallée.*

ques) et sa sœur qui attend sa visite dans la chambre voisine. Jeux innocents, moments joyeux écourtés par la sévère Mme Balzac qui n'admet pour ses enfants ni récréation, ni jeux, ni jouets.

Au reste, ce gamin l'importune chaque jour davantage et puis il est temps de séparer la fille du garçon : le vice risque de remplacer la tendresse fraternelle entre deux jeunes êtres de sexe opposé. Elle décide de mettre cet indésirable en pension ce qui la délivrera de ces tracas et lui permettra de retrouver une liberté dont elle a grand besoin. C'est que Charlotte Laure vit des événements passionnants : elle reçoit beaucoup et sa vie mondaine l'absorbe de plus en plus et surtout elle est amoureuse pour la première fois de sa vie et enceinte pour la quatrième fois. Le futur père a le ravissant visage d'un jeune aristocrate, la chevelure fine, la lèvre rouge, le teint clair, l'esprit français et l'allure distinguée. Dieu qu'il est beau lorsqu'il parade à la tête des grenadiers de la Garde nationale ! Cet Adonis se nomme Jean de Margonne. Châtelain de Saché, il est le riche propriétaire de deux fermes et d'une dizaine de moulins. Il devient l'ami de la famille et en 1807 le père d'Henri, frère d'Honoré. M. Balzac, trop occupé de son côté, n'a ni l'âge ni le désir de jouer les maris jaloux. Il accepte d'autant mieux la situation que M. de Margonne est un ami prestigieux qui affectionne également tous les enfants du couple avec, par la suite, une légère préférence pour Honoré. Plus tard, il hébergera souvent l'écrivain démuni auquel il réservera en permanence une chambre dans son château de Saché. C'est là que Balzac écrira *le Père Goriot, Louis Lambert, la Recherche de l'absolu,* et *le Lys dans la vallée.* Dès l'âge de quinze ans, Honoré découvrira les amours de sa mère avec Jean de Margonne et comprendra que son jeune frère Henri est l'enfant de cette liaison. Voilà donc pourquoi elle n'est qu'indulgence pour son petit dernier et sévérité vis-à-vis de lui-même.

25

Cette révélation va le marquer : à dater de ce jour, avec sa sensibilité exacerbée, il va juger sa mère et ressentir pour cette tricheuse à l'aspect respectable une véritable répulsion.

Charlotte Laure se renseigne et trouve ce qu'elle recherche : un collège-prison d'où les pensionnaires ne peuvent sortir qu'à la fin de leurs études. Les parents doivent s'engager à abandonner totalement leurs enfants entre les mains des maîtres. Ils ne pourront les reprendre ni pour les fêtes carillonnées ni même pendant la durée des grandes vacances.

Ce règlement convient parfaitement à Mme Balzac qui, en cette fin d'après-midi ensoleillée de juin, vient de faire en voiture le voyage de Tours à Vendôme afin de présenter au père Dessaignes, supérieur du collège des oratoriens, son fils Honoré âgé de huit ans.

L'entretien est bref, quelques minutes seulement, le temps de rappeler le règlement et d'inscrire l'entrée du nouvel élève sur le grand registre en ces termes : « N° 460 — Honoré Balzac âgé de huit ans et un mois a eu la petite vérole sans infirmités. Caractère sanguin, s'échauffe facilement et est sujet parfois à de violents emportements. Entrée au pensionnat le 22 juin 1807. Adresser les lettres à M. Balzac, père, à Tours. » Le temps aussi d'informer Madame Mère que si son enfant ne peut sortir du collège, elle a un droit de visite permanent et l'on prend congé.

Mme Balzac n'abusera pas de ce droit : au cours des sept années de pensionnat d'Honoré, elle lui rendra visite deux fois.

CHAPITRE III

« TU ÉPOUSERAS M. HANSKI, MA FILLE ! »

Eveline écoute attentivement, assise à côté de son cousin Thaddée Wylezynski. Elle connaît pourtant la fin du récit. Mais si la petite fille est devenue une ravissante adolescente, elle aime toujours les histoires que Mademoiselle raconte si bien. Fine, racée, fière de son haut lignage, consciente de son pouvoir, elle sait déjà se faire obéir des six femmes et des deux hommes attachés à son service personnel, serves et serfs promus au rang de domestiques en raison de leur dévouement, de leur soumission et de leur désir de bien faire. Erudite, lettrée, bourrée de latin, farcie de français, pleine de science, férue de politique, passionnée par l'histoire de la Pologne et de la France, la jeune comtesse peut, assise au bord d'un tabouret, nonchalante, les yeux baissés, les mains gracieusement disposées sur les genoux, soutenir avec aisance les conversations de salon. Douée, elle joue du piano, danse et dessine avec talent. Mais elle préserve le rêve, tiroir secret de son enfance, sorte de seconde vie qu'elle partage avec son cousin Thaddée, admirateur inconditionnel, toujours admis à participer à ses distractions.

Dans ce manoir de Pohrebyze se mêlent le rêve et la

réalité. Adam Laurent, le père d'Eveline est matéria-
liste et rationaliste. En vrai cartésien, il n'admet que
la raison. Sa mère, croyante et pratiquante, trouve
l'évasion dans la lecture romanesque et les récits de
voyage. L'un et l'autre l'élèvent dans le culte de sa
dynastie. Jamais la jeune comtesse ne pourra oublier
que dans ses veines coule le sang le plus noble de la
Pologne. Les Rzewuski descendent des Wisnowieki,
des Radziwill et des Lubomirski. Leur histoire où se
mêle l'Histoire est plus passionnante que le plus passionnant des romans. La courte existence de la princesse Lubomirska, en particulier, l'a toujours bouleversée. C'est pourquoi Eveline et Thaddée revivent
ensemble les péripéties de cette chronique contée par
Mademoiselle de sa voix harmonieuse et qui condui-
sent à un dénouement dramatique.

La princesse Rosalie Lubomirska, née Chodkiewicz,
épousa à dix-huit ans le prince Alexandre Lubomirski,
de Kiev, aussi fort que beau, aussi beau que riche.
Grande, mince, la taille fine, la bouche charnue, elle
portait ses longs cheveux blonds en rouleaux artistement disposés de façon qu'ils fussent libres de jouer
sur son cou et sur ses épaules aux fins contours. Son
visage était remarquable par sa pureté et il y avait
quelque chose de perçant et d'impétueux dans le
regard de ses yeux pers. En 1788, ce couple superbe
décida d'un voyage à Paris. Rosalie avait précédemment fait à Vienne la connaissance de Marie-Antoinette.
Elle se rendit à Versailles, retrouva la reine qui se prit
d'amitié pour elle et la surnomma Princesse-Printemps
à cause de sa grâce et de sa fraîcheur juvéniles.
Marie-Antoinette lui présenta ses compagnes les plus
chères : la comtesse de Polignac et la princesse de
Lamballe. Le quatuor devint inséparable. Du Palais-
Royal à la cour, jeux, plaisirs et éclats de rires succé-
daient aux affaires sérieuses. Entre autres, les quatre
amies pratiquaient la charité. Déguisées en servantes

ou en femmes du peuple, elles visitaient les pauvres dans leurs taudis, donnaient des vivres et distribuaient de l'argent. Un jour, elles cognèrent à la porte d'un bouge sordide. D'une vieille femme, sorcière au visage ratatiné, à croupetons sur le sol, émanait une puanteur d'immondice et de suint. Hébétée, affamée, elle dévora la pomme et le morceau de pain offerts par la princesse Rosalie Lubomirska. Elle reçut ensuite deux écus des jolies mains blanches de la reine, frappés à l'effigie de Louis XVI son époux. Rassasiée, comblée, la sorcière remercia puis contempla sans mot dire ses quatre bienfaitrices. Elle entra subitement en transe et, fixant Marie-Antoinette, dit d'une voix éraillée mais suffisamment forte pour que toutes l'entendissent : « Vous, madame, un jour prochain, votre tête sera portée très haut dans Paris, mais non point sur vos épaules. » Son regard parcourut ensuite en les fouillant les princesses Lubomirski et de Lamballe : « Mes belles, dit-elle, vos jolies têtes tomberont dans un panier l'une après l'autre dans quelques années. » Fixant enfin la comtesse de Polignac de ce même regard acéré, elle ajouta : « Vous, belle dame, vous vous consumerez de chagrin en exil, déplorant la perte de votre chère maîtresse et amie. » Temps long d'un silence apeuré, rompu par l'éclat de rire nerveux de la reine qui s'écria : « Mes amies, cette femme est folle ! C'est une diablesse... Voyez-là... » Elles sortirent l'une derrière l'autre riant et répétant : « C'est une folle ! C'est une vieille diablesse... ! »

A ce moment du récit, Eveline prend la main de Thaddée et enfonce ses petits ongles dans la paume du garçon qui ne bronche pas. Elle connaît, attend et redoute le terrible dénouement. Et Mademoiselle rappelle que dans l'ordre Mme de Polignac, gouvernante des enfants de France, dut s'exiler à l'étranger en 1789 où elle mourut en 1793, que la princesse de Lamballe fut enfermée à la prison de la Force en 1792, puis décapitée, que sa tête fut portée sous les fenêtres de Marie-Antoinette prisonnière au Temple, laquelle fut guillotinée en 1793 et qu'enfin la ravissante et joyeuse Rosalie Lubomirska, dénoncée comme ayant été la meilleure amie de la reine, monta à son tour sur l'échafaud en 1794 avec douze autres victimes de la Révolution. Elle mourut la treizième, courageusement, vêtue de la robe de bal qu'elle portait lors de son arrestation. On dit que parfois, la nuit, Rosalie quitte son portrait accroché au mur de la grande galerie et se promène dans les couloirs du château sa tête sous un bras. Comme toujours, lors de l'évocation du supplice de la jeune princesse, Eveline pleure sur l'épaule de Thaddée qui trouve chaque fois de nouvelles paroles de consolation.

Sans transition, pour apaiser la jeune fille, Mademoiselle change de ton et rapporte maintenant quelques nouvelles de la vie pittoresque du cousin Wenceslas Rzewuski parvenues récemment du Liban en Ukraine. Cet original vit en marge de la société et voyage, escorté de ses bédouins qui l'ont reconnu comme émir sous le nom de Tadz el Fahrer. Eveline admire ce cousin car c'est par amour qu'il s'est expatrié. Un jour, il avait appris que sur une montagne du Liban vivait une femme, une superbe sauvageonne éprise de liberté, mais aussi noble dame puisqu'il s'agissait de lady Esther Stanhope. Il la rencontra, se lia d'amitié puis d'un amour passion qui le décida à demeurer en Orient. En djellaba, burnous et gandoura, il parcourut les déserts sur son cheval, gravant partout les initiales de sa maîtresse sur les rochers, les arbres et les colonnes de Palmyre. Il enseigna à ses compagnons nomades le respect de ce monogramme qui jalonnait les routes du désert et devait signifier pour eux amour et liberté. Aux dernières nouvelles, Wenceslas Rzewuski serait de retour en Ukraine... Certains affirment l'avoir vu, vêtu en Arabe, parcourant les steppes sur son cheval accompagné par une troupe de cosaques... Plus tard, ce Rzewuski émir Tadz el Fahrer deviendra un héros populaire polonais qui inspirera de nombreux poètes et écrivains.

Eveline s'est calmée. Maintenant la jeune comtesse représente l'image parfaite du charme slave : souriante, l'œil rêveur, un peu lascive mais réservée. A dix-huit ans elle est d'une grâce piquante avec ses longs cheveux noirs, son visage aux traits fins, son teint pâle un peu rosé, avec aussi quelque chose de noble qui se dégage de toute sa personne. Parfois, par besoin d'espace et de solitude, elle parcourt à cheval les parcs grandioses et les plaines incultes qui entourent le domaine de Pohrebyze. Mais elle a aussi besoin de chaleur humaine : elle aime être aimée et retrouve ensuite son fidèle Thaddée qui l'attend dans la salle d'étude ou dans la bibliothèque du château. Cet amour platonique dure depuis leur enfance. C'est un fait acquis et l'accoutumance est telle que personne n'y trouve à redire jusqu'au jour où les deux servantes attachées à la toilette d'Eveline découvrent, en entrant dans la chambre pour aider leur maîtresse à se dévêtir, le jeune Thaddée agenouillé devant sa cousine, la tête posée sur ses genoux. Le lendemain, elles trouvent dans le tiroir d'une armoire un journal intime auquel Eveline confie l'amour qu'elle ressent pour Thaddée. En serves fidèles, elles rapportent aussitôt les faits à la comtesse Rzewuska et lui remettent le cahier. Après un entretien avec son mari, la comtesse décide de séparer les deux jeunes gens. Il n'est pas question que leur fille épouse un parent sans fortune. Elle ne peut se marier qu'avec un riche propriétaire terrien. Donc, Thaddée doit quitter le château sur-le-champ. Le jour même, il regagne son village natal dans une voiture tirée par quatre chevaux qui partent au galop. Le surlendemain, il arrive chez ses parents. Eveline vit dans un état de prostration totale. Elle refuse de se nourrir et de quitter sa chambre. Le comte et la comtesse s'inquiètent, font venir des médecins qui obligent la jeune fille à s'alimenter : elle rend tout ce qu'elle ingurgite. Cinq jours plus tard, la voiture est de retour et s'arrête devant le perron du château. Le cocher voit avec étonnement le coffre qui, à l'aller, contenait les effets du jeune homme, s'ouvrir seul. En sort Thaddée qui, après avoir passé deux jours et une nuit dans cette malle étroite, trouve encore la force après en être sorti de courir, poursuivi par deux serviteurs, jusque dans la chambre d'Eveline. Il se jette à ses genoux. Transfigurée, elle l'aide à se relever. Ils s'étreignent et échangent leur premier baiser devant les domestiques ahuris. Alerté, Adam Laurent Rzewuski pénètre dans la chambre armé d'un pistolet. La jeune fille se place devant Thaddée et supplie son père de la tuer mais d'épargner son cousin. Le comte se fâche, fulmine, tempête et ordonne au jeune homme de quitter immédiatement et définitivement le château. Il menace de séquestration ce cousin recueilli par charité et qui ose apporter le trouble dans le cœur de sa fille ! S'il insiste, il le fera enfermer ! Il en a les moyens ! Eveline, forte de son amour, garde un calme inquiétant pour affirmer qu'elle se suicidera si l'on tente une nouvelle fois de les séparer. Face à une détermination si bien arrêtée, les parents sont dans l'obligation de céder. Ils laissent s'écouler une semaine durant laquelle les deux jeunes gens sont autorisés à s'entretenir un quart d'heure par jour en présence de Mademoiselle et des deux servantes. Le comte et la comtesse mettent au point une décision imparable : Thaddée demeurera au château, mais Eveline devra se marier dans les six mois à venir avec un époux choisi par son père, conformément aux usages des grandes familles. C'est une loi de la bonne société et Eveline ne peut que s'incliner devant l'autorité paternelle. Comme sa cousine, Thaddée Wylezynski doit accepter l'inéluctable. La jeune fille lui fait le serment que, mariée ou non, il vivra toujours à ses côtés.

Eveline épousera en effet l'homme choisi par son père et Thaddée restera aux côtés de sa cousine, présent et discret, dévoué jusqu'au sacrifice, ombre de son ombre. Un jour, lorsqu'elle choisira d'aimer un autre homme, il disparaîtra. Thaddée est l'image du romantisme stendhalien, amour-passion, amour-négation, amour-malheur platonique, frémissant, qui peut conduire au sacrifice, à la mort. Eveline subit le joug paternel et souffre en silence : « Je sus aimer et j'aime encore, écrira-t-elle plus tard, nul n'a pu comprendre l'âme de feu qui embrasait tout mon être : je devais aimer une fois, une seule fois et si je n'étais pas comprise, végéter et mourir !... J'ai donné mon cœur, mon âme et je suis seule... »

A son chagrin s'ajoute la déception lorsque le comte Adam Laurent Rzewuski lui présente l'époux qu'il lui a choisi. Elle a dix-huit ans et prend cet homme, plus âgé qu'elle de vingt-deux années, pour un patriarche. Son père lui fait valoir que les années ne refroidissent pas la jeunesse du cœur et que ce privilège est synonyme de vertu... Et puis quel beau parti, ma fille !... Le comte Hanski est maréchal et gouverne la Volhynie ! Il possède le domaine de Hornostajpol et le château de Wierzschovnia et les vingt-deux mille hectares de terres qui l'entourent ainsi que de nombreux domaines de la province de Kiev. Il semble un peu bougon et de santé délicate, mais c'est un bon homme qui possède 12 millions de roubles et gère ses biens à merveille. Tu auras pour te servir trois cents domestiques... Voilà bien des raisons nécessaires et suffisantes pour que tu deviennes Mme Hanska, ma fille !

La décision est irrévocable : le mariage sera célébré le 15 mai 1819.

CHAPITRE IV

SOUS LA FÉRULE

Le collège de Vendôme dessine au bord du Loir la silhouette sinistre de ses hautes murailles flanquées de tours de pierres brunes.

Dans la salle d'étude, la tête appuyée sur sa main gauche, accoudé sur son pupitre, Honoré rêve en contemplant le feuillage des arbres vers lesquels de lourds nuages gris semblent descendre.

— Vous ne faites rien, Balzac !

C'est la voix du régent, le rappel à l'ordre et dans quelques instants la punition ; le professeur saisit la férule dans un seau de saumure où elle trempe afin d'en rendre le cuir plus cinglant et, armé de cette palette large de cinq centimètres environ, frappe les doigts de l'élève avec toute la force de sa colère.

« Pour recevoir cette correction classique, l'élève se mettait à genoux au milieu de la salle. Il fallait se lever de son banc, aller s'agenouiller près de la chaire, subir les regards curieux, souvent moqueurs de nos camarades. Selon les caractères, les uns pleuraient à chaudes larmes, avant ou après la férule, les autres en acceptaient la douleur d'un air stoïque ; mais en l'attendant, les plus forts pouvaient à peine réprimer la convulsion de leur visage...» (*Louis Lambert*)

Pour sa part, Honoré subit le châtiment avec une irritante impassibilité, se vengeant ensuite en lançant un regard fulgurant chargé de mépris qui atteint le père comme un éclair... La punition s'en trouve augmentée de « deux jours d'alcôve, une cellule cadenassée dans le dortoir ». Qu'importe ! Honoré a le sentiment d'être le vainqueur...

Le futur génie déçoit ses professeurs : ce garçon de quatorze ans, fort, joufflu, au visage rougeaud, n'attire guère la sympathie. Dans les registres du collège de Vendôme [1], son directeur M. Mareschal-Duplessis le considère comme un « élève inadapté ». Toujours en faute, négligent, paresseux, il passe son temps dans « l'alcôve » ou dans un « bûcher de bois », sorte de caisse moyenâgeuse dans laquelle est enfermé l'élève puni, avec pour occupation la lecture ou la fabrication d'horloges en miniature.

En fait, le garçon se considère comme abandonné par ses parents. Orphelin (comme Louis Lambert), il recherche la tendresse et ne rencontre que la discipline draconienne imposée par ses maîtres. Parce que le prix de la pension est peu élevé, l'intendant du collège n'équilibre son budget qu'en économisant sur la nourriture et le chauffage. Mme Balzac n'envoie jamais un colis à son fils qui, sans sous-vêtements, sans gants, passe des hivers les mains et les pieds couverts d'engelures.

« Il lui fut bien difficile de se plier à la règle du collège, de marcher dans le rang, de vivre entre les murs d'une salle où quatre-vingts jeunes gens étaient silencieux, assis sur un banc de bois, chacun devant son pupitre. Ses sens possédaient une perfection qui leur donnait une exquise délicatesse, et tout souffrit

---

1. *Balzac et la religion*, Ph. Bertault, éd. Boivin, 1942.

35

chez lui de cette vie en commun. Les exhalaisons par lesquelles l'air était corrompu, mêlées à la senteur d'une classe toujours sale et encombrée des débris de nos déjeuners ou de nos goûters, affectèrent son odorat... Enfin, nos salles contenaient encore une pierre immense où restaient en tous temps deux seaux pleins d'eau, espèce d'abreuvoir où nous allions chaque matin nous débarbouiller le visage et nous laver les mains à tour de rôle en présence du maître. De là, nous passions à une table où des femmes nous peignaient et nous poudraient. Nettoyé une seule fois par jour avant notre réveil, notre local demeurait toujours malpropre. Puis, malgré le nombre des fenêtres et la hauteur de la porte, l'air y était incessamment vicié par les mille industries de chaque écolier sans compter nos quatre-vingts corps réunis et entassés. » (*Louis Lambert*)

Ce n'est qu'en quatrième (il avait alors treize ans) qu'Honoré trouve dans la lecture, grâce à la complicité de l'un des bibliothécaires du collège, un exutoire qui va lui permettre de s'évader du quotidien. Cet archiviste cité par Balzac dans *Louis Lambert* existe réellement : il s'appelle Hyacinthe Lefebvre. C'est un ancien prêtre constitutionnel qui s'occupe peu du jeune élève mais le laisse libre de prendre sur les rayons les livres qui l'intéressent. « La lecture était devenue chez lui une espèce de faim que rien ne pouvait assouvir. » (*Louis Lambert*) En boulimique, Honoré se repaît d'œuvres très diverses : religion, histoire, physique, philosophie... Doué d'une mémoire prodigieuse, il s'enrichit de connaissances variées qui deviendront les bases de son œuvre future. C'est à Vendôme qu'il naît intellectuellement. Ses lectures lui servent de brouillon. Ces héros illustres, anciens ou modernes, mûriront dans son esprit, développeront son don d'observation et lui permettront de découvrir les profondeurs et les mystères de l'être humain. Au cours de ces années d'adolescence naissent les racines des personnages qui composeront *la Comédie humaine.* Son cerveau enregistre une suite d'images qui le plonge dans une véritable extase. « A l'âge de douze ans, son imagination, stimulée par le perpétuel exercice de ses facultés, s'était développée au point de lui permettre d'avoir des notions si exactes sur les choses qu'il percevait, par la lecture seulement, que l'image imprimée dans son âme n'eût été plus vive s'il les avait réellement vues ; soit qu'il procédât par analogie, soit qu'il fût doué d'une seconde vue par laquelle il embrassait la nature. » (*Louis Lambert*) Et cet enfant hypersensible, ce Louis Lambert que le romancier décrira plus tard et qui n'est autre que lui-même, se retrouve tout enivré de ses lectures exaltantes, épuisé, manquant de sommeil, dans une classe où flotte une odeur fadasse, en compagnie d'autres élèves vêtus du même uniforme grisâtre, obligé de réciter des leçons dont il a depuis longtemps dépassé le stade et qu'il n'a pas apprises car il les estime sans intérêt pour lui. « Notre mémoire était si belle que nous n'apprenions jamais nos leçons. Il nous suffisait d'entendre réciter à nos camarades les morceaux de français, de latin et de grammaire pour les répéter à notre tour. Mais si par malheur le maître s'avisait d'intervertir les rangs et de nous interroger les premiers, souvent nous ignorions en quoi consistait la leçon. » (*Louis Lambert*) Alors tombaient les punitions : coups de férule sur les doigts, alcôve ou bûcher de bois.

Ici se situe un événement qui marquera profondément le jeune garçon : il rédige secrètement un *Traité de la volonté* dont le manuscrit est confisqué par l'un des pères du collège qui le cède à des marchands avec un lot de papiers d'emballage. Cette anecdote, attribuée à Louis Lambert, a certainement été vécue par Honoré qui, à dater de ce jour, ne ressent plus pour ses maîtres que du mépris.

Le collège de Vendôme n'offre à ses pensionnaires

que deux distractions : les pique-niques organisés l'été, avec départ en rang dès cinq heures du matin vers la campagne environnante, et l'élevage de pigeons que les élèves sont autorisés à nourrir pour les manger ensuite les jours de fête. A part cela, ancun jeu, aucune sortie ; confession obligatoire à jours fixes, repas pris au réfectoire en écoutant de pieuses lectures à haute voix, leçons, devoirs, prières, pensums, forment le quotidien désespéré de ces jeunes fils de paysans et de petits-bourgeois.

Véritable phénomène, Balzac mène une double vie : une présence physique au collège d'où son cerveau est absent ; ainsi il a la possibilité de s'incarner dans les corps des personnages qu'il découvre dans ses lectures. Dans cet état second, il souffre les maux, les blessures et les plaies des héros. C'est une sorte d'extase mystique qui le transplante dans un autre monde. Après une enfance de mal-aimé et d'incompris, les années passées à Vendôme par le jeune adolescent abandonné, solitaire, à la recherche de l'absolu, d'une amitié masculine, d'un « ami de cœur », à la poursuite de ses rêves et de ses fantasmes, vont donner naissance à l'homme, au visionnaire, à l'écrivain de génie.

A quatorze ans, afin de lire tout son saoul, Honoré fait l'impossible pour mériter l'alcôve ou le cachot. Là, enfin seul, il découvre l'*Histoire de l'Eglise primitive*, le fanatisme total, « les supplices héroïquement soufferts par les chrétiens ». Il pénètre les mystères du Prince des Ténèbres dans *la Démonologie* de Jean Wier, lit tout et n'importe quoi et faute de mieux dévore des dictionnaires dont il retient des pages entières par cœur. Son extraordinaire mémoire lui permet de se souvenir des noms, des descriptions, des définitions, des lieux qui forment un amoncellement d'images, un tourbillon de mots dans lequel, peu à peu, son esprit s'égare. Il maigrit, se nourrit moins, semble hébété et marche comme un somnambule. Ses professeurs sont perplexes et parviennent à convaincre le père supérieur de se séparer de cet énergumène. « M. Mareschal, directeur du collège, écrivit à notre mère entre Pâques et les prix de venir en toute hâte chercher son fils. Il était atteint d'une espèce de coma qui inquiétait d'autant plus ses maîtres qu'ils n'en voyaient pas les causes... » révélera Laure de Surville, sa sœur. Honoré dira plus tard que « cet état comateux provenait d'une espèce de congestion d'idées ».

Mme Balzac va chercher son fils à Vendôme et le raccompagne à Tours. A son arrivée, sa famille s'effraie en découvrant ce fantôme. La grand-mère s'écrie : « Voilà donc comme le collège nous rend les jolis enfants que nous lui confions. » Son père décide d'une longue convalescence dans la maison familiale. Honoré fait de grandes promenades avec sa mère aux environs de Tours. Elle l'oblige à jouer, à courir, « à lancer des cerfs-volants » afin de le guérir de ses rêveries. Petit à petit, son cerveau opère le classement de ses idées et le garçon semble retrouver son équilibre. Le jeune philosophe découvre la vie quotidienne, les insectes, les oiseaux, les plantes et les fleurs. Il met lui-même en terre, avec mille précautions, une graine de citrouille qu'il avait prise pour une rarissime graine de cactus de Judée ! Progressivement, il revient à la vie, se rétablit, suit en qualité d'externe les cours du collège de Tours, mais doit redoubler sa troisième. Son père, qui ambitionne pour lui l'admission à Polytechnique, offre à son fils des cours particuliers à domicile.

En novembre 1814, Bernard François Balzac est nommé directeur des vivres dans une entreprise parisienne de fournitures aux armées. Toute la famille quitte Tours pour la capitale et emménage au numéro 40 de la rue du Temple. Honoré poursuit ses études non loin de là, rue Saint-Louis (actuellement rue de Turenne) au pensionnat Lepître. « Les douleurs que j'avais éprouvées en famille, à l'école, au collège, je les retrouvai sous une nouvelle forme pendant mon séjour à la pension Lepître. Mon père ne m'avait point donné d'argent. Quand mes parents savaient que je pouvais être nourri, vêtu, gorgé de latin, bourré de grec, tout était résolu. Durant le cours de ma vie collégiale, j'ai connu mille camarades environ et je n'ai pas rencontré chez aucun l'exemple d'une semblable indifférence. » (*Le Lys dans la vallée*) Ses résultats sont si médiocres que sa mère est persuadée d'avoir pour fils « un raté ». Il change d'école, entre à l'institution Ganser, rue de Thorigny, qu'il quittera un an plus tard pour suivre les cours du lycée Charlemagne. En 1816, il obtient de justesse son baccalauréat et est admis à l'Université pour entreprendre des études de droit.

Ce n'est pas suffisant. Il coûte trop cher. Non seulement il ne doit pas dépenser, mais il doit gagner de l'argent pour se suffire à lui-même. Voilà ce que sa mère lui répète sans cesse. Son père lui trouve un emploi de copiste chez un avoué, Mᵉ Guillonnet de Merville, puis chez un notaire ami de la famille, Mᵉ Passez qui demeure dans la même maison que les Balzac, rue du Temple. C'est un homme bon qui a quelque indulgence pour les absences fréquentes d'Honoré. Il a de l'humour aussi : un jour, il fait parvenir un billet à son employé lui demandant de rester chez lui « car il y a du travail pressé » ! Mme Balzac ignore ces détails et respire enfin : son fils suit le droit chemin. Mais il faut qu'il économise sur tout, qu'il étudie toujours, qu'il travaille davantage... Un jour, il épousera une riche et jeune personne dont la dot lui permettra d'acquérir une étude... Il deviendra notaire ! Homme rangé, pieux et respectable, il aura « réussi sa vie »...

C'est précisément lorsque Madame Mère est assurée du bon résultat de son éducation qu'un sursaut de révolte éclate dans le cerveau du jeune homme. Il est conscient de sa valeur et sait ce qu'il veut faire dans l'avenir. Il ne doit pas céder à cette femme autoritaire qui l'étouffe et veut le transformer en un bourgeois étriqué. Elle le domine et le fait souffrir depuis sa petite enfance. Il l'expliquera plus tard dans une lettre et confessera cette terrible vérité en ces termes : « Si vous saviez quelle femme est ma mère : un monstre et une monstruosité tout ensemble... Elle me hait pour mille raisons. Elle me haïssait déjà avant ma naissance. J'ai déjà été sur le point de rompre avec elle, ce serait presque nécessaire. Mais je préfère continuer à souffrir. C'est une blessure qui ne peut guérir. Nous avons cru qu'elle était folle et avons consulté un médecin qui est son ami depuis trente-trois ans. Mais il nous a dit :

— Mais non elle n'est pas folle. Elle est seulement méchante.

Ma mère est la cause de tous les malheurs de ma vie. »

Alors sa réaction est brutale et prompte sa décision : il laisse sur place ses manchettes de lustrine, abandonne son pupitre de saute-ruisseau, claque la porte au nez du notaire, rentre chez lui et demande audience à ses parents. Il les informe tout de go qu'il ne sera jamais avocat ni notaire ni bourgeois. Il est sur terre pour remplir une mision : devenir un grand écrivain. La médiocrité n'est pas son fait. Il sera célèbre, riche et son œuvre sera reconnue par tous : « Vous verrez qu'un jour l'on parlera de votre fils Honoré comme d'un grand homme. »

Une vive discussion éclate alors : Madame Mère affirme que ce garçon a décidément été fait pour la misère et M. Balzac renchérit en déclarant que la plupart des écrivains finissent par mourir de faim à l'hôpital et que « dans les lettres il faut être roi pour n'être pas goujat ». Ce à quoi Honoré répond :

— Eh bien je serai roi !

41

D'où vient cette certitude chez Balzac ? Il est permis de penser qu'elle est née dans l'étude de Mᵉ Victor Edouard Passez. Là, il peut tout à loisir étudier de multiples dossiers, découvrir de sordides querelles familiales autour d'un héritage, assister à l'établissements de contrats de mariage truqués. « Ce qui est certain, c'est que Balzac entrevit là pour la première fois les tragédies domestiques que les hommes de loi connaissent par leurs fonctions et dont ils ne parlent guère. Il apprit qu'il y a dans les familles des drames cachés, des vols subreptices que les lois ne peuvent empêcher, des souffrances inconnues qu'on peut infliger en se servant de mille moyens infimes par lesquels le mécanisme social permet de meurtrir une âme délicate, crimes impunis que le Code protège ou contre lesquels il est impuissant [1]. » Ces vingt mois de travaux juridiques sont aussi importants pour sa formation que ses années d'enfance et d'adolescence à Vendôme. Grâce à l'observation réaliste de personnages et de faits appartenant à la banalité quotidienne, Balzac découvre dans l'étude de Mᵉ Passez les caractères essentiels de son œuvre future. C'est là qu'il se prend de haine pour les notaires, tabellions et autres gens de basoche qui figureront dans *la Comédie humaine* comme d'habiles canailles.

Devant la détermination de leur fils, M. et Mme Balzac décident de le laisser côtoyer la misère afin de l'amener par la suite à résipiscence. On va mettre cet esprit indiscipliné à l'épreuve. Il habitera seul dans une mansarde qu'il choisit lui-même au numéro 8 de la rue Lesdiguières, parce qu'elle est proche de la bibliothèque de l'Arsenal où il se propose d'entreprendre des recherches. Il disposera de 125 francs par mois, le strict minimum pour subvenir à ses besoins. Et on lui

---

1. *Balzac*, Maurice Bardèche, éd. Julliard.

accorde une année, une seule, pour démontrer qu'il peut vivre de sa plume et devenir le grand écrivain qu'il prétend être. Gageure impossible à tenir pour un jeune débutant inexpérimenté. Et puis, quelles conditions de vie ! Il mangera, travaillera et dormira dans « une chambre qui avait vue sur les toits, sur les cours obscures des hôtels garnis du voisinage et par la fenêtre desquels passaient de longues perches chargées de linge. Cette mansarde aux murs jaunes et sales sentait la misère. La toiture s'en abaissait régulièrement et les tuiles disjointes y laissaient voir le ciel. Il y avait place pour un lit, une table, quelques chaises et sous l'angle du toit je pouvais loger mon piano. Le bureau chétif sur lequel j'écrivais et la basane brune dont il était couvert, mon piano, mon lit, mon fauteuil, les bizarreries de mon papier de tenture, mes meubles, tous deviennent pour moi d'humbles amis, les complices silencieux de mon avenir. Que de fois en les regardant je leur ai communiqué mon âme. J'étais emprisonné par une idée, captivé par un système, mais soutenu par la perspective d'une vie glorieuse [1]. »

La gloire, il n'en est pas encore question : il doit vivre et gagner tout de suite de l'argent. Devenir son maître. Ne dépendre de personne. Cela commence mal : il souffre de maux de dents et sa joue est enflée par une fluxion. Il écrit à sa sœur : « Ah ma pauvre Laure, tu ne me reconnaîtrais pas : je suis un *pater dolorosa.* » Pour calmer la douleur, il boit du café. Il trace fiévreusement des plans de tragédies, d'opéras, de romans. Il écrit d'abord *Stella* et *Coquecigrue,* deux romans qui ne furent jamais édités, puis une comédie, *les Deux Philosophes,* qui ne fut jamais représentée. Il entreprend alors l'histoire de Cromwell. « J'ai pris ce sujet parce qu'il est le plus beau de l'histoire

---

1. *La Peau de chagrin.*

moderne et je m'y suis jeté à corps perdu », écrit-il à sa sœur Laure. Ce sera, ajoute-t-il, « le bréviaire des peuples ». Inconscience ou orgueil ?

Madame Mère prend connaissance du manuscrit et à sa grande surprise le trouve excellent. Ce garçon serait-il véritablement doué ? Déjà elle voit le nom des Balzac sur les affiches de la Comédie-Française. Il faut recueillir l'opinion de personnalités compétentes car son avis n'est pas qualifié. On décide d'une lecture au cours d'une réception intime, devant un aréopage composé de parents et d'amis parmi lesquels l'ingénieur Surville, prétendant à la main de Laure, et le docteur Nacquart, secrétaire de la Société royale de médecine. Honoré, bien vêtu, les cheveux rejetés en arrière, l'œil brillant, tourne pendant trois heures les pages de son manuscrit, hurlant ou distillant des centaines d'alexandrins. Très vite l'auditoire s'ennuie. Certains somnolent et tout le monde s'accorde pour estimer fort ennuyeuse la lecture de ce chef-d'œuvre. Comble de l'ironie involontaire : un ami de la famille déclare qu'Honoré fera un bon expéditionnaire car il a « une belle plume » ! Le doute plane alors et l'ingénieur Surville propose de solliciter l'avis d'une personnalité indiscutable qui fut son professeur de belles-lettres : M. Andrieux, de l'Académie française, puis celui d'un grand comédien, Lafon, sociétaire de la Comédie-Française. Celui-ci estime cette tragédie mal faite et injouable. Quant au professeur qui enseigne au Collège de France, il écrit à Mme Balzac : « Je suis loin de décourager monsieur votre fils, mais je pense qu'il pourrait mieux utiliser son temps qu'à composer des tragédies et des comédies. »

C'est pour Honoré l'échec total. Il ne se laisse pas abattre. Au contraire, il va repartir de zéro avec en tête mille projets. Il a vingt ans et décide de conquérir le monde littéraire. Le temps accordé par ses parents pour réussir n'est pas écoulé : il lui reste six

mois. Ce sera suffisant pour devenir un grand romancier.

Il retrouve sa mansarde et sa solitude, ses « 3 sous
de pain, 2 sous de lait, 3 sous de charcuterie » qui
l'empêchent de mourir de faim et tiennent son esprit
« dans un état de lucidité singulière ». (*La Peau de
chagrin*)

« Figurez-vous, écrit Théophile Gautier, le jeune
Honoré, les jambes entortillées d'un carrick rapiécé,
le haut du corps protégé par un vieux châle maternel,
coiffé d'une sorte de calotte dantesque dont Mme
Balzac connaissait seule la coupe, sa cafetière à gauche,
son encrier à droite, labourant à plein poitrail et le
front penché comme un bœuf à la charrue, le champ
pierreux et non défriché pour lui de la pensée, où il
traça plus tard des sillons si fertiles. La lampe brille
comme une étoile au front de la maison noire, la neige
descend en silence sur les tuiles disjointes, le vent
souffle à travers la porte et la fenêtre.

« Si quelque passant attardé eût levé les yeux vers
cette petite lueur obstinément tremblotante, il ne se
serait certes pas douté que c'était l'aurore d'une des
plus grandes gloires de notre siècle. »

CHAPITRE V

LA CHATELAINE DE WIERZSCHOVNIA

Pour le châtelain de Pohrebyze, ce 15 mai 1819 est un grand jour. Eveline, sa fille, épouse Wenceslas Hanski. Des préparatifs d'une ampleur exceptionnelle ont précédé cette solennité.

Voitures et carrosses ne cessent de se croiser devant le perron du château. Affable, prévenant, Adam Laurent reçoit chaque invité et échange quelques mots de bienvenue. Il est vêtu d'un magnifique justaucorps amarante et l'étoile de l'Ordre brille sur sa poitrine. Il est aujourd'hui le plus heureux des hommes : son ambition est satisfaite et ses vœux sont comblés. Il marie sa fille à l'un des hommes les plus riches de Pologne. Elle occupera l'une des premières places dans la haute société. La comtesse Rzewuska est à ses côtés. Elle n'a plus la mine austère qu'elle affiche habituellement. Elle accueille aimablement les arrivants et l'on sent en elle une émotion contenue. Elle a conscience qu'aujourd'hui Eveline agit par obligation et contre son cœur. C'est à sa fortune que M. Hanski doit le privilège de l'épouser. Adam Laurent Rzewuski lui a cédé sa fille. Eveline sera riche, mais sera-t-elle heureuse ?

Toute la société réunie dans le grand salon bavarde

et chuchote. La comtesse perçoit quelques phrases malicieuses murmurées à propos de la différence d'âge entre les deux époux. On clabaude et parce que Wenceslas Hanski est un peu en retard, on laisse entendre qu'à son âge il est pénible de se lever tôt. Enfin les portes du salon s'ouvrent à deux battants et un valet annonce :

— Le comte Wenceslas Hanski, maréchal de Volhynie.

Paraît un homme de petite taille, trapu, fort, le cheveu rare et l'air timide. Son teint blême, brouillé, laisse présager une santé délicate. Il porte largement son âge. Dans le salon s'élève un marmonnement de jeunes filles et quelques rires retenus. Le comte Rzewuski est allé chercher Eveline dans ses appartements et fait son entrée en la tenant par la main, le coude levé. Cette fois, c'est un murmure d'admiration qui accueille la jeune fiancée lorsqu'elle paraît, vêtue d'une robe somptueuse. De longs cheveux noirs recouvrent ses épaules nues et satinées. Son teint est légèrement animé d'un rose transparent. Ses yeux d'un brun foncé sont voilés de cils noirs. Eveline est grande, de taille souple et son visage pur, innocent, est empreint de charme et de dignité.

Dans l'ordre des préséances, les invités se rendent en cortège à la chapelle du château pour assister à la cérémonie. L'office religieux est célébré par le confesseur d'Eveline. Agenouillée au pied du trône céleste, la jeune fille prie Dieu et les saints de bénir son union, de ne surtout pas penser à Thaddée, et de faire d'elle une épouse aimante conformément au dogme de sa religion. Elle implore et sollicite avec toute la ferveur de sa pureté et rien ne peut la distraire de sa méditation jusqu'à l'instant où le prêtre demande aux époux de prononcer le « oui » solennel. M. Hanski l'articule nettement, avec gravité. Eveline ouvre les lèvres mais aucun son ne sort de sa gorge. C'est donc que l'Esprit de Dieu n'est pas en elle. Le silence écrase l'assemblée durant quelques secondes longues comme l'éternité. A ses côtés, son père lui commande à voix basse, lui ordonne de prononcer ce « oui ». Eveline se reprend et parvient enfin à émettre un soupir en forme de oui à peine audible.

Après un interminable repas composé de mets et de boissons rarissimes, entrecoupé des toasts et des félicitations d'usage, une voiture tirée par six chevaux vient chercher les nouveaux mariés.

M. Hanski, en accord avec M. Rzewuski, avait souhaité que ces fêtes ne fussent pas, selon la tradition, d'une durée de deux jours et deux nuits, mais comme le veut la nouvelle mode, d'une journée seulement. Sentant proche l'instant du départ, Eveline se lève et se précipite dans les bras de sa mère. Le comte Adam Laurent la rabroue en lui expliquant qu'elle ne part pas vivre chez les Indiens du Mexique, mais qu'elle va s'installer chez son mari, à quelques lieues d'ici et que son attitude à l'égard de ce dernier est offensante.

Quelques heures plus tard, M. Hanski et son épouse pénètrent dans le domaine de Wierzschovnia, une magnifique résidence située dans les environs de Kiev. Le château s'élève au milieu d'une pelouse où serpente une rivière. A l'infini des champs de blé dont les épis ondulent, masse mouvante éclairée par les rayons de lune. Wierzschovnia ressemble un peu à Pohrebyze, imposant et solitaire avec, au loin, les huttes aux toits de chaume où s'entassent les serfs et les champs fertiles de l'Ukraine. Eveline retrouve le monde de son enfance, peuplé de faunes et de sylphes, un pays où tout devient spectacle, fantasmagorie, mirage et chimère.

Les domestiques forment une haie d'honneur. Talons joints, ils s'inclinent profondément au passage de leur nouvelle maîtresse. Devant le portail monumental, le plus âgé des serviteurs se prosterne à plat ventre devant le couple en suppliant Dieu, au nom de la domesticité du château, de bénir cette union. Wenceslas Hanski aide le bonhomme à se relever et l'embrasse. Puis il tend son bras à Eveline et la conduit dans le grand salon brillamment éclairé. Accablé par les fatigues de la journée, il se jette sur un canapé et invite Eveline à s'asseoir dans un fauteuil. Elle ne dit rien et le silence devient si pesant que M. Hanski demande à son épouse si elle est souffrante. Eveline se plaint d'un insupportable mal de tête et ajoute qu'il ne faut pas s'inquiéter, que cette douleur est fréquente et passe rapidement. Elle ébauche un sourire et demande à visiter le château. Wenceslas se lève, saisit un flambeau et la précède dans une suite de pièces luxueusement meublées.

Une rotonde forme le centre du château où aboutissent deux longues galeries vitrées. La première contient une bibliothèque qui rappelle à Eveline celle de son père, avec ses murs couverts de portraits de famille, la seconde, embellie de fleurs et de plantes rares, est ornée de statues de marbre blanc. Tout est luxe et harmonie : meubles précieux, tapis d'Orient, peaux d'ours blancs étendues sur le sol ; glaces de la Renaissance italienne, tableaux de maîtres et tapisseries anciennes agrémentent les murs. Wenceslas explique à sa jeune femme que l'entretien de ces pièces de musée est le travail quotidien d'une centaine d'artisans.

La première galerie conduit aux appartements privés de M. Hanski, la seconde à ceux de Mme Hanska. Wenceslas ouvre une porte et fait entrer Eveline dans une chambre meublée avec raffinement. Contigu, un boudoir rose et ciel précède une salle de bains en marbre de Carrare. C'est à son intention qu'il a fait spécialement aménager cet appartement, lui explique-t-il. Quoique habituée à vivre dans le luxe, Eveline se montre sensible à tant de magnificence. Un maître d'hôtel frappe, entre et annonce que le souper est servi.

Sur la table de la salle à manger, la vive lueur des

girandoles fait scintiller le vermeil des couverts et le cristal des flacons. Le repas commence et quelques propos anodins sont échangés. Entre ces deux êtres, rien ne se crée : il essaye d'être affable et n'est que mondain, elle se voudrait chaleureuse et ne parvient qu'à se montrer craintive. Elle appréhende les jours et les nuits à venir en se souvenant des recommandations de sa mère qui lui conseillait de se soumettre aux désirs de son mari, d'accepter cette douleur physique en feignant le plaisir afin de lui donner satisfaction. Elle devra aussi lui être fidèle jusqu'à la mort. Jusqu'à la mort... L'image de Thaddée la poursuit... C'est à lui qu'elle se doit d'être fidèle...

Les deux époux échangent encore quelques paroles et le repas s'achève. M. Hanski se lève, prend la main d'Eveline et la conduit à la porte de son appartement. Il lui dit quelques mots très doux, lui explique qu'il comprend sa fatigue et ses craintes et lui propose de la laisser cette nuit reposer seule et tranquille ; après quoi il effleure son front d'un baiser et se retire.

Eveline gagne son boudoir où deux femmes de chambre attendent ses ordres. La journée a été épuisante et Madame désire se mettre au lit le plus rapidement possible. Les servantes l'aident à se dévêtir et à enfiler une longue chemise en voile de mousseline. Elles décoiffent leur maîtresse pour la nuit et emprisonnent ses cheveux dans un ravissant bonnet brodé que Monsieur a tout spécialement fait venir de Paris. Dans un friselis de jupons, les deux servantes disparaissent et la porte se referme.

Eveline se retrouve seule, perdue dans cet immense château comme la petite fille de Pohrebyze qui, avant de s'endormir, fixait le rayon de lune que laissaient passer les interstices des rideaux. Elle chasse de son esprit l'image obsédante de Thaddée et pense à Henri, son frère préféré. Elle se souvient de leurs longues conversations à propos de sujets mystiques et des histoires extraordinaires qu'il savait si bien lui conter. Lui aussi est marié. Il voyage beaucoup et se trouve actuellement en Italie. Quand le reverra-t-elle ? Adam, son autre frère, va également lui manquer. Aide de camp de l'empereur Nicolas Ier, il réside dans la capitale russe. Eveline aimait parler politique avec lui. Ils discutaient au point de se chamailler parce qu'il considérait la chute de la Pologne comme un fait inévitable et aussi naturel que l'écroulement de la Grèce ou de la Rome antique. Eveline, choquée, lui reprochait d'aussi défaitistes propos. Alors il la rassurait, lui affirmait être profondément patriote : comme elle, il était convaincu que cette union monstrueuse avec l'empire de Russie prendrait fin bientôt et que la Pologne, libérée de la domination moscovite, retrouverait son indépendance. Et le frère et la sœur s'enlaçaient en pleurant de joie. Elle revoit son cadet, Ernest, et déplore d'être si éloignée de ce jeune et beau lieutenant du régiment de cuirassiers du prince Albert de Prusse. Elle songe enfin à sa sœur aînée Caroline, la plus belle de toutes, fiancée au général Witte, chef des colonies militaires et à Aline, la petite dernière, si fraîche et douce qu'on la surnommait Bouton de Rose. Eveline compare son sort au sien : Aline était fiancée avec un garçon qui, un peu avant de l'épouser, tomba amoureux de l'irrésistible et superbe Caroline. Pour ne pas manquer à sa parole, le jeune homme choisit de se suicider. Quelques mois plus tard, leur père, Adam Laurent, obligea Aline à épouser un riche propriétaire lituanien et comme elle-même, sa sœur se morfond aujourd'hui dans un sombre et lointain château...

A la pensée qu'elle ne reverra que rarement les membres de cette famille bien-aimée, éparpillés en des lieux divers et lointains, Eveline sanglote dans son oreiller et puis s'endort, épuisée.

CHAPITRE VI

L'USINE A ROMANS

Après l'échec de *Cromwell*, Balzac retrouve la solitude de sa mansarde : « Je me réjouissais en pensant que j'allais vivre de pain et de lait, comme un solitaire de la Thébaïde ; restant dans le monde des livres et des idées, dans une sphère inaccessible de ce Paris si tumultueux, sphère de travail et de silence, où je me bâtissais, comme les chrysalides, une tombe pour renaître brillant et glorieux. J'allais risquer de mourir pour vivre. Mon logement me coûtait 3 sous par jour ; je brûlais pour 3 sous d'huile en une nuit ; je faisais moi-même ma chambre, je portais des chemises de flanelle pour ne dépenser que 2 sous de blanchissage par jour ; je me chauffais avec du charbon de terre... J'avais des habits, du linge, des chaussures pour trois années ; c'était assez, ne voulant m'habiller que pour aller à certains cours publics et aux bibliothèques... Je ne me souviens pas d'avoir jamais acheté d'eau ; j'allais en chercher le matin à la fontaine de la place... Oh ! Je portais ma pauvreté fièrement. Un homme qui pressent un bel avenir marche dans sa vie de misère comme un innocent qu'on conduit au supplice, il n'a point honte. » (*La Peau de chagrin*)

Honoré a pour voisines de mansardes une quincaillière et des grisettes qui lui inspireront cette phrase : « Ce joli bras blanc d'une ouvrière qui arrose un pot de fleurs et le profil crochu d'une vieille à sa lucarne pourrie... »

Nourri de la philosophie rétrograde du XVIIIe siècle, Balzac prépare des fiches pour la rédaction d'un ouvrage dans lequel il réfutera la thèse de l'immortalité de l'âme et comparera la religion à une superstition. Rien de bien nouveau dans cet athéisme primaire. Son vaste projet n'est qu'une entreprise puérile dont il ne restera que deux manuscrits inachevés : *Stenie ou les erreurs philosophiques* et *Falthurne*. Le premier est le roman sentimental et conventionnel d'un amour contrarié dans lequel l'auteur tente d'expliquer que rien ne démontre l'existence de Dieu. Le second, très différent d'inspiration, relate l'histoire d'une belle et mystérieuse jeune femme nommée Falthurne élevée par les brahmanes de l'Inde et initiée à « la grande science de l'Orient ». Dans le premier on ressent l'influence de Voltaire et de Rousseau, dans le second celle de Walter Scott.

L'ambition de Balzac est de devenir non seulement un écrivain célèbre, mais aussi un penseur, un philosophe et l'auteur d'une œuvre sage, profonde, réfléchie. Il a également la volonté d'être « l'un des premiers », sinon « le premier ». Il explique cela au cours de l'année 1820 dans sa correspondance familiale. Le problème est qu'il doit aussi, dans les mois à venir, subvenir seul à ses besoins. Il bûche comme un forcené, économise sur tout, mange peu, maigrit, s'aigrit et traverse de longues périodes de doute et de découragement : comment trouver un éditeur qui acceptera de publier les œuvres d'un inconnu ? En cas d'échec, ses parents l'obligeront à revenir au notariat, à la petite bourgeoisie, à la grande médiocrité et de cela, il ne peut être question.

Or, au cours de cette même année 1820 va se produire une rencontre fortuite qui va dévier l'écrivain de ses principes, transformer pour un temps le génie en barbouilleur de papier. Balzac qui se voulait romancier et philosophe va devenir plumitif et feuilletoniste. C'est probablement à la bibliothèque de l'Arsenal qu'il fait connaissance avec un jeune garçon de son âge, élégamment vêtu, très homme du monde, qui répond au grandiose patronyme de Le Poitevin d'Egreville, prénom : Auguste. Que fait-il ? Eh bien ! il est écrivain, précisément... et en panne... Car il a trouvé un éditeur, le libraire Hubert, au Palais-Royal, qui lui a accordé une confortable avance après lecture du canevas d'un roman qu'il ne reste plus qu'à écrire, ce dont Le Poitevin d'Egreville, après quelques essais infructueux, se sent incapable. Ce livre intitulé *les Deux Hector ou deux familles bretonnes* doit être publié dans un mois et l'auteur touchera à la parution, en plus de l'à-valoir, une somme de 700 francs. Et Auguste démontre à Honoré qu'il a bien tort de viser si haut, que la philosophie est une vieille dame qui ne fait plus recette. La mode est à l'histoire, le public est entiché d'histoire, les éditeurs veulent donc de l'histoire : rien de plus aisé que d'inventer de l'histoire. Honoré se targue d'avoir la plume facile, ce qui est vrai. Auguste lui propose une association : il a des idées et un éditeur... Balzac n'aura qu'à rédiger et ils partageront les droits. Voilà enfin pour Honoré le moyen de vivre de sa plume... Topons-là ! Il accepte et entre, ce qu'il n'apprendra que plus tard, dans une usine à romans ! Le Poitevin d'Egreville est un proxénète de la littérature : il emploie une douzaine de jeunes gens qu'il fait travailler à la baguette en les traitant de « petits crétins ». La fabrique écoule sa production sous le pseudonyme d'Auguste de Viellerglé, anagramme d'Egreville. Les auteurs sont rémunérés à la ligne afin de les inciter à un rendement accéléré. La littérature romanesque est très prisée et les libraires-éditeurs ne peuvent faire face à la demande, surtout dans la catégorie « bon marché ». Ce sont de petits formats in-12, tirés sur mauvais papier qui s'adressent à une clientèle populaire, laquelle n'achète des livres que rarement mais qui, en revanche, se presse pour les louer dans des « cabinets de lecture ». Ces romans, composés de trois ou quatre volumes, sont vendus à ces officines 2,50 francs pièce. Selon le nombre de « cabinets de lecture » qui composent la pratique du libraire-éditeur, le tirage peut atteindre jusqu'à deux mille exemplaires. Et, selon son succès, un ouvrage peut être réédité plusieurs fois. Certains livres connaissent de dix à trente éditions successives ! Un marché naissant est en plein essor : il s'agit de romans historiques ou d'aventures, mais toujours sentimentaux, dont les auteurs les plus célèbres sont Mme Cottin, Mrs. Pigault-Lebrun et Victor Ducange, tombés depuis dans un oubli éternel. Ils ne suffisent pas à une demande sans cesse grandissante et l'on en arrive à faire fabriquer industriellement ce genre d'ouvrages par des équipes d'écrivassiers réunis en « ateliers » sous la férule d'entremetteurs comme Le Poitevin d'Egreville, fournisseurs des libraires-éditeurs.

Et voilà le grand Balzac transformé en salarié, gribouilleur de « cochonneries », selon sa propre expression, qui n'ont aucun rapport avec l'art ni avec la littérature. Paraissent en 1820 *les deux Hector ou deux familles bretonnes* et *Charlotte Pointel ou mon cousin de la main gauche* auxquels collabore Honoré. Sa production intense se personnalise avec *l'Héritière de Birague* publié fin 1821 sous les signatures de Viellerglé (Egreville) et de lord R'Hoone, anagramme anglicisé d'Honoré, quatre volumes in-12. C'est la sombre histoire d'une riche héritière victime du chantage d'un odieux individu qui a découvert un crime ancien et exige d'épouser la jeune vierge en échange de son silence. Il y a là-dedans tous les poncifs. Aucun cliché ne manque : terreur, fourberie, haine, cynisme et candeur, le tout dans le décor d'un vieux château et de ses sinistres souterrains. C'est si outré, tellement mélo que cela en devient grotesque. Et l'on éprouve une certaine gêne à la pensée que ce grand conteur peut ainsi commettre son talent, lui dont l'ambition est de rendre son nom immortel. Sa plume ne s'en remettra jamais tout à fait : cette rapidité d'écriture, cette tournure désinvolte, ce travail littéraire peu soigné imprégneront son style qui demeurera toujours insuffisant même lorsque devenu le grand Balzac, il corrigera maintes et maintes fois ses épreuves, sans parvenir à la perfection souhaitée. A plusieurs reprises il confessera cette lacune. Dès à présent, il est conscient de la médiocrité de son travail et du gâchis auquel il se livre en commercialisant sa plume. Il écrit à sa sœur le 2 avril 1822 : « Ma chère Laure, je ne t'ai pas envoyé *Birague* parce que c'est une véritable cochonnerie littéraire, car maintenant le voile est tombé, j'ai vu *Birague*, ce qu'il valait. » Il lui adresse un exemplaire de son dernier roman *Jean-Louis* en la suppliant « de ne le prêter à âme qui vive, de ne pas même le montrer »... Il est conscient, oui, mais il poursuit néanmoins ses besognes de tâcheron afin de gagner sa vie et de prouver à ses parents qu'il peut vivre de sa plume. De leur côté, ceux-ci connaissent de grosses difficultés financières et, n'étant plus en mesure de payer le modeste loyer de la rue Lesdiguières, ils ont décidé de donner congé à la propriétaire. Honoré se voit dans l'humiliante obligation de réintégrer la maison paternelle de Villeparisis. Et il retrouve cette atmosphère maussade qu'il exècre : son père, un vieillard qui rabâche sa rancœur contre une société qu'il a bien servie jusqu'à l'âge de soixante-quinze ans et qui ne lui accorde qu'une retraite annuelle de 1 700 francs (33 000 francs actuels) alors que son traitement était de 8 000 francs (160 000 francs actuels) [1]. Il est contraint de dépenser les petits revenus de son épouse et malgré cela de vivre chichement. Charlotte Laure supporte mal cette adversité. La jolie jeune femme aux toilettes élégantes est devenue une dame aigrie, presque vieille à quarante-trois ans et qui n'admet pas cette déchéance après avoir goûté à la vie somptueuse d'une grande bourgeoise. D'économe, elle devient avare, ratiocine sur ce passé dispendieux, ne dépense qu'avec parcimonie, retrouve l'esprit de ses parents boutiquiers et parvient encore, en cachette, à remplir son bas de laine... La grand-mère Sallambier est devenue insupportable : vieille femme catarrheuse, crachotante, elle se plaint sans cesse d'une voix gémissante et chaque nuit réveille la maisonnée à plusieurs reprises. Laure, la sœur chérie d'Honoré, son amie, sa complice, le seul visage souriant de cette sinistre famille, s'est mariée à Eugène de Surville et demeure maintenant à Bayeux. Honoré s'est installé dans la chambre qu'elle occupait et noircit du papier sans discontinuer pour le compte d'Egreville. Un jour, il montre à sa mère son premier contrat et une somme de 800 francs qu'il vient de toucher en espèces. Bientôt, il recevra 1 500 francs pour un ouvrage en chantier, davantage que la retraite annuelle de son père et, cette fois, Charlotte Laure commence à considérer son rejeton avec intérêt. Qui plus est, Honoré commet ses romans populaires sous divers pseudonymes, ce qui ne risque pas de souiller le nom honorable des Balzac. Forçat de la plume, il remplit cinquante feuilles par jour pour échapper aux siens. Il fabrique des histoires comme un enragé, ne s'arrêtant que pour boire du café ou pour absorber rapidement un peu de nourriture à la table familiale. « Chère sœur, écrit-il à Laure, je travaille comme le cheval d'Henri IV avant qu'il fût en

---

1. Ces estimations en francs actuels, ainsi que celles qui suivront, ne sont qu'approximatives.

bronze et cette année, j'espère gagner 20 000 francs...
Dans peu, lord R'Hoone sera l'homme à la mode, l'auteur le plus fécond arrivera en équipage la tête haute,
le regard fier et le gousset plein ! » Fécond oui, proli-
fique même, mais de quel fatras ! Il n'y a vraiment pas
de quoi être fier ! En 1822-1823, il pond successivement
Tartare ou le retour de l'exilé sous le pseudonyme de
Viellerglé puis, sous ceux de lord R'Hoone ou d'Horace
de Saint-Aubin, *Jean-Louis ou la fille trouvée, Michel
et Christine et la suite, le Mulâtre,* et enfin *Clotilde de
Lusignan ou le beau juif,* une histoire inspirée
d'Invanhoé : un chevalier se déguise en juif pour retourner dans son comté et sauver ses amis prisonniers de brigands. En mai 1823 il publie encore :
l'Anonyme ou ni père ni mère. Il avouera plus tard dans
les Illusions perdues avoir utilisé pour ses romans
« dagues, mâchicoulis, bottes, hauberts, souliers à la
poulaine et tout son romantique attirail de carton
peint ».

Il use avec ardeur douze plumes par jour à rédiger
ces niaiseries n'importe comment : histoires saugre-
nues d'imposteurs, de vierges martyres, d'héritages
détournés et d'enfants adultérins. L'essentiel est de produire et de vendre. Et il produit et vend une dizaine
de volumes in-12 en une année ! Sa cote est en ascension : il a reçu 2 000 francs pour *Clotilde de Lusignan.*
Il écrit à Laure : « J'ai à faire *le Vicaire des Ardennes,
le Savant, Odette de Champdivers* et *la Famille
R'Hoone,* plus une foule de pièces de théâtre... », car
maintenant il espère sortir de sa médiocrité en deve-
nant un grand auteur dramatique.

Balzac traverse une période de désordre et de confu-
sion qui durera environ huit ans, afin de devenir riche
et indépendant. L'embrouillage de sa production est
tel que personne à ce jour ne peut citer ses œuvres
complètes, signées de différents pseudonymes et
publiées entre 1820 et 1826. On trouve pêle-mêle une

Histoire impartiale des jésuites, le Petit Dictionnaire des enseignes de Paris, le Code des honnêtes gens ou l'Art de n'être pas dupe des fripons, l'Art de mettre sa cravate[1], *l'Art de payer ses dettes sans débourser un sou*[1], *le Code des commis voyageurs* et un *Code conjugal* dans lequel figurent de nombreux éléments de ce qui, plus tard, deviendra sa première œuvre marquante : *la Physiologie du mariage.* Car le miracle est qu'un jour, malgré ces longues années de prostitution, de négritude, le génie de Balzac éclatera. C'est encore à Laure qu'il confie : « Maintenant que je crois connaître mes forces, je regrette bien de sacrifier la fleur de mes idées à des absurdités. Je sens dans ma tête quelque chose et si j'étais tranquille sur ma fortune, je travaillerais à des choses solides... Ah Laure ! Quelle chute de mes projets de gloire ! »

A vingt-trois ans, Balzac n'a jamais tenté d'obtenir les faveurs d'une femme... Indifférence ? Non. Au contraire, il réfrène sa sexualité débordante et dissimule ses désirs tumultueux derrière une timidité qu'il ne fait rien pour surmonter. Son acharnement au travail est un exutoire qui lui permet de vivre caché. En fait, il est laid, le sait et craint d'être éconduit. Tout en lui est repoussant : il est petit, lourd sur pattes ; ses cheveux en broussaille graissent le col de ses vêtements et ses dents jaunes et cariées rendent son haleine fétide. Ajoutez une bouche lippue, un nez en pied de marmite et deux yeux ronds exorbités et vous comprendrez qu'il a fallu le ciseau de Rodin pour donner à ce personnage clownesque la puissance du génie qui l'habitait. « Je me déplaisais, je me trouvais laid, j'avais honte de mon regard. J'étais la proie d'une excessive ambition, je me croyais destiné à de grandes choses et je me sentais dans le néant... La conquête du pouvoir ou

---

1. Attribué à un atelier littéraire auquel participait Balzac mais revendiqué plus tard par Emile Marco Saint-Hilaire.

d'une grande renommée littéraire me paraissait un triomphe moins difficile à obtenir qu'un succès auprès d'une femme de haut rang, jeune, spirituelle et gracieuse... J'avais de la hardiesse dans l'âme et non dans les manières... J'en ai beaucoup vu, que j'adorais de loin, auxquelles je livrais un cœur à toute épreuve, une âme à déchirer, une énergie qui ne s'effrayait ni des sacrifices ni des tortures... Elles appartenaient à des sots dont je n'aurais pas voulu pour portiers... Oh ! se sentir né pour aimer, pour rendre une femme bien heureuse... Porter des trésors dans une besace, et ne pouvoir rencontrer même une enfant, quelque jeune fille curieuse, pour les lui faire admirer... J'ai souvent voulu me tuer de désespoir... » (*La Peau de chagrin*)

Et ce garçon qui n'a jamais osé aborder une femme va tout à la fois découvrir l'ivresse d'un premier amour réciproque, le lyrisme romantique d'une passion, l'apaisement d'un désir exaspéré et la tendresse dont il a toujours manqué.

A Villeparisis, la maison des Balzac est confortable, haute de deux étages et entourée d'un jardin de jeunes ormes. C'est l'avant-dernière du village. La dernière, plus grande, avec parc et verger, est occupée par la famille de Berny, dont le père, Gabriel de Berny, avait débuté comme Bernard François Balzac dans l'administration des vivres et s'était élevé dans la hiérarchie sociale jusqu'au rang de gouverneur conseiller à la cour impériale. Il est l'époux d'une femme plus jeune que lui de dix ans, fille d'une femme de chambre de Marie-Antoinette et filleule de la reine. De cette époque, Laure de Berny conserve pieusement un mouchoir taché de sang qui appartint à la souveraine guillotinée. Vivent sous le même toit sept enfants, garçons et filles à marier qui, joyeux et turbulents, irritent un père âgé de cinquante-cinq ans en passe de devenir aveugle et de ce fait atrabilaire et ronchon.

On fait connaissance au cours de la fête du village,

on voisine un peu, un baptême rapproche les deux familles, Mme Balzac et Mme de Berny se lient d'amitié ; les enfants apprécient la compagnie d'Honoré, en particulier Emmanuelle, née des amours adultères de sa mère avec un Corse, « ravissante comme une rose du Bengale », selon Balzac vingt ans plus tard, pour laquelle, ajoutait-il, un ami du ménage « avait tenu la queue de la poêle ».

Tout commence naturellement : Honoré donne à titre gracieux des leçons de français à Henri, l'un des fils de Berny. Bon prétexte pour retrouver Emmanuelle sur un banc de bois dans le parc ombragé et lui réciter des poèmes passionnés, venus au fil de la plume, la nuit précédente. Les Balzac observent que leur fils passe de plus en plus de temps chez les Berny, non seulement l'après-midi mais aussi le soir ; il prend le goût de la toilette, porte des chemises propres et en arrive même à se laver la tête et à se coiffer soigneusement ! Autant de signes avant-coureurs pour Madame Mère : son fils est amoureux. De qui ? Il suffit de réfléchir : l'une des filles de Berny est plus âgée que lui, les autres sont trop jeunes... Il ne peut donc s'agir que d'Emmanuelle... Or, elle est ravissante et Madame Mère est comblée : son fils n'est pas si balourd... Il vise haut et juste pour entrer dans une famille noble et riche qui lui permettra d'obtenir une situation avantageuse et d'abandonner ses gribouillages dégradants.

Alors, quelle déception lorsque l'on découvre l'incroyable réalité : Honoré n'est pas amoureux de l'exquise Emmanuelle, ce n'est plus à elle qu'il adresse poèmes et billets doux. Non ! La demoiselle n'est pour lui qu'un prétexte : ce monstre feint d'aimer la fille pour approcher la mère ! Car c'est de Mme de Berny qu'il est passionnément épris... Fou, littéralement fou de cette femme de vingt-deux ans son aînée et grand-mère à quarante-cinq ans... « La première fois que je vous vis, mes sens furent émus et mon imagination s'alluma jusqu'au point de vous croire une perfection, je ne sais pas laquelle... » lui écrit-il. Déconcertant jugement ! Vice ou mauvais goût ? Mme de Berny est une petite blonde boulotte à l'œil rond, au nez trop long, à la taille déformée par sept maternités et qui n'a rien pour provoquer « l'élan divin », rien, sinon l'imagination d'Honoré. Il est à la recherche non de la femme mais de la mère.

L'enfant délaissé qui n'a connu que nourrices et pensions est en quête d'amour maternel. Balzac est atteint d'un complexe de frustration, d'une névrose caractérisée par des troubles affectifs et émotionnels dont il souffrira toute sa vie. Mme de Berny correspond à l'image idéale de la protectrice sécurisante et bien-veillante à laquelle il sera doux d'accorder le plus pré-cieux de lui-même : la fraîcheur de son premier amour. Toute son œuvre sera marquée par le reflet de cette femme mûrissante, encore désirable, compréhensive, amoureuse, à qui l'on aime se confier pour mieux se soumettre. Car il y a un côté naturel féminin chez Balzac : il ne possédera pas mais s'abandonnera à cette maîtresse, à cette épouse oubliée par son mari et spontanément attirée par un homme jeune. Et, fabu-lant, Honoré imagine ce qu'il ne voit pas : « Sa peau d'une finesse prodigieuse, symptôme rarement trom-peur, annonçait une vraie sensibilité, justifiée par la nature de ses traits qui avaient ce fini merveilleux que les peintres chinois répandent sur leurs figures fantas-tiques. Son cou était un peu long peut-être mais ces sortes de cous sont les plus gracieux et donnent aux têtes de femmes de vagues affinités avec les magnéti-ques ondulations du serpent. » (*La Femme de trente ans*) Il lui écrit des billets dithyrambiques, des décla-rations si enflammées que Mme de Berny s'étonne tout d'abord et puis s'inquiète. Sa turbulente jeunesse est lointaine, ses liaisons hors-mariage remontent à plus de vingt ans et si la rumeur publique chuchote que non seulement sa fille Laure mais aussi ses deux derniers enfants sont adultérins, elle mène aujourd'hui une existence paisible et monotone. Elle se refuse donc à cet adolescent plus jeune que ses fils et tente de lui faire entendre qu'étant donné la différence d'âge elle ne peut se lier avec lui que d'une chaste amitié. Elle accepte de le rencontrer chaque jour. Et puis une nuit, elle capitule, ouvre la grille du parc, prend le jeune homme par la main, le conduit jusqu'à la porte de sa chambre qu'elle ouvre silencieusement. L'homme-enfant rencontre la vie, s'épanche sur ce sein, se délecte de son infantilisme, de sa soumission et lui cède à la façon d'une femme. « Ainsi elle deviendrait maîtresse de ses souffrances, elle les ordonnerait selon son bon plaisir et les rendrait plus rares en subjuguant son mari, tout en le domptant sous un despotisme terrible. » (*La Femme de trente ans*) Il va jusqu'à l'appeler « maman » comme Jean-Jacques s'adressant à Mme de Warens. Elle devient son initiatrice en amour comme elle sera plus tard son éducatrice en littérature. Il s'en remet totalement à cette femme érudite, cultivée. Elle apprend à ce rustre les bonnes manières, l'élégance, lui donne le goût qui permet de deviner le beau, critique ses écrits et lui raconte les manières de Versailles considérées comme les meilleures. Elevée dans le sérail, Laure de Berny, filleule de la reine, a deux autres prénoms : Louise et Antoinette, ceux du couple royal. Elle lui parle de son enfance, lui explique que sa mère en secondes noces avait épousé le chevalier de Jarjailles, l'homme qui avait tenté de faire évader Marie-Antoinette emprisonnée au Temple. Elle lui montre quelques bijoux et le fameux mouchoir taché de sang qui appartinrent à la reine suppliciée et qu'elle conserve comme des reliques. Sous le charme, il l'écoute, l'admire, convaincu d'avoir rencontré l'être unique, la femme idéale, l'épouse victime, la maîtresse divine. Leur liaison se resserre, doublée d'une profonde amitié.

Mais Villeparisis est un village et cette intrigue fait jaser. C'est d'abord un murmure qui devient éclat de voix et le scandale arrive. Les trois demoiselles de Berny font de grands reproches à leur mère : il faut être une bien malhonnête femme pour tromper un mari aveugle ou presque... Elles décident de ne plus adresser la parole à ce jeune homme, ce parasite qui s'incruste chaque jour davantage dans la maison paternelle. De son côté, Mme Balzac, oublieuse de son inconduite passée, est indignée, révoltée : conquérir et prendre le fils d'une amie de famille qui lui accorde sa confiance, oser commettre l'adultère sous le toit conjugal et voler tout à la fois une mère et un époux est un acte doublement criminel. Cette suborneuse est la plus misérable des catins ! L'autoritaire Madame Mère, sentant s'échapper son fils, est torturée par une jalousie augmentée d'un humiliant déshonneur. Cette conduite immorale doit cesser immédiatement. Un seul remède : l'exil. Et le 28 mai 1822, Honoré est expédié à Bayeux chez sa sœur Laure de Surville. Il y reste trois mois, regagne le bercail et termine la rédaction d'un roman sentimental et social : *le Vicaire des Ardennes.*

En octobre 1822, les soucis financiers de la famille prennent fin : un lointain cousin de Madame Mère meurt de tuberculose et lui lègue 90 000 francs, une fortune puisque cette somme correspond à 2 millions de nos francs.

De retour à Villeparisis, Honoré revoit en cachette Mme de Berny. Les amants sont de nouveau confondus et le scandale éclate pour la seconde fois. Mme Balzac écrit à Laure : « Honoré ne voit pas combien il est indiscret d'aller ainsi deux fois par jour dans cette maison. Je voudrais être à cent lieues de Villeparisis. » C'est pourquoi elle cède aux instances de son fils qui affirme avoir besoin de Paris et de la solitude pour poursuivre son œuvre. La famille et l'intéressé dressent alors un compromis : Honoré recevra une allocation mensuelle de 100 francs qui lui permettra de se loger et de se nourrir, à charge pour lui de se fournir en bois et en chandelles et de subvenir à ses frais de blanchissage. Le texte de cette convention, rédigé sur papier, est signé par les deux parties le 1ᵉʳ novembre 1822.

Honoré quitte Villeparisis pour s'installer à Paris, rue de Tournon. Sa famille est loin de se douter que ce déménagement va lui permettre de retrouver plusieurs fois par semaine, en toute quiétude, Mme de Berny qui a pris un logement au Marais. Au cours de ce même mois de novembre paraît *le Vicaire des Ardennes* dans lequel Balzac vilipende l'ordre social, la religion et la prison du mariage (allusion à la situation de Mme de Berny) ajoutant l'inceste à l'ensemble pour faire bonne mesure. Il escompte un scandale qui le rendra célèbre. Mais Honoré est déçu : l'ouvrage est interdit par la censure et mis au pilon dans l'indifférence générale.

Jusqu'à ce jour, sa mère relisait, commentait et critiquait ses manuscrits. Désormais c'est à Mme de Berny qu'il les soumet. Elle devient son inspiratrice, son mentor, parfait ses connaissances en histoire, en littérature, en poésie et, maîtresse infatigable et savante, lui fait découvrir l'amour sensuel. Il s'abandonne à son initiatrice qui lui apprend l'art des caresses voluptueuses. « Tu es pour moi, lui écrit-il, plus que l'air pour l'oiseau, plus que l'eau pour le poisson, plus que le soleil pour la terre. Ma vie est toute en toi et je respire en toi. » Elle remplace ces futiles jeunes filles qui l'ont tant déçu, toujours désirées mais jamais possédées, méprisables parce qu'elles veulent tout sans jamais rien donner... Il a la révélation « du lien rigoureux par lequel les jeunes gens s'attachent aux femmes plus âgées qu'eux ».

Grâce à Mme de Berny, il acquiert une nouvelle tournure d'esprit et sa carrière d'écrivain entre dans une lente évolution. Il publie son dernier roman de jeunesse *la Dernière Fée ou la nouvelle lampe merveilleuse*, au thème toujours naïf : une duchesse use d'une « nouvelle lampe merveilleuse » et avec la complicité d'un adolescent candide parvient à se faire prendre pour une fée. Une histoire encore imprégnée de rousseauisme, dont le thème rappelle celui d'Aladin et dont le seul intérêt est de permettre aujourd'hui à ses biographes de voir poindre le grand écrivain à travers une manière réaliste d'esquisser les silhouettes de villageois, de notables, de prêtres, d'avocats marrons et son art de décrire avec minutie l'ameublement d'une bergerie. Lui seul peut, sans lasser le lecteur, noircir plusieurs pages pour détailler une armoire, un lit à colonnes, une horloge, un poêle et un plancher en solives de noyer. En reprenant conscience de sa valeur, il retrouve son enthousiasme et sa liberté. En 1823, il se sépare de Le Poitevin, entreprend une carrière de journaliste et grâce à Horace Raisson, un ami de rencontre, collabore à divers périodiques : *le Feuilleton littéraire, la Mode, la Silhouette, la Caricature* et *le Voleur*. Mal rétribué, il abandonne et par besoin d'argent publie successivement en 1824 : *le Code conjugal, le Code de la toilette* et *le Code galant*. Mais il veut davantage, il veut la fortune et pour s'enrichir ne voit qu'un seul moyen : se lancer dans l'édition en procédant d'une manière originale, nouvelle : il ne sera pas seulement éditeur, mais tout à la fois l'auteur, l'imprimeur et le distributeur. Ainsi, plus d'intermédiaires coûteux. Le premier, sans le savoir, il applique la formule « directement du producteur au consommateur » ! Ainsi il bouclera la boucle et encaissera tous les bénéfices... Il lui faut une licence, un local, du matériel, du personnel et de l'argent, beaucoup d'argent... Et il n'a rien ! Ce n'est pas grave : simple question de volonté ! M. de Berny lui fait obtenir l'autorisation royale nécessaire, Mme de Berny lui avance 9 000 francs-or, sa mère une vingtaine de milliers de francs et une amie de cette dernière, Mme Delannoy, 30 000 francs environ. Balzac découvre dans le Marais une vieille imprimerie tombée en déconfiture et que son propriétaire désire vendre depuis longtemps. Il l'achète et bombarde directeur technique un typographe avec lequel il a déjà travaillé : André Barbier. Et le 4 juin 1826, il fonde une « Imprimerie Honoré Balzac » rue des Marais au numéro 17. C'est dans une ruelle sale et boueuse un vieux bâtiment sordide où jamais ne filtre le moindre rai de lumière. Au milieu d'un atelier délabré, un escalier en colimaçon conduit au premier étage où Honoré installe son domicile particulier : un sombre deux-pièces cuisine. De l'aube jusqu'au milieu de la nuit il travaille comme un forcené, dirige une vingtaine d'ouvriers, corrige, compose, reçoit clients et fournisseurs dans le bruit infernal des presses qui tournent sans discontinuer. Il fait des prix, consent des conditions exceptionnelles et imprime un fatras de bouquins, d'opuscules et de catalogues divers. Il prend encore le temps d'écrire et d'imprimer une œuvre personnelle, *le Dictionnaire des enseignes de Paris*. Les affaires sont mauvaises, l'argent ne rentre pas mais il doit payer ses ouvriers... Il décide alors d'imprimer des valeurs sûres : Molière, La Fontaine, Florian... Invendable ! Il les cède au prix du papier... Il se débat, signe des traites, emprunte ici et là à des amis de petites sommes pour tenir au jour le jour et sauver la boutique.

Dix-huit mois plus tard, l'imprimerie Honoré Balzac est en faillite. Il a 60 000 francs de dettes dont les intérêts annuels s'élèvent à 6 000 francs ! Mais ce n'est pas pour autant qu'il se démoralise. Toute sa vie il aura la même réaction devant l'adversité : s'enfoncer pour s'obliger à lutter davantage encore.

Il abandonne le quartier du Marais et ses ruelles crasseuses, pour la rue Cassini, près de l'Observatoire, court les antiquaires pour se procurer meubles anciens, flambeaux de table, horloges et bibelots inutiles. Il fait décorer les murs de moire bleue et commande de somptueux tapis de haute laine. Il ne paye rien mais signe des traites harcelantes et des reconnaissances de dettes usuraires.

Maintenant, pour se sortir de ce désordre, il lui faut travailler plus que jamais. L'idée d'un nouveau roman commence à germer dans son esprit. Le journalisme lui a donné le goût du reportage et pour se documenter, il se rend sur les lieux où se déroulera l'action : il s'installe à Fougères chez un ami de sa famille, le général Pommereul. Il enquête dans les cafés, chez les paysans, interroge les réchappés des armées royales qui combattirent la République, prend des notes sur le soulèvement de la Vendée en bavardant dans leurs masures avec les veuves des héros disparus, rentre à Paris quelques semaines plus tard et rédige un roman historique, *le Gars*, qui, en 1829, sera publié sous le titre *le Dernier Chouan ou la Bretagne en 1800* et deviendra plus tard *les Chouans*. C'est un reportage aux détails authentiques, pris sur le vif, sa première œuvre réaliste et déjà balzacienne. C'est aussi le premier livre qu'il signe de son nom : Honoré Balzac.

Cette année 1829 marque son entrée dans le Paris littéraire et mondain : il se lie avec la duchesse d'Abrantès qui l'introduit dans les salons de Sophie Gay et de Mme Récamier où il fait connaissance avec Victor Hugo, Lamartine et Jules Janin. Il devient l'ami de Marceline Desbordes-Valmore et de George Sand. A l'exception de ce temps perdu pour conquérir la célébrité, Balzac travaille d'arrache-pied, écrit douze heures par jour pour pouvoir rembourser les créanciers acharnés qui ne quittent pas ses trousses. Il publie *Gloire et malheur*, qui deviendra *la Maison du chat qui pelote*, que l'on place généralement aujourd'hui en tête de son œuvre car ce roman préfigure les grands thèmes balzaciens. Il rédige le premier épisode de *la Femme de trente ans*, un ouvrage dans lequel l'écrivain monte à l'assaut de la forteresse du mariage, démontre qu'à trente ou quarante ans une femme ne doit pas être la victime d'un époux tyrannique et d'enfants envahissants, que sa sexualité atteint son apogée et qu'il est normal que de grandes affinités l'attirent vers un garçon jeune puisque ces deux êtres sont faits l'un pour l'autre. Jamais encore un écrivain n'avait osé défendre la liberté de la femme en attaquant le mariage et la famille, fondements de la société, et en démythifiant la jeune fille qu'il estime despotique, possessive, cruelle et intéressée. Le succès est immédiat : des dizaines de milliers de femmes de par le monde, toutes les déçues, les délaissées, les refoulées découvrent en Balzac un avocat qui réclame pour elles le droit au bonheur.

Sa rencontre avec Mme de Berny, son modèle, l'a transformé. Il fuira toujours la jeune fille vertueuse pour ne s'attacher qu'à la femme frustrée, mère encore désirable, capable d'un amour passionné dans lequel il aimera se lover pour retrouver la chaleur de l'enfance et connaître sous cette protection dominatrice l'accord parfait de la chair et de l'esprit. Il lui doit sa première réussite littéraire et lui en sera toujours reconnaissant : « Elle a fait l'écrivain, elle a consolé le jeune homme, elle a créé le goût, elle a encouragé cette fierté qui préserve un homme de la bassesse. Si je vis, c'est par elle... Sans elle, certes, je serais mort ! »

Il ne lui sera fidèle que peu de temps. On le voit de plus en plus aux côtés de la duchesse d'Abrantès.

CHAPITRE VII

UN ÉCLAIR DÉCHIRANT... UN PEU DE SANG...

Deux semaines durant, après souper, M. Hanski a pris la main de sa femme pour la conduire jusqu'à sa chambre. Il a bavardé avec elle tard dans la nuit, assis au pied de son lit et puis s'est retiré. Ce soir, il a donné l'ordre aux chambrières de ne pas se préoccuper de la toilette de leur maîtresse et qu'on ne le dérange sous aucun prétexte. C'est lui-même qui, maladroitement, aide Eveline à se dévêtir. La jeune mariée est partagée entre la crainte du dénouement et le ridicule de la situation : M. Hanski s'acharnant à défaire un à un, de ses doigts boudinés, la trentaine de boutonnières qui ferment son corsage puis s'attaquant au corset dont il mélange les lacets, s'emparant enfin d'un tire-bouton et, à croupetons devant elle, en sueur, ahanant et gauche, défaisant furieusement à l'aide du crochet les boutons de ses bottines montantes ! Ouf ! Il en a terminé et avec componction retire sa merveilleuse robe de chambre en crêpe de Chine, tandis qu'Eveline, derrière un paravent, achève de se déshabiller et passe une chemise brodée. Elle l'aperçoit alors, vêtu de sa tenue de nuit, et doit réfréner une forte envie de rire en découvrant ce petit homme rond, trapu, perdu dans cette longue robe de fine batiste à parements de dentelle bise, pataud, intimidé, roulant ses gros yeux jaunes et semblant s'excuser de se montrer ainsi fait. Pour échapper à son regard, il se précipite dans le lit et se recouvre avec les draps jusqu'au menton. Seul dépasse son visage au crâne dégarni entouré de touffes de cheveux roux. Elle n'a plus du tout envie de rire lorsqu'il tapote l'oreiller en lui faisant signe de venir le rejoindre. Angoissée, elle se glisse à ses côtés. De sa chair flasque il épouse son dos et ses reins et lui barbouille le cou de baisers mouillés... Thaddée... ! Non. Penser à un autre serait mal... Mais c'est injuste ! Car c'est contrainte et forcée qu'elle a, sur l'ordre de son père, prononcé ce « oui »... qu'elle s'est engagée vis-à-vis de Dieu... « Quel beau parti ma fille ! » Et les conseils de sa mère, la comtesse Rzewuska lui remontent à la mémoire : « Tu dois laisser agir ton mari, t'abandonner ; la douleur n'en sera que plus légère et tu pourras même ressentir le plaisir. » Alors, elle abandonne son corps, s'efforçant par l'esprit d'ignorer tout de l'opération qui se déroule, de l'acte en cours... La douleur est grande et le plaisir absent. C'est fini. M. Hanski reprend son barbouillage reconnaissant et s'endort d'un coup, vaincu par l'effort. Ce n'était donc que cela ? Un éclair déchirant... Un peu de sang... Une impression de sale... Du dégoût ? Pas même... Pire : une indifférence, un détachement total et beaucoup d'amertume dans le cœur.

Neuf mois plus tard, Mme Hanska met au monde un enfant mort-né. Le surlendemain, Wenceslas Hanski entre de nouveau dans la chambre d'Eveline à qui il rendra désormais visite une fois par semaine, pour remplir le devoir conjugal d'une vie sans amour. Le reste du temps, ce grand seigneur est fort occupé à gérer ses biens immenses et à exercer ses obligations de citoyen mondain. Un soir, il fait savoir à son épouse qu'il s'est préoccupé de son avenir : la veille, il s'est rendu à Kiev chez un homme de loi afin de tester en sa faveur dans le cas où Dieu le rappellerait avant elle. Qui plus est, il est d'une extrême gentillesse à son égard, cède à toutes ses demandes et satisfait ses désirs les plus coûteux. Mais tout cela laisse Eveline indifférente : elle ne pourra jamais aimer cet homme qui, le sachant, tente lâchement de gagner son amitié. Le romantisme de la jeune mariée s'accommode mal de cette situation : comme la petite fille de Pohrebyze, Eveline poursuit son rêve à Wierzschovnia et se promène en suivant les sinuosités de la rivière qui traverse le parc... Au-delà des arbres, les champs de blé, émaillés du bleu et du rouge de mille fleurs naissantes, représentent l'infini. Le spectacle change au rythme des saisons : été paisible, soleil brûlant sur le tapis d'épis qui ondulent sous un léger zéphyr, mélopée lointaine et monotone d'un paysan, claquements des sabots d'un cheval, roulement d'une voiture sur la route ; hiver brutal où les vents s'entrecroisent pour former de gigantesques tourbillons de neige sous lesquels naît un univers immaculé. Et tout au long de l'année, s'agitent alentour les trois cents serviteurs et les deux mille cinq cents serfs dont la seule tâche est de rendre agréable et d'embellir le quotidien des maîtres. Vie de château large et facile, faite de distractions et de réceptions dans le cadre grandiose des salons et des parcs. Les cinquante chambres sont le plus souvent occupées en permanence. On arrive à Wierzschovnia pour quarante-huit heures et l'on y demeure plusieurs semaines, tant l'accueil est chaleureux. Amis lointains ou membres de la famille sont fêtés, traités en seigneurs, qu'il s'agisse du passage de nantis ou de la visite de parents pauvres qui prolongent interminablement leur séjour. Les repas s'éternisent, entrecoupés par l'interjection d'un invité qui lève son verre en criant : « Aimons-nous ! », démonstration affective, reflet de l'âme polonaise. Ces festivités débutent au printemps et prennent fin vers la mi-automne. Ensuite, l'hiver de neige et de glace recouvre le château et les champs, engendrant l'ennui et la mélancolie.

Au mois de décembre 1822, Eveline met au monde un deuxième enfant qui meurt quelques jours plus tard. Une nouvelle fois, elle a l'impression que l'on enfouit dans la dure terre gelée une partie d'elle-même. Fort heureusement, Thaddée apporte une diversion à son chagrin. M. Hanski, dont l'espoir est de parvenir à conquérir un jour sa jeune épouse, est disposé à tout pour la consoler. Il accepte, sur sa demande pressante, d'héberger ce lointain cousin. Eveline lui a fait entrevoir les immenses services que celui-ci serait à même de rendre : M. Hanski travaille trop, il a besoin d'être secondé et Thaddée, garçon courageux, honnête et capable, peut devenir un parfait intendant.

Mme Hanska n'a pas revu son cousin depuis deux ans. Elle est allongée sur un sofa très bas, en bois de palissandre recouvert de soie cramoisie, les pieds sur un coussin, vêtue d'une robe en surah des Indes légère et souple, qui met en valeur la finesse de sa taille. De longues boucles brunes roulées en spirale encadrent son visage au front légèrement bombé, aux yeux bordés de cils noirs, à la bouche tendre et volontaire. Ses doigts, aux ongles en forme d'amandes nacrées, reposent sur ses genoux. Un domestique en livrée frappe, entre, s'incline profondément puis annonce l'arrivée au château de Thaddée Wylezynski. Eveline voit alors entrer un bel homme, vêtu d'une redingote croisée, à brandebourgs, attachée par des boutons en olive. Un ample pantalon dont les plis sont rentrés dans les bottes, selon la mode polonaise, une stature robuste et saine, une chevelure en broussaille, un front large, un visage long et fin lui donnent tout à la fois une apparence de force et de délicatesse. Il fait à son hôtesse une révérence cérémonieuse puis, dès que le serviteur a refermé la porte, s'agenouille à ses côtés et baise ses genoux. Il n'a pensé qu'à elle depuis deux ans, attendant cette minute tant désirée. Eveline attire le visage du jeune homme vers ses lèvres ; leurs corps se touchent et la joie ruisselle en elle. Elle retrouve son odeur, reconnaît son haleine. La tête posée sur ses genoux, il sanglote en l'appelant « mon amie, ma sœur... » Il la veut toute à lui pour toujours. Eveline se redresse et le repousse doucement afin de lui faire entendre raison. Elle a besoin de lui, de sa présence ; il pourra rester auprès d'elle toute sa vie si cela lui convient, mais à la condition de se bien tenir et d'accepter de devenir le factotum de M. Hanski, son secrétaire, son intendant. Le jeune garçon accepte avec enthousiasme. Que ne ferait-il pour vivre auprès de sa déesse ?

Afin d'officialiser sa prise de fonctions et pour lui expliquer en quoi consisteraient ses différentes tâches, M. Hanski avait souhaité que Thaddée partageât exceptionnellement leur repas. Le comte arrive avec un léger retard, s'en excuse et se déclare enchanté de faire la connaissance de ce cousin si cher au cœur de son épouse. Mais, pour Thaddée, la journée a été rude : voyage long et pénible, retrouvailles tant attendues et enfin le terrible choc au cœur en découvrant le seigneur qui a tous les droits sur l'être qu'il chérit... Quoi ! C'est ce petit homme gras et blanc, replet, affairé ? C'est lui le fameux comte Wenceslas Hanski, l'un des hommes les plus riches de Pologne ? Comme cet être falot ressemble peu aux héros des romans qu'il lisait en compagnie d'Eveline à Pohrebyze ! Un visage aigre de vieillard prématuré et deux petits yeux d'un jaune sale qui fixent profondément Thaddée en lui expliquant, avec des manières et sur un ton exquis, ce qu'il attend de lui : veiller aux plaisirs de la comtesse, diriger de main ferme la domesticité, accompagner le comte lors de certains déplacements, surveiller les dépenses, inspecter les écuries (sait-il panser un cheval, le brosser ?), bref, devenir la cheville ouvrière des splendeurs de cette maison.

Thadée accepte, mais en bougonnant. Assis sur l'extrémité de sa chaise, il se sent mal à l'aise. Lui qui rêvait d'une glorieuse carrière militaire... Mais, pour Eveline, il est capable de se transformer en factotum discret, efficace, d'entrer en servitude volontaire, d'accepter l'humiliante condition de parent pauvre. Maintenant il se sent las, s'excuse, se lève et prétexte de la fatigue du voyage pour prendre congé. Eveline tire sur un cordon à sonnette brodé au petit point et ordonne au domestique qui se présente d'accompagner M. Wylezynski jusqu'à sa chambre située au dernier étage.

Wenceslas se montre un peu déçu, trouve Thaddée ambigu, bizarre, disons le mot : original. Au fond, qui est-il ? D'où vient-il ? Eveline explique que Thaddée est de vieille et illustre noblesse. On a donné le titre de comte à cette famille qui s'est distinguée durant les beaux jours de la république royale. Mais l'arbre a donné plusieurs branches et il existe aujourd'hui des Wylezynski riches et des Wylezynski pauvres. Thaddée fait partie de ces derniers. Orphelin, il a servi dans le régiment du grand-duc Constantin, frère et héritier présomptif du tsar, chargé de l'administration du royaume. Comme beaucoup de patriotes polonais, il espérait le remembrement de son pays dans l'union. Mais Alexandre Ier le mit au désespoir en respectant le honteux accord de Vienne unissant le royaume de Pologne à l'empire de Russie. En 1822, il quitta l'armée, se retrouva déçu, démoralisé, sans but et sans travail. Voilà pourquoi ce garçon au cœur généreux, qui se dissimule sous une apparente sauvagerie, sera reconnaissant à M. Hanski de l'accueillir dans sa maison et se montrera le plus dévoué des employés.

Eveline a raison : dès le lendemain, M. Hanski met

son intendant à l'épreuve en lui confiant des travaux comptables compliqués, en le chargeant d'un bilan que lui-même peine à terminer. Il se plaint du gaspillage et du chapardage de ses serviteurs, le conduit dans ses villages proches du château et lui demande de trouver une méthode qui lui permette d'augmenter le rendement à l'hectare du travail de ses serfs. Pour tout, partout, Thaddée suggère une solution de bon sens, propose un changement bénéfique. M. Hanski est enchanté et décide de lui imposer une expérience décisive. Pour ce faire, ils vont de conserve dans les écuries du château où sont réunies diverses races de chevaux que Thaddée reconnaît immédiatement : kirghize, tcherkess, klipper, hongrois, circassien et même une rarissime jument percheronne importée de France. Il porte sur chacun un jugement sûr : l'un est bien croupé, l'autre long-jointé ou serré du devant, celui-ci est jarreté, celui-là bouleté... M. Hanski est convaincu : ce garçon est précieux ; il connaît le cheval du chanfrein au sabot et c'est pour lui le critère le plus sûr. Le soir même, Wenceslas fait part à Eveline de sa satisfaction : il pourra désormais se reposer sur Thaddée et consacrer davantage de temps à son épouse, à sa famille, à ses amis. Il ira chasser en compagnie d'Eveline dans les forêts de Puligny et organisera pour elle des réceptions et des voyages. Le brave homme est heureux d'annoncer cette bonne nouvelle car il sait que la comtesse s'ennuie à Wierzschovnia où les hivers semblent interminables : une fois par mois, ils iront ensemble à Odessa quérir les exquis poissons de la mer Noire et les vins étrangers les plus délicats.

En quelques mois, Thaddée devient indispensable : il est partout à la fois et gère au mieux les intérêts du comte. Il agit, avec une force omniprésente et diffuse, sur l'ensemble du personnel. Il dirige fermement l'armée de valets, de palefreniers, de servantes et de serfs et veille à ce qu'aucune dépense ne soit injustifiée. Il détecte les problèmes naissants et ne dérange jamais M. Hanski pour les résoudre : tout se règle rapidement au cours de l'heure d'entretien hebdomadaire qu'ils ont ensemble. Grâce à son don d'ubiquité, il est aussi présent aux côtés d'Eveline, l'accompagne dans ses promenades équestres, organise ses réceptions et tient toujours prêts carrosses et chevaux pour ses sorties.

Mme Hanska relate sa vie quotidienne dans son journal intime. Jusqu'où vont-elles ces relations ? On l'ignore car Eveline a détruit ces feuillets confidentiels. Mais il est possible de conjecturer car il est difficile de concevoir que ces deux êtres qui se chérissent depuis l'enfance puissent partager une telle intimité sans céder au plaisir, ne serait-ce qu'une fois, au cours de leurs longues promenades à deux. Liés ensemble par de tacites connivences, ils marchent côte à côte dans la touffeur du jour ou la fraîcheur du soir. Il respire sa présence : le parfum de sa substance intime se mêle aux senteurs des prés et des bois. En elle afflue le suc d'un plaisir inconnu, enivrant. Et cette femme, belle et mal aimée, ce garçon jeune et dru parviendraient à contenir ce débordement, à refouler jour après jour cette exubérance, à demeurer vertueux et sages afin de respecter la parole donnée à un mari peu avisé, crédule et qu'au fond l'un et l'autre méprisent ? Un fait est certain : jamais l'ombre d'un doute n'effleure le comte qui ne cesse de faire l'éloge de son nouvel intendant.

En 1824 et en 1825, à dix mois d'intervalle, le destin frappe Eveline à deux reprises : elle accouche d'un bébé mort-né puis d'une petite fille qui ne vit que quelques jours. Et, dans le cimetière du château, auprès des imposants mausolées où reposent les ancêtres du comte, elle voit les fossoyeurs creuser une troisième puis une quatrième tombe minuscule ; images floues qui grossissent à travers ses larmes.

La perte d'un ou de plusieurs enfants est un accident

si courant en ce temps où l'hygiène est balbutiante, la médecine ignorante et la gynécologie inexistante, que les familles le considèrent comme secondaire. Mais cette fois, Eveline est convaincue de ne jamais pouvoir mettre au monde le petit être qui donnerait un but à son existence ; alors, elle s'enferme dans la morosité de son chagrin, au point que M. Hanski s'inquiète et une fois encore a recours à Thaddée, lequel argue du fait que la comtesse a toujours vécu chez ses parents dans l'ambiance élégante et intellectuelle de la noblesse polonaise où sans cesse son esprit se meublait et s'enrichissait. Elle parle couramment le français, l'anglais et l'allemand. A Pohrebyze, elle lisait beaucoup, fréquentait les milieux littéraires et s'intéressait à la culture du monde occidental. Son frère, Henri Rzewuski, écrivain célèbre et grand érudit, la tenait au courant des mouvements de la littérature européenne. Son deuxième frère, Adam, aide de camp du tsar Nicolas Ier, faisait de fréquents séjours à Pohrebyze. Brillant, mais moins cultivé que son aîné, il avait une intelligence vive, réaliste et beaucoup d'humour. Thaddée raconte à M. Hanski leurs discussions interminables et leurs querelles passionnées au sujet de la politique à mener pour se débarrasser de la domination russe. Férue de musique, de peinture, de littérature, la comtesse, dans ses salons, retenait l'attention de tous les beaux esprits. Elle recherchait la société d'intellectuels susceptibles de parfaire ses connaissances. Et maintenant, à Wierzschovnia, Mme Hanska s'ennuie dans son vaste manoir. Trois ou quatre sorties annuelles à Saint-Pétersbourg ou à Kiev ne sont qu'un piètre dérivatif et les châtelains voisins reçus à Wierzschovnia sont des gens aux idées frustes, sans érudition, dénués d'esprit, qui ne savent parler qu'élevage, gibier et moissons. Pour Thaddée, la comtesse doit renouer avec sa vie passée et tout d'abord être entourée, protégée, occupée. Le jeune homme propose à

M. Hanski d'accepter la venue sous son toit de deux parentes, deux cousines qui comme lui appartiennent à la branche pauvre des Wylezynski, des jeunes filles sans fortune mais intelligentes, cultivées, passionnées d'histoire, d'art et de littérature, heureuses de vivre et, par là même, susceptibles d'apporter à la comtesse la joyeuse compagnie qui lui fait défaut. Bien entendu M. Hanski acquiesce à cette prière et, quinze jours plus tard, les demoiselles Wylezynska s'installent à Wierzschovnia.

Dyonisa et Saverina ont respectivement vingt et vingt et un ans. Gracieuses, aimables, serviables, elles entourent Eveline d'affection, convient des artistes, des peintres, des écrivains et créent autour de leur maîtresse une ambiance toute d'esprit et de pensée. Mme Hanska reprend goût à la vie et même ou quotidien de la vie : elle prend soin de ses toilettes et de son corps. Dyonisa, la plus coquette des deux sœurs, lui fait les ongles avec un nouveau vernis, frotte son corps avec du baume tranquille reposant et calmant, lui enseigne les dernières recettes d'un maquillage léger à l'aide de fards et de poudre qui rendent son visage lumineux ; modistes, couturiers et bottiers venus de Moscou et de Saint-Pétersbourg défilent au château et sa garde-robe est entièrement renouvelée. Eveline accompagne M. Hanski dans ses sorties de plus en plus fréquentes à Kiev ou à Zytomir et, lors d'un séjour du tsar en Volhynie, elle paraît aux côtés de son mari, somptueusement vêtue, parée de diamants d'une grande pureté avec, au-dessus de son front, un magnifique diadème de cheveux. Enfin et surtout, c'est à la lecture que la comtesse consacre la plus grande partie de son temps. Thaddée, avec l'autorisation de M. Hanski, a fait installer une vaste bibliothèque qui communique avec le salon par un escalier. Les grands classiques aux tranches dorées, reliés en plein chagrin, prennent place derrière les vitres, sur les rayons en acajou, rejoints par les nouveautés littéraires envoyées, au fur et à mesure de leur parution, par un libraire de Moscou.

Eveline s'isole des après-midi entiers avec interdiction à quiconque de frapper à sa porte. Là, elle passe des heures délicieuses en compagnie des plus grands auteurs. Elle s'enthousiasme pour Mickiewicz, dont la « nouvelle école » connaît un succès prodigieux auprès de la jeunesse polonaise. Car la lutte est déclarée entre classiques et romantiques et ce sont, en fait, les passions politiques de cette Pologne divisée en deux qui se déchaînent. Eveline s'intéresse à ce combat fratricide au cours duquel le poète tente de rendre le peuple polonais conscient de son identité. Jusqu'au jour où Mickiewicz incite les jeunes à se révolter contre le régime tsariste. Pourchassé, il parvient à s'enfuir et s'exile à l'étranger. Son œuvre est détruite et Nicolas Ier ordonne que plus jamais son nom ne soit prononcé. Parallèlement, le romantisme français gagne l'Europe entière. Eveline découvre Chateaubriand et Mme de Staël qui définissent les conditions nécessaires à un renouvellement de la pensée ; elle dévore les premières œuvres de Vigny, Hugo, Musset et Gautier, ainsi que les grands romantiques allemands : Lessing, Klopstock et Herder.

Enfin, en 1827, Mme Hanska met au monde un enfant viable : c'est une petite fille aussitôt baptisée Anna, aussi brune et jolie que sa mère. Bien portante et superbe, elle est entourée de soins, et suivie par trois médecins à demeure. Sa venue est fêtée comme la naissance d'une déesse. Ce sera certainement l'unique enfant de cet homme âgé de cinquante-cinq ans, vieilli prématurément, et de cette femme de trente ans, encore belle mais épuisée par ses grossesses successives au point que les praticiens lui déconseillent un nouvel enfantement. Cette précieuse fillette recevra la même éducation que sa mère et, comme elle, aura pour préceptrice une Mademoiselle. Six mois plus tard, Eveline s'attache les services d'une institutrice de langue française, suissesse d'origine et calviniste de religion : Mlle Henriette Borel, surnommée Lirette, qui plus tard servira en partie de modèle à Balzac en prenant les traits de Lisbeth dans *la Cousine Bette*. Robe de mérinos couleur souris, collerette brodée, chapeau de paille à coques de satin noir, souliers grossiers en peau de chèvre, maigre, brune, les cheveux en bandeaux d'un noir luisant, les sourcils épais, les bras longs et les pieds larges, c'est ainsi que l'écrivain dépeint cette vieille fille de vingt-cinq ans. Tout de suite, elle entoure Anna de tendresse, de sollicitude et c'est en français que le bébé prononce ses premiers mots. Jalouse de Dyonisa et de Saverina, Mlle Borel prend rapidement le pas sur elles, fait preuve de son érudition, de ses connaissances artistiques et littéraires, se voue totalement à sa maîtresse et à sa fille avec un zèle si soutenu que la comtesse doit parfois la rabrouer, ce qui ne déplaît pas à la vieille fille pour qui la souffrance est l'une des composantes de l'amour désintéressé.

Mais dans ce monde clos, entourée de serviteurs attentifs à devancer ses désirs, Eveline n'échappe pas à l'ennui d'une existence feutrée. Elle n'aimera jamais cet époux uniquement préoccupé de ses terres, de ses serfs et de ses chevaux, épris d'elle mais incapable de la comprendre. Au reste, personne ne la comprend : intelligente, sensible, artiste, elle se sent supérieure à ceux qui l'entourent et souffre dans son orgueil d'être contrainte à cette vie quelconque de quelconque châtelaine. Ce n'est que par l'esprit et sans jamais les connaître qu'elle partagera la compagnie des plus grands intellectuels de son temps, philosophes, poètes ou écrivains. Les seuls visages qui l'entoureront seront toujours ceux de Wenceslas, de Dyonisa et de Saverina. Thaddée lui-même ne ressemble plus aux rêves de son enfance : le chevalier, héros merveilleux des contes de sa nourrice n'est plus qu'un serviteur amoureux, un triste personnage de comédie.

Eveline est convaincue que son existence ne peut se limiter à cette étouffante médiocrité quotidienne : elle se souvient que, jeune fille, à Pohrebyze, une servante lui avait prédit une grande destinée, la rencontre d'un être supérieur dont elle deviendrait l'inspiratrice, dont elle partagerait la gloire et avec lequel elle atteindrait les sommets de la connaissance et l'exclusivité d'une passion...

Et son rêve l'emporte de nouveau dans l'univers romanesque qu'affectionne sa nature exaltée.

CHAPITRE VIII

UN ADORATEUR DE LA FEMME

Si ses visites à Mme de Berny s'espacent, c'est que Balzac fréquente assidûment la duchesse d'Abrantès qui l'introduit dans les plus prestigieux milieux littéraires parisiens, ce dont rêvent tous les jeunes écrivains.

Après avoir produit son protégé dans les salons de Mme Récamier, elle le présente au marquis de Custine, qui le reçoit en son hôtel particulier, rue de La Rochefoucauld. C'est un honneur insigne que d'être l'un des hôtes de cet homosexuel distingué. La duchesse et son sigisbée ne se quittent plus. On les voit partout ensemble : chez la créole Fortunée Hamelin, maîtresse du général Bonaparte, chez la comtesse Merlin, une Cubaine qui sous l'Empire avait défrayé la chronique des amours scandaleuses, chez Marceline Desbordes-Valmore enfin, dont la poésie a la grâce fluide des tons pastel. Et Balzac devient l'amant de Mme d'Abrantès. Est-il sincère ou intéressé ? On peut se poser la question, car si Honoré n'est pas beau, du moins est-il jeune. Or, la duchesse est célèbre pour sa laideur, elle est de seize ans son aînée et déjà fort décatie. Un certain Lambinet, journaliste, la décrit comme étant petite, courtaude, le teint gris, coiffée d'un bonnet sale à la Charlotte Corday, les épaules recouvertes d'un vieux châle qui dissimule sa robe fripée et brûlée par les cigarettes. Seulement, elle est la veuve du général Junot et pour Balzac le roturier, devenir l'amant d'une duchesse si vieille et laide soit-elle, succéder dans sa couche à l'un des plus glorieux généraux de l'Empire, c'est s'anoblir un peu. Outre ses relations, elle a un autre avantage : celui de connaître à la perfection l'histoire contemporaine dont la totale compréhension est indispensable au jeune écrivain qui ambitionne de devenir l'historien de son temps. Et comme elle a connu Napoléon et sait en parler, il lui conseille de rédiger ses Mémoires et lui apporte son aide. Mais le résultat de la collaboration de ces deux êtres brouillons est si confus que de méchantes langues intitulent l'ouvrage *les Mémoires de la duchesse d'Abracadabrantès.* Leurs amours sont tout aussi désordonnées... C'est au point que parfois, fatigué d'elle, dégoûté d'écrire comme un tâcheron, las des mondanités et des poursuites de ses créanciers, il va se réfugier, loin de ce monde turbulent, dans la calme maison provinciale de Zulma Carraud.

C'est une jeune femme au visage délicat qui, en dépit d'une légère claudication, possède beaucoup de charme : celui d'une intelligence exceptionnelle. Zulma Caraud comptera dans la vie de Balzac qui trouvera toujours auprès d'elle le havre de paix, le repos nécessaire à l'écrivain en quête d'inspiration. Elle a le même âge que Laure, la sœur d'Honoré, chez qui il l'a rencontrée et est l'épouse d'un capitaine d'artillerie, héros malheureux de l'épopée napoléonienne à qui l'on a confié la direction de la poudrerie nationale d'Issoudun. C'est une médiocre compensation en reconnaissance des services rendus mais, lors de son retour, il n'y avait pas d'autre poste disponible. Zulma n'éprouve aucun amour pour son mari mais elle le respecte. Elle vit chichement mais dignement et parvient à réunir dans cette petite ville perdue un cercle d'érudits et d'intellectuels parmi lesquels des officiers qui racontent à Balzac leurs campagnes, ce qui lui donne l'idée de transformer ces récits en contes qu'il publiera sous le titre *Souvenirs soldatesques*. Ce sont des gens de cœur, agréables et sans façon qui détendent l'écrivain et le changent de l'hypocrisie des salons parisiens. Erudite et perspicace, Zulma pressent le génie du jeune écrivain, comme elle devine un amour naissant et réciproque. Mais, pour cette femme loyale, tromper son mari ou abandonner cet homme qui ne vit que pour elle est impensable. Elle décide que jamais ses relations avec Balzac ne dépasseront le stade de l'amitié. Mais quelle amitié ! Cet accord profond, pur, passionné, désintéressé le liera tout au long de sa vie à cette femme d'esprit qui ne tarde pas à devenir sa directrice de conscience, remplaçant en cela Mme de Berny. A ses déclarations délirantes, elle répond que l'amour leur est interdit. En revanche, elle lui propose de devenir son fils adoptif, ce qui n'est pas pour déplaire à cet éternel enfant toujours à la recherche d'une amitié maternelle et virile. Il s'accommode de cette situation trouble mais, comédien-né, joue le désespoir, la supplie, lui jure que c'est une femme comme elle qu'il lui faut ! Cependant elle s'obstine à repousser le moindre geste équivoque : leur amour ne peut être que spirituel... Peu à peu, il se love dans la dépendance du plaisir imaginé. Son insatisfaction se transforme en soumission filiale : « Un quart d'heure passé auprès de vous le soir, lui écrit-il, vaut mieux que toutes les félicités d'une nuit près d'une belle. » Il se complaît dans cet abandon à une autorité souveraine.

C'est un aspect étrange de la vie amoureuse de Balzac qui n'a jamais été développé et mérite cependant un peu d'attention si l'on veut comprendre l'homme et l'écrivain. Nous disposons de peu d'éléments car à l'époque Freud n'était pas né et la sexualité était un sujet tabou. Nous possédons un témoignage intéressant, celui d'un ami de Balzac, Philarète Chasles, journaliste, qui écrit dans ses *Mémoires* : « Il s'amusait à caresser avec délices la longue chevelure de la femme d'Urbain Carrel dont il se disait l'admirateur. » Un peu plus loin il ajoute : « Les penchants de Tibère au bain et les petits gitons cunnilinges lui étaient imputés... » De fait, il ne se comporte jamais en mâle avec les femmes mais en complice et ce sont les traits féminins de son caractère qui lui permettent de les comprendre et de les dépeindre aussi bien. Il s'assimile à la femme, devient son adorateur, son protégé et veut qu'elle dispose de lui et le guide dans sa vie comme dans sa profession afin que sa dépendance soit totale.

Un romancier, le fait est bien connu, transparaît, se livre, parfois même inconsciemment, dans son œuvre : celle de Balzac foisonne de phrases révélatrices qui nous permettent de découvrir son goût pour la soumission à la puissance absolue de la femme divinisée [1]. On

---

1. « L'aîné, couché sur l'herbe près de sa mère, restait sous son regard comme un amant, et lui baisait les pieds. » (*La Grenadière*)

« En France, heureusement pour moi, nous sommes depuis vingt ans sans reine, car j'eusse aimé la reine. » (*La Peau de chagrin*)

« J'étais né pour l'amour impossible ; aussi que de fois j'ai vêtu de satin les pieds mignons de Pauline. » (*La Peau de chagrin*)

« Ce n'est pas un compliment que de vous parler de votre beauté, vous ne pouvez plus être sensible qu'à l'adoration. Laissez-moi donc seulement baiser votre écharpe. » (*La Duchesse de Langeais*)

« Le Président tomba aux pieds de la riche héritière en palpitant de joie et d'allégresse : — Je serai votre esclave ! lui dit-il. » (*Eugénie Grandet*)

« Je suis un grand sot, dit-il en baisant la main de cette terrible reine redevenue femme. — Antoinette, reprit-il en appuyant la tête sur ses pieds, tu es trop chastement tendre pour dire nos bonheurs à qui que ce soit au monde. » (*La Duchesse de Langeais*)

« Par certains jours où mon bonheur me tournait la tête,

demeure stupéfait en observant à quel point ce génie, cet être supérieur pousse l'adoration de la femme jusqu'à l'avilissement fétichiste.

Au centre de ce triple cocon féminin, Honoré plane dans l'euphorie. La situation est confuse et c'est ce qui enchante cet esprit retors. Grâce à ces trois femmes, il élargit le cercle de ses relations et fréquente les vieilles dames de la haute société dont les confidences l'enrichissent. Instruites par l'expérience, elles connaissent les mille et une roueries du mariage. Il en tire profit et puise à leur source pour remettre à jour un ouvrage ébauché plusieurs années auparavant, *Physiologie du mariage*, qu'il publie en 1829 afin de s'acquitter rapidement d'une dette ancienne que lui réclame avec insistance le libraire Levavasseur. C'est un Balzac de l'époque du *Code des commis voyageurs* et de *l'Art de mettre sa cravate* dans lequel l'essayiste apprend avec humour au mari à se défendre contre les ruses de son épouse et lui indique la façon dont il peut l'amener à se trahir. Analyste intelligente et avertie, Zulma Carraud, toujours vigilante, le met en garde contre les dangers qu'il court en prostituant sa plume et en bâclant des ouvrages indignes de lui. Elle admire le génie, mais craint la faiblesse de l'homme. « Forçat, vous le serez toujours, lui écrit-elle, votre vie décuple se consumera à désirer et votre sort est de tantaliser pendant toute sa durée. » Jugement prophétique dont l'avenir démontrera l'exactitude... Zulma Carraud trouve indigne de la part de l'auteur des *Chouans*, de *la Maison du chat qui pelote* et de *la Peau de chagrin* de se commettre en écrivant *Seraphita* ou *Physiologie du mariage*. Elle lui reproche le temps perdu dans les salons, son faux luxe, les

---

j'allais, la nuit, baiser l'endroit où, pour moi, vos pieds laissaient des traces lumineuses, comme jadis je fis des miracles de voleur pour aller baiser la clé que la comtesse Ladislas avait touchée de ses mains en ouvrant une porte. » (*La Fausse Maîtresse*)

dettes qui l'accablent, cette existence épuisante qui l'oblige à écrire « le couteau sous la gorge », jour et nuit comme un tâcheron. Et tout cela pourquoi ? Pour l'argent. Pour vivre comme un épicier parvenu, se faire remarquer, éblouir l'aristocratie parisienne et faire parler de lui. Que répond-il ? Qu'elle a parfaitement raison, mais que ce qui lui manque c'est une femme, une maîtresse, une amante et, comme il n'a pas le temps de la rechercher, il demande à Zulma de lui trouver celle qui le libérera d'une sexualité obsédante.

Le succès soudain de *la Peau de chagrin* exalte ce jeune écrivain, inconnu hier, célèbre aujourd'hui, sous le nom qui sera définitivement le sien puisque, sans hésiter, il signe cette œuvre « Honoré de Balzac », concrétisant ainsi l'un de ses rêves en s'anoblissant. Ce conte folklorique est l'illustration de sa vie future : brûler le temps à folle allure, se gaspiller mais jouir jusqu'à hâter la mort : la peau de chagrin a le pouvoir de satisfaire tous ses désirs mais, chaque fois, se racornit un peu. « Vouloir nous brûle et Pouvoir nous détruit. »

Afin de ne pas perdre une minute de ce précieux temps, Balzac se fixe des règles de vie : « forçat de la gloire », selon son expression, il ne travaille que dans la quiétude de la nuit. Sa journée commence lorsque tout dort autour de lui. A minuit son domestique vient le réveiller. Il s'est couché à sept heures du soir et a dormi cinq heures d'un profond sommeil. Il revêt sa tenue de travail, une vaste houppelande dont le col et les manches évasés lui donnent l'aspect d'un moine. Le valet allume les sept bougies du chandelier et pose sur la table de travail la tasse de café qui va exciter le cerveau de son maître. Non pas n'importe quel café, mais un mélange composé pour lui par un boutiquier de la rue de l'Université : du Martinique, du Bourbon et du Moka. Ces grains ne sont pas moulus mais concassés, puis, après une longue macération, infusés dans une petite quantité d'eau chaude. Cet extrait épais et noir est un stimulant violent qui déclenche toutes ses facultés : « Les souvenirs arrivent au pas de charge, écrit-il, enseignes déployées ; la cavalerie légère des comparaisons se développe par un magnifique galop, l'artillerie de la logique accourt avec son train et ses gargousses, les traits d'esprit arrivent en tirailleurs, les figures se dressent, le papier se couvre d'encre... » Ce visionnaire noircit du papier jusqu'à huit heures, alternant à chaque défaillance café noir et feuille blanche. Nous devons *la Comédie humaine* à 50 000 tasses de ce breuvage explosif qui embrase l'esprit de Balzac en détruisant son cœur.

« A huit heures, écrit-il à Zulma Carraud, je dors encore une heure et demie ; puis je prends quelque chose de peu substantiel, une tasse de café pur et je m'attelle à mon fiacre jusqu'à quatre heures. » Cette cadence intense lui permet de sauter le repas de midi : le jeûne favorise l'imagination. Et, de nouveau, au rythme des tasses qui se succèdent, « les idées s'ébranlent comme les bataillons de la Grande Armée sur le terrain d'une bataille. Et la bataille a lieu. » A quatre heures, son domestique toque à la porte et l'informe que « le bain de Monsieur est prêt ». Alors, tel Napoléon son modèle, il se baigne après la bataille, demeure longtemps dans une eau très chaude, bienfaisante, qui calme son corps et lui permet d'entrer dans la vie quotidienne.

Ensuite, le fécond, le besogneux, le fils de paysans change d'existence et devient M. le comte de Balzac pour se jeter dans le monde. Il troque sa robe de chambre de cachemire contre un gilet de soie et de brocart et un habit bleu à boutons d'or ciselé. Tandis que les ouvriers envahissent pour le décorer l'étage supplémentaire qu'il a fait construire, il quitte son appartement de la rue Cassini et monte dans un élégant tilbury marqué aux armes du marquis d'Entraygues dont il se dit le descendant. Tiré par deux chevaux conduits par un cocher en livrée bleue, gilet long à manches rouges et pantalon de coutil à mille raies, Balzac, gras, est affalé à l'intérieur du carrosse sous une couverture violette en poil de chèvre portant une couronne comtale. Dans sa main droite, une énorme canne garnie de turquoise dont le pommeau contient, dit-on, le portrait nu d'une grande dame de l'aristocratie ; dans sa main gauche, un petit face-à-main, qu'il tient dans ses doigts boudinés avec la délicatesse du Bourgeois Gentilhomme. Ses cheveux drus et brousailleux sont aplatis par une épaisse couche de cosmétique. Mais les ongles de ses doigts sont noirs, ses lacets de souliers défaits flottent sur ses chaussettes et le jabot qui retient ses mentons est couvert de taches. Ainsi Balzac, énorme, démesuré, enthousiaste, visionnaire et génial part à la conquête de la ville.

Il rend visite à quelques amis ; Théophile Gautier, par exemple, qui le décrit ainsi : « Il nous arrivait haletant, épuisé, étourdi par l'air frais comme Vulcain s'échappant de sa forge et il tombait sur un divan ; sa longue veille l'avait affamé et il pilait des sardines avec du beurre en faisant une sorte de pommade qui lui rappelait les rillettes de Tours. »

Et maintenant, tout requinqué, frais et dispos, il poursuit sa tournée des salons littéraires. Chez Mme de Girardin ou dans le boudoir de Mme Récamier, il paraît, brillant, le verbe haut. Un aréopage de jeunes et jolies femmes l'entoure, suspendu aux lèvres de ce conteur-né. On oublie sa corpulence et le parler postillonnant de sa bouche édentée qu'il cache sous une courte moustache. Il continue d'affabuler de nouvelles histoires, d'autres personnages... Véhément, excessif, il rit bruyamment. On lui donne la réplique ? Il interrompt son interlocuteur. S'il mange une pâtisserie, c'est avec la pointe de son couteau qu'il l'enfourne dans sa bouche. En vérité il est odieux. Cependant, il tient l'assemblée sous son charme indéfinissable en partie dû à la puissante expression de ses yeux. Et puis, il narre à merveille, crée un climat d'angoisse tel que son public sèche d'impatience dans l'attente du dénouement.

A sept heures, il rentre chez lui où l'attendent un libraire qui réclame un manuscrit, un créancier menaçant, un commis d'imprimerie qui apporte des épreuves à corriger d'urgence. Il reçoit, discute, convainc, congédie, s'assied enfin à sa table, corrige ses textes, rectifie, surcharge, se censure aux ciseaux, réécrit des pages entières dont il note les corrections au verso. C'est un tel embrouillamini que les typographes s'y perdent au point qu'ils refusent, en dépit d'un salaire doublé, de travailler plus d'une heure de suite sur les bonnes feuilles de M. de Balzac. Dans le même temps, son valet lui apporte un plateau contenant son repas : de la main gauche, il porte les aliments à ses lèvres en griffonnant de la main droite. A huit heures du soir, recru de fatigue, il s'endort d'un sommeil profond, total, pour une durée de quatre heures d'affilée.

Voilà pour la version officielle, celle que Balzac entend donner de lui. Il y a dans tout cela beaucoup de vrai et un peu d'oubli. Il a beau s'en cacher, car il prône dans son œuvre l'amour-unique, l'amour-passion, tout Paris sait qu'il couraille de filles en femmes et a une prédilection pour les amours faciles et éphémères. De même, il préconise le jeûne, ce qui ne l'empêche pas d'engloutir certains soirs quatre douzaines d'huîtres puis un brochet suivi d'un steak épais et de plusieurs pâtisseries crémeuses... De quoi détruire son image de marque... Mais au fond, c'est peut-être le mystificateur, le truculent hâbleur, l'excentrique qui étonne le faubourg Saint-Germain. Car les ouvrages de Balzac sont très critiqués et, loin d'être considéré comme un génie, c'est en original qu'on le traite.

Son train de vie est tel que ce travailleur infatigable

est plus endetté que jamais. Pourtant, en 1831, il a gagné 14 000 francs, soit plus de 35 millions de nos anciens francs... Malgré cela, il a emprunté 6 000 francs et n'a toujours rien remboursé à sa mère des 50 000 francs qu'elle lui a prêtés pour lui éviter le déshonneur d'une faillite. Or, c'est tout ce dont disposait Madame Mère qui se dit à présent aux abois et réclame son dû. Alors, Balzac vend à divers libraires des titres, des idées, des promesses en échange d'à-valoir sur des romans qu'il ne remet jamais. Et c'est le cycle infernal, la ronde continue des créanciers et des éditeurs...

Le 5 octobre 1831, il reçoit une lettre de femme, une admiratrice. L'écriture est élégante, le style excellent, le papier filigrané et la signature d'une aristocrate anglaise. L'esprit créatif du romancier lui permet d'imaginer aussitôt une jeune, belle, riche et noble dame déçue et esseulée. Sur-le-champ il répond par une lettre enflammée de sept pages. Il se raconte, lui explique qu'il s'attaque à une œuvre épuisante mais « monumentale » qu'il sera fier, plus tard, d'avoir construite « même en succombant à l'entreprise ». Il ignore tout d'elle mais lui demande de devenir son amie, sa confidente. Puis il passe aux aveux et lui décrit la femme de haut rang, veuve de préférence, qu'il recherche pour l'épouser en tout bien tout honneur... La marquise Henriette de Castries est si surprise en recevant cette réponse qu'elle marque un temps d'arrêt avant de lui adresser une lettre à la lecture de laquelle Balzac apprend avec plaisir qu'il ne s'est pas trompé : sa correspondante inconnue est de belle noblesse, de pur sang bleu et non pas, comme la duchesse d'Abrantès, de cette nouvelle noblesse d'Empire que l'on dit fraîche alors qu'elle est faisandée. La marquise est fille d'un Maillé de La Tour-Landry, maréchal de France, dont les ancêtres, dès le XIᵉ siècle, furent les seigneurs d'une baronnie. Sa mère, née Fitz-James, est une royale descendante des Stuart. Balzac ne tarde pas à découvrir que cette marquise fut, quelques années plus tôt, l'héroïne d'une merveilleuse histoire d'amour. Blonde, fine, élancée, alors âgée de vingt-deux ans, elle s'éprit passionnément du prince de Metternich, fils du chancelier. Mariée au duc de Castries, Henriette abandonna l'époux et son palais pour suivre à travers l'Europe la carrière de son jeune amant. Douce idylle, interrompue en 1829 par la mort brutale de ce bel éphèbe blond, rongé par la phtisie. Aujourd'hui, à trente-cinq ans, elle vit dans l'hôtel particulier de ses parents, rue Grenelle-Saint-Germain, en la seule compagnie de ses livres. Et c'est cette « femme de trente ans », belle, abandonnée, esseulée, le type même de l'héroïne balzacienne, qui, dans sa lettre, lui affirme qu'elle admire tout à la fois l'homme et l'écrivain.

Un peu plus tard, il apprend qu'un accident de chasse a rendu la belle presque infirme : elle s'est brisé la colonne vertébrale en tombant de cheval. Elle marche avec difficulté et doit passer la majeure partie de son temps allongée dans son lit ou étendue sur un divan. Mais que lui importe ! Il est déjà fou d'elle et rêve d'un amour partagé... Certainement, la duchesse de Castries est éprise de lui, elle l'aime, sinon lui écrirait-elle personnellement, l'inviterait-elle à lui rendre visite ? Car cette grande dame le prie de venir jusqu'à elle... Invitation à laquelle il se rend en grand équipage : c'est après une longue toilette et richement vêtu que Balzac fait son entrée en tilbury dans la cour de l'hôtel particulier de Mme de Castries. Elle l'attend, séduisante, étendue sur un sofa et découvre un homme pansu, au visage gras, au nez rond, habillé comme un paysan endimanché. Il est là, planté, pataud, insolite au milieu de ces meubles luxueux, de ces tapisseries, de ces tableaux de maîtres... Mais dès qu'il prend la parole, le charme s'installe et la duchesse est fascinée. Après ce premier entretien, ils jurent de se revoir et

93

les visites espacées de Balzac deviennent peu à peu quotidiennes. La passion le dévore au point qu'il délaisse ses travaux, ce qui n'arrange pas ses finances. Mais Henriette l'obsède à un degré tel que, lorsqu'il reste un jour sans la voir, il lui écrit : « Vous m'avez accordé de si douces heures que je crois qu'il n'y a plus de bonheur pour moi que par vous. » Les semaines, les mois s'écoulent, la duchesse résiste. Dès qu'il se montre pressant, elle devient distante. Une fois encore, Honoré se complaît dans cet amour impossible et confie à Zulma Carraud qu'il court après « une de ces femmes qu'il faut absolument adorer à genoux quand elles le veulent et qu'on a tant de plaisir à conquérir ; la femme des rêves ! Jalouse de tout. » Fasciné par le « pur amour » de cette noble dame, il lui accorde de plus en plus de temps et va jusqu'à lui offrir le précieux manuscrit de *la Femme de trente ans* avec cette dédicace : « Je voudrais que vous fussiez bien heureuse, la plus heureuse de toutes les femmes et je voudrais que ma pensée, mes souhaits vous entourassent comme une atmosphère protectrice. » En grande coquette, elle accepte la compagnie quotidienne de cet amoureux transi, offre son cœur, promet que plus tard... peut-être... avec le temps... « Elle voulut me plaire et prit d'incroyables soins pour fortifier, pour accroître mon ivresse. » (*La Duchesse de Langeais*) Pour sa fête, elle lui envoie un superbe bouquet de roses qui représente pour Balzac les prémices d'une reddition sans conditions. Henriette ne cède en rien, se confie, lui parle de son chagrin, de sa fidélité à la mémoire de son cher disparu, le prince de Metternich... Elle est seule et n'a besoin que de chaleur et de pure amitié. Tant de constance l'émeut. Il la console, ne la quitte plus et revient même le soir pour la distraire, lui prêter son bras afin de l'aider à se rendre au théâtre des Italiens.

Les mois s'écoulent et Honoré n'est toujours que

l'ami de cœur de Mme de Castries qui, plus tard, dans son œuvre, deviendra la duchesse de Langeais : « J'attendrais patiemment, une éternité, si je savais trouver la Divinité belle comme vous l'êtes... »

Et Balzac attendra, en effet, une éternité.

CHAPITRE IX

MME HANSKA DÉCOUVRE UN JEUNE ÉCRIVAIN

En 1830, l'interminable tragédie polonaise entre dans une nouvelle phase : le 29 novembre, le lieutenant Wisocki tente d'assassiner le grand-duc Constantin, frère du tsar, et de chasser les troupes russes en appelant les régiments polonais et la population de Varsovie au soulèvement. Le grand-duc échappe au complot. Pour éviter l'effusion de sang d'une lutte fratricide, il refuse de combattre le peuple. L'insurrection s'étend jusque dans les provinces et donne à Thaddée l'occasion de devenir un héros. Mais non pas le héros dont rêvait Eveline enfant. Il rejoint les troupes des insurgés, perd un bras au combat, est fait prisonnier puis, jugé « pour crime de trahison », est ensuite condamné et emprisonné dans les forteresses du tsar. La révolution est un échec et le héros n'est qu'un malheureux détenu mutilé qui assiste, impuissant, au sacrifice de sa patrie réduite une nouvelle fois en esclavage. Encore doit-il se considérer comme favorisé par la Providence car la plupart des rebelles sont pendus. Les autres, le crâne rasé, les chaînes aux mains et au cou, se retrouvent, après une marche de plusieurs semaines, dans un univers de neige et de glace, au fond des mines de

96

Sibérie, où l'espérance de vie n'excède pas deux ou trois ans. Le gouvernement russe confisque leurs propriétés, leurs biens et leurs fortunes.

M. Hanski, homme sage et prudent jusqu'à la pusillanimité, refuse de s'associer à ces mouvements de révolte qu'il préfère considérer comme des remous sociaux. Ce n'est pas lui qui abandonnera ses terres pour se retrouver ensuite pendu au bout d'une corde. Sa mission de comte, maréchal de la noblesse, lui interdit l'esprit de sédition. Il poursuit son petit bonhomme de chemin sans gloire et se contente de bien gérer ses propriétés, ce qui l'occupe à plein temps depuis le départ de Thaddée. Eveline n'a d'autre solution que de s'incliner devant la méprisable réserve du seigneur de Wierzschovnia. Mais entre le révolté des barricades et le comte timoré abrité dans son château, lequel des deux est noble ?

Si M. Hanski se contente d'obéir au général gouverneur qui possède tous les pouvoirs, y compris celui de s'approprier les biens d'un récalcitrant et de le jeter ensuite dans un cul-de-basse-fosse, de nombreux Polonais, en revanche, choisissent d'émigrer. Et c'est le grand exode vers l'Allemagne, l'Italie, la Suisse ou la France. C'est ainsi qu'Eveline reçoit une lettre de son frère Henri l'informant que son ami, le poète Mickiewicz, vient de réussir à gagner Paris où il a retrouvé Frédéric Chopin définitivement installé en France.

Paris ! Pour Eveline qui, depuis l'enfance, considère la France comme sa seconde patrie, vivre à Paris est un rêve. Se retrouver sur cette terre d'accueil et de culture, dans la capitale artistique et intellectuelle de l'Europe, fréquenter les salons où prédomine l'esprit, briller parmi ces écrivains, ces musiciens, ces poètes de toutes nationalités, les étonner par ses connaissances, devenir celle que l'on admire... Eveline envie le sort de ses compatriotes exilés et, cloîtrée dans son château, déplore son manque d'engagement, son existence morne et sans passion. Elle envie aussi ses sœurs courageuses, ces jeunes filles qui prennent part au combat, soignent les blessés, adoucissent les derniers instants des mourants... Alors, Eveline décide de fuir les entraves conjugales et d'éviter cet époux à la conscience accommodante et à la morale élastique. Elle se réfugie auprès de sa fille et de Lirette, ou bien, seule, elle parcourt son parc et ses jardins en se transportant par la pensée loin de Wierzschovnia, dans un salon littéraire parisien qu'elle imagine. Ses compagnons sont un jeune garçon de vingt ans, Musset, qui vient de publier les *Contes d'Espagne et d'Italie*, Chopin, Liszt, Berlioz, récent lauréat du prix de Rome, et Mickiewicz qui l'entretient de son frère Henri. Avec lequel de ces grands hommes s'unira-t-elle pour la vie selon la prédiction faite à Pohrebyze ? Face à elle, Mme Récamier, toujours belle à cinquante-trois ans, complimente son ami intime depuis douze ans, le vicomte de Chateaubriand, plus âgé qu'elle de dix années : le grand écrivain vient d'être très applaudi après sa lecture à haute voix d'un pamphlet à paraître le lendemain dans *le Journal des débats* : fidèle à la légitimité, Chateaubriand se refuse à rallier Louis-Philippe. Mais celui dont on parle le plus le soir, parce qu'il est à la pointe de l'actualité, est absent : c'est Victor Hugo, un jeune protestataire antibourgeois auteur d'un drame en cinq actes, *Hernani*, dont la représentation au Théâtre-Français vient de faire scandale. Au parterre, une véritable bataille s'est déroulée, opposant les classiques aux romantiques avec, en tête de la nouvelle école, un jeune homme remarquable par son gilet rouge cerise et son pantalon vert, Théophile Gautier, pour lequel Mickiewicz ne cache pas son admiration.

Ce faisant, Eveline revit des faits authentiques dont elle a pris connaissance. A Wierzschovnia, le jour le plus attendu de la semaine est celui de l'arrivée du courrier en provenance d'Europe et de Moscou, que deux serviteurs vont chercher en traîneau à Berditchev. Outre les nouveautés littéraires, Mme Hanska reçoit de France tous les journaux autorisés par la censure russe : *le Journal de Paris, la Gazette de Lausanne, le Journal des débats* et *la Quotidienne* auxquels elle est abonnée. Ainsi, elle se tient au courant de l'actualité littéraire et artistique de la capitale de l'intellectualisme.

Ses proches aussi dévorent cette presse de la première à la dernière ligne. Ensuite, plusieurs soirées auxquelles participent Saverina, Dyonisa, Mlle Henriette Borel, et parfois le frère d'Eveline, Adam Rzewuski, sont ensuite consacrées aux commentaires qu'inspirent ces informations et à la critique de livres récents. Mme Hanska s'intéresse particulièrement à une nouvelle venue dans le monde littéraire, une jeune femme au prénom curieusement masculin, dont le poète polonais Sigismond Krasinski lui a parlé en termes dithyrambiques après l'avoir rencontrée à Genève : les premières œuvres et surtout la vie privée de George Sand défrayent les conversations parisiennes. Mariée, mère de deux enfants, elle vient d'intenter un procès à son mari dont elle exige qu'on la sépare et s'affiche dans les salons en compagnie de son amant Jules Sandeau. Ensemble, ils ont écrit *Rose blanche* sous le pseudonyme de Jules Sand puis, seule, sous celui de George Sand, elle a publié *Indiana* et *Valentine*. Disciple de Jean-Jacques Rousseau, elle affirme effrontément que la femme est une victime de la sacro-sainte autorité paternelle et du mariage d'intérêt qui n'est le plus souvent qu'un viol légalisé. Entourée d'un époux volage, d'enfants non désirés, la femme ne connaît que l'effroyable solitude d'une vie sans amour. Il est temps de rompre le joug, de se débarrasser des préjugés, de briser cette morale bourgeoise. La femme ne doit plus être asservie. Elle a droit à l'indépendance et pour recouvrer sa liberté, tous les moyens sont bons : elle peut refuser le devoir conjugal, ne plus accepter de sacrifier sa vie à ses obligations maternelles, prendre un amant et connaître les joies d'un amour passionné...

Ces théories révolutionnaires choquent tout d'abord Eveline, élevée selon les principes d'une morale rigoureuse. La prude Lirette, en vieille fille sevrée des plaisirs de la chair, partage l'opinion de sa maîtresse. Et puis l'on discute des soirées entières : Saverina et Dyonisa rejoignent l'avis de Sigismond Krasinski qui trouve justifiées les théories de George Sand. Adam Rzewuski rappelle à Eveline l'admiration qu'elle porte à sa sœur Caroline qui a eu le courage de quitter son vieux mari pour vivre avec un jeune amant l'ivresse d'un bonheur réciproque. Ces controverses laissent Eveline perplexe. Elle-même n'est-elle pas en train de sacrifier sa vie ? Ne ressemble-t-elle pas à l'héroïne de Krasinski *Donna Giovanina* dont la triste existence se déroule dans un château sinistre, aux côtés d'un époux indifférent, avec pour seul devoir la perpétuation de la race de son seigneur ? Le poète affirme qu'« il n'existe pas de tragédies plus affreuses que celles qui se déroulent dans les foyers conjugaux ». C'est ce drame qu'elle est en train de connaître dans ce vaste et morne domaine, aux côtés de ce mari toujours souffreteux et déjà presque vieillard, avec ses rêves impossibles et ses amours insatisfaites pour Thaddée, un homme qui n'est plus aujourd'hui qu'un prisonnier estropié... N'est-elle pas en train de gaspiller ses plus belles années ? Mais est-il si simple de changer de vie ? Alors, le train-train des événements ordinaires reprend le dessus et les jours, puis les nuits, s'écoulent dans la facilité de l'abêtissante habitude.

A la fin de l'année 1831, Mme Hanska découvre, dans l'un de ses courriers hebdomadaires, un nouvel auteur qui, tout de suite, la passionne davantage encore que George Sand. Il s'agit d'un jeune écrivain parisien nommé Honoré de Balzac dont tout le monde parle depuis qu'il a publié un recueil de nouvelles intitulé *Scènes de la vie privée*. Eveline avait lu peu de temps auparavant un premier livre de Balzac : *Gloire et malheur* qui changera de titre plus tard pour devenir *la Maison du chat qui pelote* et la destinée des deux héroïnes l'avait bouleversée. Nées dans la boutique d'un drapier cupide de la rue Saint-Denis à Paris, Virginie, l'aînée, dont le physique est ingrat, fait un mariage de raison en épousant le premier commis de son père, tandis que l'autre, Augustine, ravissante, romantique, se marie à un artiste peintre orgueilleux, stupide et convaincu d'être un génie. La beauté de sa femme lui inspire un portrait qu'il considère comme le chef-d'œuvre de sa vie ; n'ayant plus besoin d'elle, il la répudie et la douce Augustine, abandonnée, mourra de consomption, dévorée par le chagrin. Eveline retrouve dans cette tragérie du mariage le raisonnement *a posteriori* de George Sand. La destinée différente de ces deux femmes aboutit à un semblable dénouement : Augustine vivra une passion violente et brève avec la mort pour conclusion ; Virginie connaîtra la mort lente d'une union sans amour. Augustine a préféré « un bonheur de dix-huit mois », qui vaut à ses yeux « mille existences comme celle dont le vide lui paraissait horrible ». C'est la démonstration que la femme est une incomprise : elle doit souffrir en silence ou souffrir et mourir. Ce constat va beaucoup plus loin que la thèse de George Sand. Passionnée par le talent de ce nouveau venu, Eveline commande à son libraire, dès sa parution, *Scènes de la vie privée*, un livre superbe : ni Rouseau ni Chateaubriand n'ont pénétré aussi profondément l'âme féminine. L'auteur va jusqu'à dépeindre minutieusement le cadre de vie de ses héroïnes pour mieux comprendre leurs réactions et les analyser avec un sens inouï de la psychologie. Il ressent pour la femme une passion faite de respect, d'ad-

miration et de pitié. Il démontre que ses malheurs sont
la conséquence de sa spontanéité, de son amour désintéressé qui se heurte à l'absurdité des conventions
sociales. C'est en sensitif qu'il dessine finement le
portrait de ces femmes abandonnées, esseulées, qu'il
les comprend et les défend. On parle de lui non seulement en France mais en Italie, en Pologne et jusqu'en
Ukraine où il devient l'auteur favori des belles châte-
laines qui se retrouvent dans ses héroïnes. Il devient
l'avocat de la femme de trente ans, de l'opprimée qui
recommence à espérer lorsqu'il annonce au monde
entier que cet âge est celui du véritable amour. « Seule,
affirme-t-il, la femme de trente ans peut se donner
corps et âme, pleinement. »

Admiratrice inconditionnelle, Eveline est captivée
par cet homme qui vit dans l'autre monde d'un pays
lointain. Elle pressent son génie. Sans pouvoir mettre
des traits sur son visage, sans le connaître physiquement, son imagination lui permet de se transporter à
ses côtés. « Que de femmes sont sorties du crâne de
M. Balzac, écrit avec un peu de malveillance le critique Jules Janin, la femme pleine de cœur, la femme
sans cœur, la femme de trente ans, la femme de quinze
ans, la femme veuve, la femme mariée... Il joue aux
propos ininterrompus avec la femme, il la peint, il la
dépeint, il présente les femmes sous tous les aspects,
il les habille, il les déshabille, il leur sert de femme de
chambre, il les contemple dans leur sommeil. » Mais
c'est précisément pour toutes ces raisons qu'il devient
l'ami intime des femmes en général et de Mme Hanska
en particulier : il est là, près d'elle, assis à son bureau,
noircissant des feuilles blanches d'une écriture ner-
veuse... Peut-être même devient-elle l'héroïne de l'un de
ses romans ?

Paraît alors *Physiologie du mariage*, qui arrive à
Wierzschovnia par la filière habituelle. C'est vraiment
un nouveau Balzac que découvre avec étonnement, puis

avec mécontentement, Mme Hanska. L'auteur se renie dans ce livre méprisable qui fait scandale. Cette analyse sarcastique de la vie conjugale est une offense à ses plus fidèles lectrices et l'entourage d'Eveline partage cette opinion. Comment cet homme délicat, profond, ce défenseur de la condition féminine a-t-il pu devenir cet iconoclaste impertinent à l'ironie pesante ? Après avoir adoré la femme, voilà qu'il la piétine ! Un an plus tard, paraît un autre roman intitulé *la Peau de chagrin* dont le héros, Raphaël de Valentin, est aimé d'une tendre ingénue, Pauline, qu'il abandonne pour devenir l'amant de la comtesse Foedora, riche et cupide, perverse jusqu'au vice : « Elle excitait si puissamment le désir que je devins alors très incrédule sur sa vertu... Il y avait de la volupté jusque dans la manière dont elle se posait devant son interlocuteur... Enfin je trouvai la passion empreinte en tout, l'amour écrit sur ses paupières italiennes, sur ses épaules dignes de la Vénus de Milo, dans ses traits, sur sa lèvre supérieure un peu forte et légèrement ombragée. Il y avait certes tout un roman dans cette femme. » L'affreux roman, pense Eveline, la méprisable femme fatale ! Pourquoi M. de Balzac s'abaisse-t-il à relater les orgies de cette bacchante ? Foedora est-elle le produit de son imagination ? Peut-être a-t-il connu et décrit-il pour se venger cette femme fière, altière et sans cœur... Dans ce cas, le jeune romancier, après ce coup de poignard, doit ressentir bien des remords et bien des souffrances... Alors, son devoir à elle est de l'aider, de lui faire comprendre que cette Foedora est une exception qui ne peut annihiler ses efforts ni détruire son génie naissant. Oui, elle se doit de le mettre en garde, de l'assurer que la femme divine, douce victime sacrifiée qu'il a si amoureusement décrite, existe bien. Voilà son rôle, la conduite qu'elle doit tenir, la mission qu'elle doit accomplir. C'est décidé : elle va adresser une missive à M. de Balzac. Oui, mais elle ne peut agir en secret, car il lui répondra peut-être et l'affaire se saura ; **et** comment faire admettre à son entourage qu'une comtesse polonaise de sa condition accepte de compromettre sa dignité en écrivant à un romancier débutant pour lui exprimer son admiration et lui prodiguer d'affectueux conseils ? Elle imagine l'humiliation et la colère de M. Hanski apprenant que son épouse entretient une correspondance avec cet étranger ! C'est donc par le biais qu'elle doit aborder le problème. Eh bien, elle ne rédigera ni ne signera cette lettre. Le destinataire ignorera tout de sa correspondante. Elle demeurera pour lui une énigme et l'affaire n'en sera que plus piquante !

Et c'est au cours de l'une de ces longues soirées consacrées à la discussion, dans la bibliothèque du château, en compagnie de son frère Adam, de Lirette, de Saverina, de Dyonisa et de quelques autres familiers qu'elle met, avec machiavélisme, son projet à exécution. Adroitement, elle amène la conversation sur M. de Balzac et parvient peu à peu à convaincre ses interlocuteurs : cet auteur qui avait une si haute opinion de la femme est infidèle à sa parole et s'avilit en la trompant : *Physiologie du mariage* et *la Peau de chagrin* sont indignes de son œuvre. Il faut l'avertir du danger qu'il court en se fourvoyant, car la femme est bien l'être sublime qu'il a si merveilleusement dépeint. Bien entendu, tous s'accordent pour reconnaître que la comtesse ne peut engager son nom dans une telle entreprise. Alors, on décide de rédiger un texte en commun. Et c'est Mlle Borel qui le transcrira. Lirette, fière de son importance, accepte avec enthousiasme. On feindra d'abord l'emballement de l'admiratrice éperdue, romantique, amoureuse presque, en composant une lettre sentimentale, émouvante et puis, l'on se dira étonnée, contristée en découvrant le personnage de la comtesse Foedora, les scènes d'orgies et les courtisanes de *la Peau de chagrin*. Et c'est en forme de question que l'on conclura : l'auteur n'aurait-il pas, par hasard, rencontré ce méchant type de femme ? Une lettre piège en somme... Pour corser le tout et transformer le message en énigme, on demande à Lirette de signer l'Etrangère. L'enveloppe sera scellée d'un cachet de cire *Diis Ignotis*, comme si des dieux inconnus en avaient inspiré le contenu. Tout cela afin de confondre le renégat, de berner l'infidèle et surtout, pour Mme Hanska, d'éveiller sa curiosité. Un cosaque porte à Berditchev cette lettre qui parviendra chez Gosselin, le libraire-éditeur de Balzac, le 28 février 1832 [1].

Ce jeu est amusant mais tout autant frustrant pour les deux parties. La mystérieuse étrangère ne donne pas d'adresse et ne peut donc attendre de réponse à son courrier. Et à Wierzschovnia, l'on se pose des questions : que peut bien penser M. de Balzac et quelles sont ses réactions ? On se divertit encore en écrivant quelques semaines plus tard une deuxième lettre afin d'intriguer davantage le romancier. Mme Hanska et sa petite cour ne parviennent qu'à intensifier leur propre curiosité. On ne sait même pas si ces messages atteignent M. de Balzac. L'Etrangère va frapper une troisième fois, mais en imaginant un subterfuge qui donnera au destinataire la possibilité d'accuser réception de la lettre. Et, dans la soirée du 7 novembre, la comtesse dicte à Lirette, en présence de ses intimes, l'un des rares textes que nous possédions d'elle. C'est un message au style emphatique : « En lisant vos ouvrages, mon cœur a tressailli. Votre âme me parut lumineuse, je vous suivis pas à pas, fière des éloges que l'on vous prodiguait, ou remplie de pleurs lorsque la critique amère versait sur vous son fiel empoisonné. Plusieurs choses cependant m'ont paru justes et malgré

---

1. Mme Hanska a précieusement conservé toute la correspondance de Balzac. En revanche, la presque totalité des lettres qu'elle avait adressées au romancier a été détruite.

ma prédilection pour vous, j'ai tremblé. Je voudrais vous dévoiler toute la sincérité de mon attachement pour vous et vous le montrer en vous disant la vérité nue. La vérité, la voudrez-vous d'un être inconnu, mais qui aime, vous le dit et peut vous le dire ? » Voilà des propos qui choquent la prude Mlle Borel... Mais non, voyons, il ne s'agit que d'un jeu... Il faut exagérer, flatter l'orgueilleux, feindre l'admiration pour exciter ses sens et sa curiosité. Il ignorera toujours qui se cache derrière l'Etrangère. Mme Hanska ne signera pas, ne mentionnera pas son adresse mais il répondra cependant grâce à un stratagème inventé par l'imaginative comtesse qui conclut ainsi sa missive : « Un mot de vous dans *la Quotidienne* me donnera l'assurance que vous avez reçu ma lettre et que je puis écrire sans crainte. Signez : à l'E. H. de B. » Ce journal est l'un de ceux auxquels Eveline est abonnée.

Répondra-t-il ?

Il ne reste plus qu'à attendre.

CHAPITRE X

QUI EST CETTE ÉTRANGÈRE ?

En mars 1832, tandis que depuis six mois, Balzac fréquente quotidiennement, mais sans résultat, l'hôtel particulier de Mme de Castries, un incident va changer le cours de ses préoccupations. Le libraire-éditeur Gosselin lui remet chaque mois une centaine de lettres d'admiratrices, ce qui flatte son amour-propre mais n'arrange pas ses finances, car il doit payer le port de la correspondance qui lui est adressée [1]. Ce sont, généralement, de longues épîtres de femmes incomprises, aigries, parisiennes ou provinciales à la recherche d'un défenseur et d'un confident, qui vont s'entasser dans la corbeille à papier de l'écrivain.

Cette fois, parmi le courrier habituel, une enveloppe postée à Odessa se détache. Le texte de la missive démontre que l'expéditrice est à coup sûr une grande dame déçue par le personnage de Foedora et par les scènes d'orgie de *la Peau de chagrin*. Cette lettre est grisante pour deux raisons : elle lui prouve que sa célébrité devient internationale et gagne même la

---

1. Ce n'est qu'en 1848 que les Postes ont créé le timbre d'affranchissement payé par l'expéditeur.

lointaine Ukraine ; ensuite, elle est mystérieusement signée l'Etrangère et il ne peut s'agir que d'une aristocrate russe ou polonaise. Seules, les grandes familles d'Ukraine écrivent et parlent couramment le français et peuvent se permettre le luxe de faire venir de Paris les nouveautés littéraires. Et l'imagination du romancier repart au galop... Ce n'est plus d'une simple baronne ou d'une duchesse qu'il est question mais certainement d'une princesse en vue qui se dissimule derrière ce surnom. De quoi flatter l'homme et l'auteur et exciter en lui le désir d'une correspondance régulière. Mais comment joindre cette belle Etrangère qui ne lui communique aucune adresse, conserve l'anonymat, et termine sa lettre en affirmant que jamais elle ne se fera connaître de lui ?

En réfléchissant, il trouve le moyen de surmonter l'obstacle : une nouvelle édition de *la Femme abandonnée* va bientôt paraître. Il lui dédie le dernier chapitre et fait reproduire par l'imprimeur, à côté du titre, le cachet qui scelle la lettre de sa correspondante *Diis Ignotis*, ainsi que la date de l'expédition : 28 février 1832. Mais Mme de Berny, cette première lectrice à laquelle il soumet toujours ses épreuves, découvre le stratagème et ne veut rien entendre de ses explications : elle exige la suppression de la décicace. Malgré ses cinquante-cinq ans, l'ancienne maîtresse entend encore régner sur le cœur et l'esprit de son protégé et n'admet pas d'être supplantée, même s'il ne s'agit que « d'admiration respectueuse » comme l'affirme Honoré. Balzac cède et sa lointaine admiratrice ne recevra jamais ce témoignage reconnaissant qu'au reste elle n'attend pas.

Alors, l'Etrangère regagne le royaume des ombres divines et Balzac repart à l'assaut de la forteresse de Castries qui se montre toujours aussi imprenable mais dont il espère encore qu'elle capitulera.

Avec le temps perdu, sa situation matérielle devient

catastrophique ; il ne travaille plus mais continue de jouer les grands seigneurs auprès de la duchesse, dans les salons et au théâtre. Son train de vie qui comprend trois domestiques, un tilbury et deux chevaux est ruineux. Ce ne sont plus les créanciers qui frappent à la porte mais des huissiers qui le harcèlent. Alors il décide de fuir pour se remettre au travail dans la paix et la solitude nécessaires. Il ne lui reste plus, en tout et pour tout, que 120 francs lorsqu'il prend la diligence pour Saché où ses amis Margonne vont l'héberger et lui offrir le couvert. Là, il pourra économiser, écrire, puis réintégrer Paris la besace bourrée de romans qui lui apporteront la fortune. On peut supposer que Madame Mère, craignant l'écroulement de la carrière de son fils, lui a conseillé cet exil avec son habituelle autorité puisque, à dater de ce jour, elle prend ses affaires en main. Tout d'abord elle congédie les domestiques, vend le cabriolet et les chevaux, concède ici et là quelques acomptes aux créanciers les plus tapageurs. Mais elle se perd dans le fatras des factures impayées, des traites, des lettres de change ou de crédit et ne parvient pas à régler le montant élevé du loyer de la rue Cassini. Le propriétaire la menace de faire vendre les meubles. Alors elle écrit à Honoré, lui fait part de son désarroi... Cette femme n'a de sa vie connu un tel désordre... Jamais elle n'aurait cru son fils aussi imprévoyant. Il faut pour s'en sortir trouver de l'argent, une forte somme qui permette d'éponger les dettes les plus pressantes et qu'Honoré remette d'urgence des manuscrits à ses éditeurs. Balzac écrit sans cesse, ne s'interrompant que pour dormir un peu ou se mettre les pieds sous la table des Margonne. Il a repris son rythme mais désespère de s'enrichir un jour grâce à la littérature. Et il revient à cette fameuse idée d'un mariage salvateur qui le poursuit et le poursuivra sa vie durant : épouser une femme noble, belle et riche, surtout riche... Précisément, les Margonne, toujours serviables, ont une amie veuve qui répond à ces caractéristiques, la baronne Deurbroucq qui de surcroît admire l'œuvre de l'écrivain. Et, hasard prodigieux, elle doit quitter cet été son château de Jarzé pour venir se reposer en Touraine, sur ses terres de Méré proches de Saché. Voilà qui peut, d'un coup de mariage magique, changer une situation perdue en position enviable. Honoré envoie à la châtelaine ses œuvres complètes dédicacées et se rend plusieurs fois par semaine à Méré pour voir si Mme la baronne est arrivée. Il demeure un mois et demi chez les Margonne. Et voilà encore un exemple de la puissance de travail de ce génie : en six semaines, quoique caché, traqué, ruiné, anxieux, il parvient à écrire la *Notice biographique sur Louis Lambert*, une œuvre importante, ambitieuse, marquée au sceau de ses souvenirs d'internat, radioscopie intellectuelle qui conduit le héros aux confins de la folie. Ainsi il rompt avec la littérature mondaine, le roman pour dames solitaires. Gosselin, son éditeur, qui reçoit ce manuscrit en juillet 1832 est très déçu car il attendait un roman grand public à la Walter Scott et non pas cet ouvrage bourré de considérations philosophiques, traitant des rapports entre le génie et la folie et qui semble inachevé. Parallèlement, Balzac écrit à Mame, un autre libraire-éditeur, pour lui annoncer comme presque terminé, afin d'obtenir une avance, un passionnant récit dont il n'a pas écrit la première ligne : *le Médecin de campagne*.

La baronne Deurbroucq se fait toujours attendre et finit par annoncer qu'elle ne quittera pas cette année son château de Jarzé. Déception... d'autant plus que la situation se complique car les lettres que Madame Mère lui adresse plusieurs fois par semaine passent de l'inquiétude à l'angoisse : elle n'en peut plus de jongler avec les traites du tailleur, du boulanger, du décorateur, de reporter les échéances et de tenter de convaincre les huissiers. Elle prédit le déshonneur de la famille si son fils ne trouve pas auprès d'un éditeur une somme importante qui permettrait de se débarrasser de ces tracas quotidiens. L'argent ! Toujours et encore l'argent ! Après l'échec de ses projets matrimoniaux, Balzac est au bord de l'abîme. Il a honte d'abuser de l'hospitalité des Margonne... Il lui est impossible de continuer de vivre aux crochets de ces braves gens ! Dans sa bourse il n'a plus que quelques pièces sur les 120 francs qu'il possédait au départ de Paris. Que faire ? Trouver un autre nid, comme le coucou... Par exemple aller chez les Carraud, toujours disposés à le recevoir. Mais il n'a pas de quoi se payer une voiture pour gagner Angoulême... Tant pis ! Il ira à pied jusqu'à Tours où il prendra la diligence d'Angoulême. Et voilà le génial écrivain, le snob du faubourg Saint-Germain, le romancier mondain transformé en vagabond qui parcourt, la canne à la main, sous le soleil brûlant du mois d'août, les 28 kilomètres qui séparent Saché de Tours. Il arrive épuisé à Angoulême et emprunte aussitôt 30 francs au capitaine Carraud. Zulma met une chambre à sa disposition et lui offre le couvert.

Là, en trois semaines, Balzac écrit *la Femme abandonnée*, trois *Contes drolatiques* et corrige les épreuves de *Louis Lambert*. Il a fait suivre son courrier et reçoit un matin une lettre qui le comble de joie, d'espoir et qui va une fois encore changer le cours de son existence : la duchesse Henriette de Castries invite son ami à la rejoindre à Aix-les-Bains afin de visiter ensuite, en compagnie de son oncle Fitz-James, la Suisse, puis l'Italie... Tout simplement ! Et avec l'inconscience d'une femme riche qui ignore tout des difficultés financières d'un pauvre écrivain... Mais pour Balzac, c'est la chance de sa vie... le grand mariage à la clé... Sinon pourquoi la duchesse le relancerait-elle ? Elle ne peut vivre sans lui, c'est certain. Elle doit ignorer sa misère et c'est en grand seigneur qu'il se présentera devant elle, comme toujours. Mais comment se procurer l'argent nécessaire ? Il lui vient alors une idée machiavélique : écrire à sa mère pour lui demander de trouver la somme importante qui lui permettrait de se débarrasser d'un seul coup de toutes ses dettes.

Et Balzac, qui a fait preuve de tant d'orgueil envers sa famille lorsqu'il jurait n'avoir pas besoin d'elle et être sûr de devenir riche grâce seulement à sa plume, n'hésite pas à s'humilier auprès de cette mère « indigne de son amour » à laquelle il doit toujours les 50 000 francs de sa faillite. Sans vergogne, il supplie sa « mère bien-aimée » de le sauver une dernière fois. Il faut qu'elle se procure d'urgence 10 000 francs. C'est une somme énorme et il le sait bien ! Mais qu'elle emprunte à ses proches, qu'elle réunisse famille et amis pour arracher son fils à la honte et au déshonneur... Il jure qu'il remboursera jusqu'au dernier sou, qu'il économisera et travaillera l'esprit tranquille à la rédaction de deux romans déjà vendus ce qui lui permettra de rembourser bientôt la totalité de sa dette. Emue par tant de bon vouloir, Madame Mère appelle à sa rescousse la grande famille des commissaires aux vivres : sa bonne amie Mme Delannoy, la fille du vieux Doumerc, accepte de lui prêter ces 10 000 francs indispensables qu'elle fait aussitôt parvenir à son fils. Honoré exulte : ses dettes, il s'en préoccupera plus tard. Pour l'instant, il est tout à sa joie : le voilà riche ! Il va pouvoir rejoindre la duchesse et mener la belle vie auprès de sa bien-aimée. Il achèvera de la conquérir, l'épousera et dans la quiétude retrouvée poursuivra son œuvre. Par lettre, il informe Mme de Castries que ses engagements l'obligeront à travailler toute la journée mais qu'en revanche il sera chaque soir à sa disposition... Qu'elle ait l'obligeance de lui trouver le havre de paix indispensable à l'écrivain. Il adresse également une lettre à sa mère pour l'informer

de son départ et lui demander de poursuivre la surveillance de ses intérêts durant cette absence. Madame
Mère consternée par tant d'inconséquence décide néanmoins de faire son devoir et comme toujours de se
sacrifier à ce fils ingrat et dépensier.

Heureux d'avoir résolu son problème, sûr de l'avenir,
Balzac se fait envoyer de Paris plusieurs paires de
gants beurre frais, de l'eau de Portugal et des pommades pour adoucir la peau. Le beau, le merveilleux
voyage en perspective ! Bien entendu, il fait part de son
projet à Zulma Carraud qui tente tout d'abord de le
dissuader : il va perdre son temps auprès de cette
duchesse qui ne daignera jamais s'abaisser jusqu'à
lui ! Mais il est dans un tel état d'exaltation que
Zulma le juge incurable et à bout d'arguments lui
conseille elle-même de partir, ce qu'il fait le 22 août...
après lui avoir emprunté 150 francs ! Il prend la diligence pour Aix-les-Bains et, à l'instant même où il
grimpe sur l'impériale, les chevaux, mal retenus, amor-
cent un faux départ. Le gros homme chute de tout
son poids et se déchire profondément une jambe sur
le marchepied. Il n'abandonne pas pour autant, se
fait panser sommairement puis s'allonge sur la ban-
quette de cette voiture qui va le bringuebaler jusqu'à
Lyon pour arriver enfin à Aix.

La duchesse est surprise lorsqu'elle reconnaît M. de
Balzac dans ce boiteux qui se présente devant elle,
appuyé sur une canne, ce qui ne l'empêche pas de le
recevoir avec son tact habituel et son élégance innée.
Elle a retenu pour lui, chez Roissard, une chambre à
2 francs par jour où il travaille de six heures du matin
jusqu'à six heures après-midi, ne s'interrompant que
pour boire du café ou absorber le repas frugal qu'on
lui apporte vers midi moyennant 15 sous. Le soir, il
soupe chez Mme de Castries qui l'a fait inscrire au
cercle où ils se rendent ensuite pour rencontrer le
baron James de Rothschild et d'autres personnalités,

ou bien ils vont au casino où la duchesse le présente à l'aristocratie aixoise.

Parfois, la belle Henriette autorise son chevalier servant à monter en calèche à ses côtés pour faire une promenade autour du lac. Elle décide soudain d'abandonner cocher et chevaux pour marcher avec lui de conserve à l'abri des arbres feuillus. Accepte-t-elle l'effleurement d'un baiser ? Elle se reprend aussitôt en l'appelant par son prénom mais en le voussoyant pour bien marquer la distance. Puis, provocante, elle lui conseille la patience... Plus tard... Peut-être.

Cette amitié paisible et ces éternelles promesses jamais tenues désespèrent Balzac qui écrit à Zulma Carraud : « Je suis venu chercher peu et beaucoup. Beaucoup parce que je vois une personne gracieuse et aimable, peu parce que je n'en serai jamais aimé. » Et, toujours excessif, de mauvaise foi, il conclut : « Pourquoi m'avez-vous envoyé à Aix ? »

Août s'achève, passe septembre ; rien de nouveau pour Balzac, sinon la chute des feuilles et son départ pour l'Italie, en compagnie de la duchesse et de son oncle, le légitimiste duc de Fitz-James, lequel s'est servi à maintes reprises de l'écrivain en le priant de rédiger pour lui des textes au bénéfice de la branche détrônée des Bourbons et lui en sait gré : « Le duc, écrit Balzac, sera comme un père pour moi. Alors je serai en relation partout avec la haute société. » En octobre, « avec une femme élégante et intelligente, une femme que l'on aime et dans le carrosse d'un duc », selon ses propres termes, Honoré arrive à Genève et descend à l'hôtel de la Couronne ; c'est la première étape d'un périple qui devrait le conduire, mais ne le conduira pas, en Italie. Car soudain tout s'écroule : Balzac renonce à poursuivre son voyage et quitte Genève seul, au lendemain d'un entretien intime que la duchesse consent enfin à lui accorder en lui rendant visite dans sa chambre de l'hôtel de la Couronne. Que s'est-il passé ? Une scène violente, certainement, mais dont on ignore les détails. Tout d'abord, Mme de Castries autorise quelques caresses amoureuses puis de sensuels attouchements, pour se refuser ensuite avec colère et mépris. Son infirmité lui donne-t-elle certains complexes ? Atteinte de frigidité, est-elle dans l'incapacité d'accomplir l'acte sexuel ? Balzac s'est-il conduit comme un goujat ? Est-elle lasse de cet amoureux maladroit et vulgaire ? Toujours est-il que, devant certaines exigences impératives, la duchesse a définitivement repoussé le plébéien. « La veille, confiera-t-il ensuite, j'étais tout pour elle ; le lendemain je n'étais plus rien. La veille, sa voix était harmonieuse et tendre, son regard plein d'enchantement ; le lendemain, sa voix était dure, son regard froid, ses mains sèches. Pendant la nuit une femme était morte, c'était celle que j'aimais... » Et voilà le fidèle adorateur qui passe « du haut du paradis dans un enfer de souffrance ». Mme de Castries deviendra plus tard, dans l'œuvre de Balzac, la duchesse de Langeais : « Mme de Langeais apprit jeune encore qu'une femme pouvait se laisser aimer ostensiblement sans être complice de l'amour... La duchesse eut donc sa cour et le nombre de ceux qui l'adoraient ou la courtisaient fut une garantie de sa vertu. Elle était coquette, aimable, séduisante jusqu'à la fin de la fête, du bal, de la soirée ; puis le rideau tombé, elle se retrouvait seule, froide, insouciante, et néanmoins revivait le lendemain pour d'autres émotions également superficielles. Il y avait deux ou trois jeunes gens complètement abusés qui l'aimaient véritablement et dont elle se moquait avec une parfaite insensibilité. Elle se disait : — Je suis aimée, il m'aime ! Cette certitude lui suffisait. Semblable à l'avare satisfait de savoir que ses caprices peuvent être exaucés, elle n'allait peut-être même plus jusqu'au désir. »

Après cela, il quitte la Suisse mais ne revient pas à

Paris. Où va-t-il se réfugier ? Chez sa vieille maîtresse, Mme de Berny, la Dilecta. Malgré la maladie qui la ronge et ne tardera pas à l'emporter, elle accueille l'enfant prodigue à La Bouleaunière en le serrant dans ses bras, en l'absolvant, en le choyant et en écoutant attentivement ses propos rageurs. Il gesticule et, emporté par ses chimères, laisse éclater sa rancœur contre Mme de Castries, évoque, sans gêne aucune, un monde de caresses et de sensualité : il y avait eu serment, baiser, promesse. « Elle déploya sa redoutable coquetterie, elle voulut me plaire, usa de tout son pouvoir pour faire éclater un amour timide... Ses aveux eussent donné de la fatuité à l'homme le plus modeste. » Il a du mal à contenir sa haine et parle de « crimes pour lesquels il n'y a pas d'échafaud », et menace de « vengeances populaires » ! Comédien inconscient, il mêle encore le rêve et la réalité. Car au fond, il souhaitait un mariage avec Mme de Castries afin de rétablir sa situation en disposant de la fortune et des biens de la duchesse. Mais l'affaire de gros sous devenait affaire de cœur pour peu qu'on y mêlât l'amour et le cupide bonhomme se transformait en victime sublime. A force de se dire amoureux, il croit l'être. Il clame sa souffrance et souffre véritablement. Et il passe de l'idéalisme transcendantal au mépris sans bornes. Sa vengeance sera littéraire : il prendra à témoin le monde entier. La rage au ventre, il trempe sa plume dans le vitriol et rédige en trois nuits *le Médecin de campagne*, sans doute son œuvre la plus déplorable. Balzac fabule, délire et son héros se venge terriblement de la femme qui s'est refusée à lui. C'est un pathos politico-social qui se déroule sur fond de bergerie. Il a reçu plusieurs avances de l'éditeur Mame et lui remet son manuscrit comme convenu. A la parution du livre, en 1833, l'auteur est vilipendé par la critique unanime. Dans *l'Echo de la jeune France*, entre autres, Balzac peut lire : « Le voilà (Balzac) qui fait de la morale. Le livre est sans incident, sans péripéties, sans intérêt, sans plan et sans but. Il n'y a ni esprit ni style. »

Ecorché vif, Honoré plante là Mme de Berny et regagne Paris plus décidé que jamais à construire son œuvre. Car ces échecs amoureux, financiers, littéraires l'incitent à se battre et à se surpasser. « Je marcherai sur la tête de ceux qui voudraient me lier les mains, retarder mon vol ! Les persécutions, l'injustice me donnent un courage de bronze... » écrit-il. Il dénoncera cette société qui le juge et qu'il observe avec attention pour mieux la disséquer : ses échecs, ses peines se retrouveront dans la *Comédie humaine* dont il n'a encore qu'une vague idée car elle ne naîtra que deux ans plus tard. C'est à une *Etude de mœurs* qu'il va s'attaquer, histoire du cœur humain et histoire sociale, caractères d'hommes et de femmes, manières de vivre, petits métiers et professions, avec pour base des faits réels. Journaliste, il deviendra l'historien de son temps. Il gouvernera le monde intellectuel européen et sera le Napoléon de la littérature.

Brisé, épuisé, mais riche de projets, il retrouve la rue Cassini, sa mère au désespoir et le cortège de ses embarras pécuniaires. Et, dans le fatras de son démoralisant courrier, une lettre inattendue, chaude, réconfortante, datée de novembre et signée l'Etrangère... Pour sa correspondante, il est un « météore lumineux », un personnage « divin », une « âme d'ange », une « émanation céleste »... Voilà qui, la moustache frissonnante, le fait ronronner de plaisir. Il lit encore : « Une vérité éternelle m'anime. Vous seul pouvez la comprendre et décrire ces battements d'amour pur, sacrés, qui me font aimer pour vivre et vivre pour aimer ; qui avec un enthousiasme calme et résigné me font envisager un avenir que je sens qui sera bonheur et joie pour l'homme s'il peut saisir cette étincelle électrique qui me semble vérité éternelle et qui, unissant l'amour, la vérité, doit révéler à l'homme son harmonieuse existence... » Ce texte enflammé, au style incohérent et pompeux dans lequel on retrouve l'outrance de langage des peuples slaves, enchante l'écrivain qui ne voit dans ces propos qu'une admiration justifiée et un nouvel amour se profiler à l'horizon. Cette femme l'appelle, ne peut vivre sans lui et lui propose de devenir son « étoile ». Qui est cette Etrangère ? Il va enfin le savoir car elle conclut son message en lui demandant s'il désire recevoir d'autres lettres de l'Inconnue et, dans ce cas, d'insérer quelques mots dans *la Quotidienne*. Oh ! oui, il désire correspondre avec elle et cette fois, sans informer Mme de Berny, il fait paraître dans cette gazette à la date du 9 décembre 1832 le texte suivant : « M. de Balzac a reçu l'envoi qui lui a été fait ; il n'a pu qu'aujourd'hui en donner avis par la voie de ce journal et regrette de ne pas savoir où adresser sa réponse. A l'E. H. de B. »

CHAPITRE XI

JE VOUS AIME, INCONNUE...
JE SUIS A VOS GENOUX !

Non. Elle ne montrera ce journal à personne. Eveline relève la tête et de sa fenêtre regarde fixement, sans rien voir, les champs de blé et les huttes de serfs qui composent son paysage quotidien. Puis elle relit le texte qu'elle connaît par cœur. Incroyable ! Ainsi, le meilleur écrivain français, celui dont tout le monde parle, le plus fin connaisseur de l'âme féminine, a compris sa solitude et son chagrin. Mieux encore : il souhaite que s'établisse une correspondance régulière puisqu'il regrette « de ne pas savoir où adresser sa réponse. » Eveline se désespère. Il lui est impossible de se dévoiler. Elle doit trouver un moyen détourné, un biais qui lui permette de recevoir ces lettres à l'insu de M. Hanski. Non... Ce serait malhonnête. Elle aurait l'impression de tromper son mari, ce que lui interdisent son éducation, sa religion et les convenances. Eveline s'allonge sur un sofa et réfléchit. Après tout, c'est stupide. Elle ne fait aucun mal. L'intérêt qu'elle porte à l'écrivain est celui d'une lectrice éprise de littérature. Pourtant, Eveline pressent que cet événement va bouleverser sa vie. Est-ce à cause de la prédiction de la servante de Pohrebyze ? Et quand bien même ! La nature ardente des Rzewuski réveille en elle le désir de liberté, l'exaltation du romantisme et l'attrait du mystère. Elle correspondra secrètement avec Balzac et se livrera cœur et âme. Mais son entourage est au courant. Ses proches ont accepté d'être complices parce qu'ils croyaient à une plaisanterie. Donc, il faut que pour tous le jeu prenne fin. Il sera facile de les convaincre que l'on ne peut jeter indéfiniment des bouteilles à la mer. Eveline se lève et dissimule l'exemplaire de *la Quotidienne* dans la bibliothèque, entre deux livres. En demeurant secrète, l'affaire n'en sera que plus plaisante. D'une idée à l'autre naît dans son esprit une astucieuse combinaison. Mais, pour que ce plan réussisse, une tierce personne doit partager le secret : Lirette, la crédule, l'ingénue, servira de boîte aux lettres. Rien de plus simple que de lui faire accroire que l'on veut seulement prolonger un peu la mystification. Elle adore sa maîtresse et sera fière d'être sa seule confidente. Mme Hanska agite un large cordon de sonnette en points de tapisserie et ordonne au serviteur qui apparaît aussitôt d'aller quérir Mlle Borel. Un quart d'heure lui suffit pour convaincre la vieille fille aussi dévouée que docile. Persuadée qu'il ne s'agit que de poursuivre le jeu à l'insu de tous, Henriette accepte de remettre à Mme la comtesse le courrier que M. de Balzac adressera à son nom.

Eveline s'installe derrière son bureau ; elle va pouvoir enfin se confier en toute liberté. D'abord, elle doit se présenter. Qui est-elle ? Une comtesse âgée de... vingt-sept ans (elle en a trente-deux) née d'une grande famille polonaise, les Rzewuski, mariée à un vieillard, son aîné de vingt-deux ans. Châtelaine de Wierzschovnia, disposant de 300 domestiques, elle règne sur un empire de 3 000 serfs. Recevoir une réponse est son plus cher désir mais il faut prendre cent précautions et mille détours. Afin qu'ils puissent correspondre en toute liberté, un intermédiaire est indispensable... Un jour peut-être comprendra-t-il pourquoi... Il doit donc adresser son courrier à Mlle Henriette Borel qui transmettra. Qu'il lui donne sa parole d'honneur que jamais il ne cherchera à connaître l'identité de sa correspondante... Elle serait perdue si l'on découvrait son stratagème.

Un cosaque part au galop porter à Berditchev cette première lettre d'Eveline qui, après un parcours compliqué, parviendra à Honoré.

La réponse ne tarde pas. Pour Balzac, l'Etrangère est un ange tombé du ciel dans la grisaille de son existence. Et il s'envole littéralement : « Je vous avouerai que vous avez été pour moi l'objet des plus doux rêves : en dépit de mes travaux, je me suis surpris plus d'une fois chevauchant à travers les espaces et voltigeant dans la contrée inconnue où vous, inconnue, habitiez seule de votre race. » Et il salue le peuple polonais tout entier « malheureux, dispersé à travers le monde, exilé peut-être des cieux »... Lui aussi est un « exilé » car ni son langage ni ses sentiments « ne ressemblent à ceux des autres hommes ».

La châtelaine de Wierzschovnia est à peine remise des émotions causées par cette déclaration ardente et inattendue qu'une deuxième lettre lui parvient : « Vous êtes une des figures idéales auxquelles j'ai laissé le droit de venir parfois se poser nuageusement devant mes fleurs et qui me sourient entre deux camélias, agitent mes bruyères roses et auxquelles je parle. » C'est du Walter Scott revu et corrigé par lord R'Hoone ! La femme sublime, belle, jeune, riche, délaissée, à la recherche de l'âme sœur, vient une fois encore de naître dans l'imagination du romancier. La voilà... C'est elle l'étoile qui va le guider sur les chemins de la gloire et de la postérité... Son seul désir : aimer, car jamais, il le jure, il n'a encore aimé, jamais il n'a connu l'amour d'une jeune femme. Bouleversée, Eveline découvre ce personnage surprenant, passionnant. Elle mord à l'appât et, confidence pour confidence, lui parle d'elle, évoque la petite fille de Wierzschovnia et son éducation religieuse, les contraintes qu'impose le fait d'être née dans une famille de haute noblesse dont les ancêtres sont tous de grands soldats ou des dignitaires qui appartiennent à l'histoire de la Pologne. Elle explique son mariage, le despotisme de son époux, lui parle de ce devoir conjugal qui la hante, de sa solitude, de ses rêves. Et Balzac de plaindre cet «ange-femme »... Il ignore tout d'elle, ne sait comment elle est faite et se déclare néanmoins éperdu d'amour pour son « Etoile du Nord ». Balzac change de rêve et troque Mme de Castries, affaire classée, contre Mme Hanska, affaire à suivre. Une correspondance régulière s'établit et ce sont douze, quinze, vingt pages de confidences et de propos en fleurette qui s'échangent chaque mois. Balzac construit son propre personnage et s'épanche dans le sein de sa comtesse polonaise. Ah ! comme il est bien placé pour la comprendre car lui aussi est seul et malheureux et incompris, seulement désireux de construire une œuvre gigantesque, mais désespéré de n'avoir pas encore connu l'amour : « Vous, mon idole, vous pouvez être à jamais la réalisation de cette ambition d'amour. » Il s'apitoie si bien sur leur sort commun que le songe devient réalité : « Je vous aime, Inconnue ! » Opiniâtrement il se veut amoureux et donc le devient. « Je suis à vos genoux... Je vous livre ma vie et mon cœur. » Il pose ses lèvres sur le papier à lettres qu'a touché la main divine : « Je me dis que votre bras est passé là et je baise le blanc... » L'amour sublimé par l'imaginaire va, de par sa volonté, se concrétiser jusqu'à devenir réalité. C'est une femme idéale qu'il invente comme il crée les personnages de ses romans. Et même lorsqu'elle ne correspondra pas à cette image, il effacera le concret pour se retrancher dans le rêve.

Malgré ces relations épistolaires absorbantes, Balzac poursuit la réalisation de son œuvre. Il correspond avec Mme Hanska depuis deux mois à peine que déjà il lui accorde une place dans la galerie de ses personnages : il écrit une nouvelle mouture du *Médecin de campagne* dans laquelle sa « fleur du ciel », son « idole » figure sous le prénom d'Evelina. C'est une jeune et ravissante Ukrainienne transplantée de ses steppes natales en terre de France. Plus tard, en septembre 1833, après la parution de ce livre, il écrira à Mme Hanska : «Nous avons lu maintenant *le Médecin de campagne*. Hélas mes critiques amis et moi avons trouvé plus de deux cents fautes dans le premier volume ! J'ai soif d'une deuxième édition pour pouvoir porter ce livre à la perfection... Je travaille maintenant à *Eugénie Grandet*, une composition qui paraîtra dans *l'Europe littéraire*... » Car Balzac récrira entièrement et plusieurs fois la plupart de ses œuvres. Ses premiers jets sont des brouillons qui, travaillés et retravaillés, deviendront d'immortels chefs-d'œuvre. Ainsi *Eugénie Grandet* qui va le classer définitivement parmi les grands écrivains de son siècle n'est alors qu'une petite nouvelle de la série des *Scènes de la vie de province* consacrée au « cycle de la Touraine ».

Le ton de ses lettres à « l'ange-femme », à la « compatriote d'une terre inconnue » ne cesse de monter. « L'objet de ses rêves », « la toute précieuse étoile » devient celle qu'il « aime comme aime un enfant avec toutes les illusions du premier amour », puis son « cher et pur amour »... « Tuez-moi d'un seul coup mais ne me faites pas souffrir », la supplie-t-il. Il va jusqu'à joindre à sa lettre une mèche de ses cheveux... « Ils sont encore noirs mais je me suis dépêché pour narguer le temps. Je les laisse croître et tout le monde me demande pourquoi. Pourquoi ? Je voudrais qu'il y en eût assez pour que vous en eussiez des chaînes et des bracelets. »

Seule dans le secret de sa chambre, devant le feu qui pétille et flambe dans la cheminée, Eveline palpe cette mèche, prend connaissance de ces lettres qui la touchent et éveillent ses désirs amoureux au point qu'elle souhaite ardemment lever le voile et connaître cet homme brillant, capable de se déclarer avec tant de chaleur. C'est cet amant qu'elle attend, qui depuis toujours lui est promis... Elle le rencontrera. Là encore il lui faut ruser, établir une stratégie, persuader son époux qu'un voyage de quelques mois leur ferait le plus grand bien, chasserait l'ennui pesant de leur vie à Wierzschovnia et rétablirait peut-être l'harmonie dans leur couple. M. Hanski donne aussitôt son accord. Que ne ferait-il pas pour retrouver le chemin de la chambre d'Eveline ! Mais quitter l'Ukraine, partir avec toute sa famille pour l'étranger n'est pas chose aisée pour un grand seigneur polonais. Plusieurs mois de fastidieuses démarches sont nécessaires, avec l'aide de hautes recommandations et l'appui de divers protecteurs, pour obtenir de la bureaucratie tsariste l'indispensable passeport. Encore M. Hanski doit-il jurer sur l'honneur qu'il ne tentera pas de se rendre en France, ce pays révolutionnaire en perpétuelle effervescence. Mais non ! M. Hanski et sa famille ne veulent pas aller en France. C'est en Suisse qu'ils iront, terre neutre et respectable, toujours à l'abri des guerres et des révolutions, à Neuchâtel précisément, ville natale de la gouvernante de la petite Anna, Mlle Henriette Borel dont le plus cher désir est de revoir ses parents qu'elle a quittés dix ans plus tôt. Lirette recevra ainsi la récompense des services rendus à sa maîtresse. En fait, en emmenant le chaperon de sa fille, Mme Hanska emporte également la boîte aux lettres qui lui permettra de poursuivre sa correspondance avec Balzac. Plus tard seulement, la vieille fille comprendra qu'elle s'est faite l'involontaire complice d'une infamie.

Eveline fait alors savoir à son bien-aimé que le miracle est possible, qu'ils peuvent se rencontrer, qu'il ne tient qu'à lui de parcourir les cent cinquante lieues qui séparent Neuchâtel de Paris. Dans les premiers jours du mois de janvier 1833, la famille Hanski en somptueux équipage quitte Wierzschovnia : malles, cantines, coffres et marmottes contiennent l'indispensable bagage nécessaire au service d'une noble famille. Suivent, outre Mlle Anna et sa gouvernante, Dyonisa et Saverina Wylezynska, les deux parentes de Thaddée, ainsi qu'un nombreux domestique. Première étape de ce voyage : Vienne où vécut M. Hanski, heureux à l'idée de retrouver là quelques amis et certains souvenirs de jeunesse. Passe l'éphémère et exubérant printemps et la caravane reprend la route en direction de Neuchâtel. Cette fois M. de Balzac peut quitter Paris. On le lui fait savoir. La boîte aux lettres clandestine fonctionne sur un rythme accéléré. Le 5 août l'on sera à Neuchâtel, dans une confortable résidence choisie par la famille Borel, la villa André dont voici l'adresse : juste face à l'hôtel du Faubourg où M. de Balzac est prié de descendre... Là aura lieu la rencontre. Comment ? Sur place, une lettre l'attendra qui fixera le jour, l'heure et l'endroit... Mystère ouaté de flou... Ce sont des conjurés qui préparent leur complot stimulés par l'adjuvant du secret.

La villa André est une somptueuse demeure située dans le quartier le plus élégant de la ville : la promenade du Faubourg est une sorte de promontoire qui s'avance, tout en le dominant, sur le lac immense à la grenure d'ombres et de lumières, vaste étendue éblouissante plantée d'arbres qui l'attachent au rivage. De sa fenêtre, Eveline suit des yeux le vol des mouettes qui tournoient sur l'eau bleue aux reflets d'or et semblent prisonnières des montagnes d'alentour.

« Votre lac, je le vois et parfois mon intuition est si forte que je suis sûr qu'en vous voyant réellement, je dirai : — C'est elle. — Elle, mon amour, c'est toi ! Adieu ; à très bientôt. » Telle est la réponse enthousiaste de Balzac qui, avec la duplicité des princes, écrit dans le même temps une lettre ainsi rédigée à sa sœur Laure pour l'informer de son départ : « N'est-ce pas gentil d'avoir arraché un mari de l'Ukraine et de faire six cents lieues pour aller au-devant d'un amant qui n'en fait que cent cinquante ! » Machiavélisme de ce personnage aux mille facettes dont on ne cesse de se demander quand il est sincère.

Criblé de dettes, accablé et exaspéré par les méchantes critiques qui ont accueilli la parution des *Contes drolatiques* chez Gosselin, en procès avec Mame à qui il doit toujours un ou deux manuscrits, il se donne huit jours pour gagner avec quelques articles les cent cinquante louis nécessaires à son voyage. Car il se voit en route pour la Suisse... Le voilà chevauchant de nouveau un troupeau de rêves, s'exaltant à l'idée de rencontrer sa « chère épouse d'amour », son « doux asile » dont il ne connaît ni le nom ni le visage. Pour quitter Paris, il doit se justifier auprès de Mme de Berny, de Zulma Carraud et surtout de Madame Mère : comment faire admettre, dans le désastreux état de ses finances, ce coûteux voyage de plaisir ? Le prétexte est vite trouvé : une importante affaire l'attend à Besançon qui va lui procurer la fortune. Il s'agit d'un nouveau papier d'impression bon marché et très particulier qui lui permettra d'éditer ses œuvres avec des bénéfices inouïs. Qui pourrait trouver à redire ? Il décide, sans raison valable, de voyager sous le nom de marquis d'Entraygues. Toujours ce besoin de fabulations mirobolantes. En secret, il écrit au directeur de *la Gazette de Franche-Comté*, Charles de Bernard, un sien ami, et lui demande de retenir sous son nom d'emprunt une place dans la diligence Besançon-Neuchâtel. Il part le 21 septembre et arrive le 25 après cinq journées d'un épuisant voyage avec haltes, repas et relais afin de permettre au cocher de changer ses chevaux fatigués pour des chevaux frais postés. Secoué, cahoté, bringuebalé sur des routes malaisées, des chemins serpentins, Balzac ne perd rien de son enthousiasme. Debout, cramponné à la rambarde, il s'exclame à la vue des paysages inconnus, du panorama majestueux, composé d'un côté de montagnes et de l'autre de forêts, qui défile devant lui.

Il arrive épuisé mais tellement impatient de connaître son idole qu'avant d'aller à l'hôtel du Faubourg où Mme Hanska a retenu pour lui une chambre et déposé une lettre à son nom contenant ses dernières instructions, il se précipite villa André pour respirer l'air de la Divine, entre dans la cour pavée, rase les murs, longe les remises et là, dissimulé, découvre l'Inconnue contemplant de son balcon la nappe d'eau bleue et les oiseaux qui tournoient dans le ciel. Ce ne peut être qu'elle et c'est elle en effet, nonchalante et lointaine. Le rêve se matérialise. La couleur préférée de Balzac est le mauve : or, vision prophétique, Mme Hanska lui apparaît pour la première fois vêtue d'une robe couleur pensée... Ses longs cheveux noirs, dénoués, encadrent un visage lisse et frais, front haut, nez droit et bouche finement ourlée. Elle porte au cou un pendentif à turquoise. En extase, il contemple cette femme opulente et sensuelle, dans la plénitude de ses trente-trois ans qui offre, angélique et langoureuse, son visage aux rayons d'un soleil pâle. Trop belle ! Elle est trop belle et Balzac se demande avec angoisse ce qu'elle va penser de la manière dont il est fait... Elle imagine certainement un poète jeune et élégant comme Musset, un aristocrate délicat comme Vigny... Quelle déception sera la sienne en découvrant ce courtaud lourdaud, ce rougeaud à la bedaine rebondie ? Inquiet.

il se rend à l'hôtel du Faubourg, trouve la lettre, prend possession de la chambre et s'endort harassé.

On ignore le contenu de cette lettre mais il est certain qu'Eveline fixait un rendez-vous précis à l'écrivain. Et c'est le surlendemain que, sur les rives du lac, a lieu la première rencontre clandestine. Assise sur un banc, elle lit un roman de Balzac. Le reconnaît-elle par prémonition ou d'après les portraits de l'écrivain publiés dans les revues qu'elle recevait à Wierzschovnia ? A-t-elle, en découvrant l'air vulgaire et la mauvaise tournure de son correspondant, un geste de recul, comme d'aucuns l'affirment ? Dans ce cas elle se reprend vite et laisse tomber son mouchoir. Etait-ce le signe convenu ? Honoré le ramasse, le tend à la belle puis s'assied à ses côtés. La première impression s'estompe et Eveline tombe vite sous le charme du beau parleur. Bien entendu, l'on ignore tout des propos échangés, mais on sait que l'essentiel pour Eveline est d'introduire Balzac dans le cercle familial. Elle a imaginé un ingénieux subterfuge pour expliquer à son mari la présence de l'écrivain à Neuchâtel et de bonnes raisons pour justifier leur rencontre due au hasard. Comment pourrait-il s'étonner après cela que sa femme tienne à lui présenter ce célèbre romancier français ? Qu'il vienne donc ce soir même villa André boire le verre de l'amitié en toute simplicité. M. Hanski qui prise fort les relations mondaines ne pourra qu'être enchanté de faire la connaissance d'un illustre écrivain. Rendez-vous est pris.

Au comble de la joie, Honoré écrit aussitôt à Laure pour lui faire part de ses impressions. Sa plume frétille pour décrire l'air digne et l'expression hautaine et lascive et le charme de l'accent légèrement chantant des Slaves... Mme Hanska était atteinte d'un léger strabisme qui devient une admirable coquetterie « d'une splendeur voluptueuse ». Il conclut : « L'essentiel est que nous avons vingt-sept ans, que nous sommes belle par admiration, que nous possédons les plus beaux cheveux noirs du monde, la peau suave et délicieusement fine des brunes, que nous avons une petite main d'amour, un cœur de vingt-sept ans, naïf... J'ai été enivré d'amour... » Eveline s'est rajeunie de cinq ans mais c'est sans importance ; l'essentiel est qu'elle incarne pour lui la femme de trente ans, belle et pleine de désirs ardents et inavoués, sacrifiée à un vieil époux souffreteux et d'humeur morose.

Et de fait, Balzac ne va pas tarder à s'en apercevoir, le mari existe bel et bien, « gros comme une tour », hypocondriaque peut-être mais d'une présence constante. Intraitable cerbère, le maréchal de la noblesse est d'une jalousie ombrageuse. Au commencement, charmé par la conversation brillante de l'écrivain, flatté d'accueillir dans son salon une personnalité parisienne, il n'a aucun soupçon. Et puis il est surpris par l'empressement de Balzac auprès de son épouse ; tel un enfant, Honoré ne peut dissimuler son admiration. Néanmoins M. Hanski se montre aimable avec son hôte. Peut-être juge-t-il que le physique de ce bourgeois replet ne vaut guère mieux que le sien. Il s'intéresse à lui, le questionne : quelle sera la durée de son séjour à Neuchâtel ? Cinq jours seulement ? Alors voyons-nous tous les jours, revenez demain, ensemble nous visiterons la ville et ses environs qui sont d'un pittoresque ! Et le lendemain Balzac ne quitte pas Mme Hanska que M. Hanski n'abandonne pas un instant ! Chaleureux, bienveillant, mais toujours présent. « Un damné mari, écrit Balzac à sa sœur, qui va sans cesse de la jupe de sa femme à mon gilet. » S'il s'absente un instant, Mlle Borel assure le relais ; il est à croire qu'elle et son maître sont de connivence.

Le troisième jour, Mme Hanska décide d'un pèlerinage sur les pas de Rousseau dans l'île Saint-Pierre. En 1765, Jean-Jacques y séjourna deux mois et rendit célèbre cette terre minuscule qui semble plantée au milieu du lac de Bienne. Vers midi, M. Hanski se voit contraint d'abandonner sa femme et son ami pour organiser le déjeuner sur l'herbe et donner des ordres aux serviteurs. Il a besoin de Mlle Borel et la prie de l'accompagner. Eveline et Honoré sont là, côte à côte, à l'ombre d'un grand chêne, enfin seuls... Il abrège son prénom et l'appelle Eve comme la première femme, l'unique. Ils se jurent un éternel amour et scellent leurs fiançailles d'un premier baiser. Un jour, c'est juré, si Dieu le permet ils s'uniront... Ainsi naît une passion qui durera dix-sept années, renforcée par l'éloignement, soutenue par une correspondance continue.

Le lendemain, M. Hanski organise une visite de la ville et de la riviera lacustre, région touristique entre le Jura et le lac où le climat est si doux que de vastes étendues de vignes poussent sur les terrasses qui bordent la rive. Honoré rêve d'être là, seul avec Eve pour contempler ces vignobles dorés de soleil mais pas un instant le comte, secondé par Lirette, ne relâche son attentive et souriante surveillance. Cependant Balzac n'a jamais été aussi heureux, aussi sûr de lui : hier, ils se sont fiancés... Ils sont maintenant liés définitivement... Et ce vieil époux, de vingt ans l'aîné d'Eve, malade de surcroît, ne sera pas éternel. Alors, ils consacreront leur union... En attendant, ils se reverront très bientôt, dans un mois à Genève, prochaine étape du voyage de la famille Hanski. Rendez-vous donc le 5 novembre.

Le soir même, Eveline écrit à son frère : « J'ai enfin fait la connaissance de Balzac. Tu te souviens que tu as toujours prédit qu'il mangerait avec son couteau et se moucherait dans sa serviette. Eh bien, s'il n'a pas tout à fait commis ce dernier crime, il s'est certainement rendu coupable du premier. Mais tout ceci est surface. L'homme lui-même a quelque chose qui vaut bien mieux que de bonnes ou de mauvaises manières, il a du génie qui vous électrise et vous transporte dans les plus hautes régions intellectuelles, ce génie qui vous emporte hors de lui-même, qui vous fait comprendre tout ce qui a manqué dans votre vie. Il m'aime et je sens que cet amour est la chose la plus précieuse que j'aie jamais possédée et qu'à partir d'aujourd'hui il jouera dans mon existence le rôle d'une torche lumineuse qui sera constamment devant mes yeux éblouis. »

On se sépare le lendemain : les Hanski et leur suite se dirigent vers Genève tandis que Balzac se hisse sur l'impériale de la diligence pour Besançon. Quatre jours et trois nuits dans le tintamarre de la patache avant de rejoindre Paris... Mais Honoré est insensible aux secousses, au manque de sommeil, à l'incommodité des voyageurs bruyants. Son imagination meuble les heures. Cette fois, il est sûr d'être aimé, sûr que bientôt Eve lui appartiendra. Peut-être aurait-il pu être plus entreprenant à Neuchâtel ? Eveline elle-même le lui reprochera plus tard. Sans doute craignait-il que l'acte n'effaçât le rêve. C'est ce qu'il s'efforce de croire pour son confort intellectuel. Mais n'est-ce pas plutôt parce qu'à Genève Balzac a une revanche à prendre ? C'est dans cette ville, à l'hôtel de la Couronne, que l'orgueilleuse Henriette de Castries l'a humilié en se refusant à lui puis en le congédiant. Pour laver cet affront, c'est à Genève que la comtesse Hanska se donnera à lui.

Un problème le préoccupe : l'argent. Comment se procurera-t-il la somme importante, nécessaire à ce prochain voyage ? Car il doit briller aux yeux de Mme Hanska, cette grande dame couverte d'or, lui qui n'est couvert que de dettes. Eh bien ! il travaillera quinze heures par jour, empruntera, trouvera d'autres éditeurs, d'autres contrats, exigera des avances pour s'offrir ces quelques journées de bonheur et de luxe. Et c'est en grand équipage qu'il arrivera à Genève, superbement vêtu et la bourse pleine. Et il fera retenir à l'hôtel de la Couronne une chambre, celle-là même qu'il avait occupée un an auparavant avec la duchesse de Castries.

CHAPITRE XII

UN HUMBLE MOUJIK NOMMÉ HONORESKI

De retour à Paris le 2 octobre 1833, Balzac trouve, comme à l'accoutumée, une situation financière désastreuse et décide de se mettre aussitôt au travail. Un seul but : réunir au plus vite la somme nécessaire pour aller retrouver à Genève son « ange adoré ». La conjoncture est difficile car il doit rembourser le surlendemain de son arrivée une dette de 5 000 francs dont il ne possède pas le premier sou. Ayant rompu avec l'éditeur Mame en raison d'un désaccord au sujet du *Médecin de campagne* il ne peut lui demander une avance. Avoir du génie est un privilège qui peut conduire à l'immortalité ; encore faut-il « savoir se vendre ». Balzac possède ce double don. L'un de ses amis lui présente Mme Béchet, épouse d'un libraire-éditeur qui vient de décéder en laissant à sa veuve son affaire et sa fortune. Sa brouille avec Mame le laisse libre de faire paraître chez un concurrent les quatre volumes in-8° des *Scènes de la vie parisienne* sous le titre général *Etudes de mœurs au XIXᵉ siècle*. Honoré a su être convaincant et l'incroyable se produit : Mme veuve Béchet s'engage à lui remettre en plusieurs versements une somme de 27 000 francs (environ

650 000 francs actuels). C'est un contrat mirifique car, en échange de cette avance importante, il ne cède qu'une édition de 1 500 exemplaires dans un certain format, après quoi il redevient propriétaire de son œuvre. Il a aussi toute latitude pour faire publier ces mêmes titres chez un autre éditeur à la condition qu'ils soient présentés dans un format différent. L'affaire est d'autant plus extraordinaire que les *Scènes de la vie parisienne* comprennent seulement *Ferragus* paru dans *la Revue de Paris* et le premier chapitre de *la Duchesse de Langeais* publié dans *l'Echo de la jeune France*. Les *Scènes de la vie privée* se composent du *Curé de Tours*, alors intitulé *les Célibataires*, et de la première partie d'*Eugénie Grandet*, l'un et l'autre déjà publiés dans des journaux. C'est dire l'imprudence de Mme Béchet et l'inconséquence de Balzac qui, une fois encore, se lance dans une gigantesque entreprise. Et pourtant, c'est de ce fatras, de ces brouillons successifs aux titres divers, de ces multiples idées jaillissantes que va naître en lui la conception géniale de *la Comédie humaine*.

Voilà Balzac momentanément délivré de ses embarras pécuniaires car il se libère de toutes ses dettes, exception faite des 50 000 francs qu'il doit à Madame Mère. Mais la tâche qu'il doit accomplir en échange est rude : il burine le papier et trace ses lignes comme le paysan laboure la terre et creuse ses sillons. C'est qu'il doit faire vite car le contrat Béchet a été suivi d'une importante réclame dans le but d'un lancement rapide de ses œuvres et, pour tenir ses engagements, il rédige au cours des mois d'octobre et de novembre *l'Illustre Gaudissart*, *le Cabinet des antiques*, et la deuxième partie d'*Eugénie Grandet*. Mais déjà, le premier versement de Mme Béchet, dont on ignore le montant exact, est dépensé et Honoré est de nouveau en déconfiture puisque le mercredi 20 novembre 1833, il adresse ces lignes à Mme Hanska : « Chère épouse

d'amour, mes proces ne finissent pas. J'attends aujour-
d'hui l'effet d'une transaction qui terminera tout entre
moi et Mame. Je lui envoie 4 000 francs, ma dernière
ressource. Me revoilà pauvre comme Job, et il faudra
que cette semaine je trouve encore douze cents francs
pour arranger encore une autre affaire litigieuse. Oh !
Que la gloire se vend cher ! Que les hommes la rendent
difficile à acquérir ! Non il n'y a pas de grand homme
à bon marché ! » Alors, il besogne davantage encore :
ses nuits de labeur commencent en fin de soirée pour
se terminer en fin de matinée. Et parmi les centaines de
feuillets abattus en ces nuits de quinze heures, les
cent dernières pages d'*Eugénie Grandet*, l'un de ses
plus purs chefs-d'œuvre. Sa production est inégale et
tout n'est pas d'un aussi haut niveau puisque dans
la lettre citée plus haut il confie à Eveline : « En reli-
sant *les Célibataires* que j'avais recorrigés à outrance,
j'ai retrouve des fautes déplorables après l'impression. »

Mais pour lui, rien de tout cela n'est important. Il
ne poursuit qu'un but : retrouver Mme Hanska à
Genève. « Maintenant, écrit-il, il faut travailler jour et
nuit. Quinze jours de bonheur à conquérir à Genève,
voilà les paroles que je trouve gravées en dedans de
mon front et qui m'ont donné le plus fier courage que
j'aie jamais eu. »

Afin de donner une idée de la puissance créatrice
de ce géant de la littérature, il suffit de lire ce qu'il
écrit à Mme Hanska dans sa lettre du 20 novembre 1833 ; « Aujourd'hui 20, j'ai encore cent pages
d'*Eugénie Grandet* à écrire, *Ne touchez pas la hache* à
finir, *la Femme aux yeux rouges* à faire, et il faut au
moins dix jours pour tout cela. J'arriverai mort. Mais
je pourrai rester à Genève autant de temps que tu y
seras. Hier mon fauteuil, mon compagnon de veilles,
s'est cassé. C'est le second fauteuil que j'ai eu tué
sous moi depuis le commencement de la bataille que je

livre. » Lui aussi s'effondre à ce rythme furieux. « Le café ne me fait guère plus rien, écrit-il, il faut m'en sevrer pendant quelque temps pour qu'il retrouve sa vertu. » Au lieu de cela, il triple les doses, et travaille dans un état fébrile.

A cet emploi du temps surhumain, il faut ajouter les heures consacrées à écrire plusieurs fois par semaine de longues lettres à « l'ange-femme », à sa chère Eve ; « Il est onze heures, pas de lettre de Genève. Quelle inquiétude ! O mon amour ! je t'en supplie, tâche de les envoyer à des jours certains : ménage la sensibilité d'un cœur d'enfant. Tu ne sais pas combien est vierge mon amour. Fort est mon amour, mais délicat, ô ma chérie... Je viens d'aller à mon jardin, j'ai cueilli l'une des dernières violettes qui s'y trouvent ; en marchant je t'ai adressé une hymne [1] d'amour, prends-la sur cette violette, prends les baisers mis sur la feuille de rose. La rose ce sont les baisers ; la violette ce sont les pensées. Mon travail et toi, voilà le monde pour moi. Au-delà, plus rien. J'évite tout ce qui n'est pas mon Eva, mes pensées. »

Cher Balzac ! Toujours cette inconséquence fallacieuse ! Car le simple calcul auquel nous nous sommes livré nous apporte la preuve que, tandis qu'il écrivait ces lignes à son « Etoile polaire », il la trompait sans remords. En octobre et novembre 1833, il partage le lit d'une jeune femme nommée Maria Daminois. Le fait est certain puisque, neuf mois plus tard, au mois de juin, cette Maria Daminois, épouse du Fresnay, fille de la romancière Adèle Daminois, met au monde une petite fille, Marie du Fresnay, qui mourra en 1930, à l'âge de quatre-vingt-seize ans. Honoré annonce cette naissance à sa sœur Laure en octobre 1833. Maria

---

1. Hymne s'emploie au masculin lorsque ce mot célèbre une personne et au féminin, dans la tradition chrétienne lorsqu'il s'agit de chanter la gloire de Dieu. C'est sans doute pour sacraliser Eve que Balzac utilise ici le féminin.

Daminois n'est enceinte que depuis peu, mais toujours imaginatif, Balzac se voit déjà père : « Je ne sais à qui conter cela, lui écrit-il, je suis PÈRE... Voilà un autre secret que j'avais à te dire... et à la tête d'une gentille personne, la plus naïve créature qui soit, tombée comme une fleur du ciel, qui vient chez moi en cachette, n'exige ni correspondance ni soins, et qui dit : "Aime-moi un an, je t'aimerai toute ma vie." » Plus tard, l'étude du testament de Balzac faite par MM. René Bouvier et Edouard Maynial permettra de découvrir, parmi ses légataires, tous parents ou proches, le nom d'une jeune fille de dix-sept ans, Mlle Marie du Fresnay, demeurant rue Saint-Lazare numéro 27, à laquelle l'écrivain cédait, entre autres choses, son précieux *Christ* de Girardon dans un encadrement de Brustolone. Non seulement Maria Daminois, cette « fleur du ciel », est au mois de novembre 1833 sa maîtresse depuis un an environ, mais elle devient le modèle, l'héroïne d'*Eugénie Grandet*, la fille obéissante et dévouée du tonnelier Grandet aussi ladre que riche, véritable tyran domestique devant qui tout doit plier. C'est Maria qu'il décrit ainsi : « Son nez était un peu trop fort, mais il s'harmonisait avec une bouche d'un rouge de minium dont les lèvres à mille raies étaient pleines d'amour et de bonté. Le col avait une rondeur parfaite. Le corsage bombé, soigneusement voilé, attirait le regard et faisait rêver... Cette physionomie calme, colorée, bordée de lueur comme une jolie fleur éclose, reposait l'âme, communiquait le charme de la conscience qui s'y reflétait, et commandait le regard. Eugénie était encore sur la rive où fleurissent les illusions enfantines, où se cueillent les marguerites avec des délices plus tard inconnues. » Enfin c'est à Maria qu'il dédie ce roman, le plus connu du grand public, le préféré des instituteurs, en ces termes : « A Maria, que votre nom, vous dont le portrait est le plus bel ornement de cet ouvrage, soit ici comme une branche de buis bénit, prise on ne sait à quel arbre, mais certainement sanctifiée par la religion et renouvelée, toujours verte, par des mains pieuses, pour protéger la maison. De Balzac. » Dans cette œuvre éclatent les sentiments multiples et confus de l'écrivain, car *Eugénie Grandet* est aussi un message à sa « chère Eve, l'épouse d'amour », après la rencontre de Neuchâtel, la confirmation du baiser et du serment échangés. Il signifie qu'à l'instar de son héroïne, Balzac saura attendre la concrétisation de leur engagement et qu'au cas où il ne se réaliserait pas, sa vie serait détruite, et deviendrait semblable au mouvement végétatif de la plante. Eugénie naïvement éprise de son cousin, c'est Maria et c'est lui mais, dans la seconde partie de l'œuvre, après la rencontre de Neuchâtel, Eve prend la place de Maria.

Pour donner le change, Honoré doit désormais adresser à Eveline une double correspondance : dans la première, destinée à être lue en famille en présence de M. Hanski, il voussoie son idole et l'appelle respectueusement « Madame », dans l'autre, uniquement réservée à Eve, elle devient son « doux asile », sa « seule pensée » et il jure effrontément qu'il est depuis trois ans « chaste comme une jeune fille ».

Conformément à son plan, Honoré a terminé le 20 novembre *Eugénie Grandet*, *l'Illustre Gaudissart* et *le Cabinet des antiques*, un peu bâclé semble-t-il puisque cet ouvrage ne paraîtra que deux ans plus tard, après avoir été récrit. Pourquoi ne part-il pas aussitôt pour Genève et décide-t-il de demeurer à Paris jusqu'au 22 décembre ? Peut-être parce que, démuni, il attend le prochain versement de Mme Béchet, mais plus certainement pour prendre connaissance des réactions de la presse après la parution d'*Eugénie Grandet*. Il est comblé : l'accueil est unanime. Un critique va jusqu'à parler de chef-d'œuvre. Même l'envieux et sévère Sainte-Beuve est très élogieux dans son article du *Globe*. Balzac est devenu l'un des grands écrivains français de son temps.

Maintenant consacré, il peut, satisfait et l'esprit libre, se rendre à Genève. La bourse regarnie, il procède aux préparatifs de son départ et fait l'emplette de divers cadeaux destinés « à la seule femme que le monde contienne » : des alberges, petits abricots mouchetés de brun, des confitures de cotignac et des rillons, rien que des produits de sa chère Touraine, avec en supplément, un exemplaire de *la Jeune Tarentine* d'André Chénier, le poète préféré, avec Mickiewicz, de Mme Hanska. Il est probable qu'avant son départ, il reçoit une lettre d'elle l'informant que pour une raison quelconque il ne sera pas possible de le loger selon son souhait à l'hôtel de la Couronne, car il lui répond : « Dis, mon Eva chérie, je voudrais bien qu'il y eût dans cette auberge dont tu me parles une chambre bien tranquille où le bruit ne parvînt pas, car j'ai vraiment bien à travailler. Je ne travaillerai que mes douze heures, de midi à minuit [1] mais il me les faut. »

Ce ne sera donc pas à l'hôtel de la Couronne qui, un an auparavant, a connu sa défaite auprès de Mme de Castries, qu'il triomphera d'une autre comtesse, mais ce sera néanmoins dans cette même ville, à Genève. Dans ses bagages, il emporte le manuscrit inachevé de *la Duchesse de Langeais* : il a l'intention de mener à son terme, sur les lieux mêmes, le roman de son humiliante aventure avec cette femme orgueilleuse et coquette qui, après l'avoir aguiché une année durant, l'a rejeté comme un laquais. Sur place, il revivra les faits et livrera en proie à ses lecteurs cette aristocrate méprisable et facilement identifiable. Il emporte également le projet d'un autre roman :

---

1. Inversion involontaire car Balzac a toujours travaillé de minuit à midi.

Seraphita qu'il rédigera avec Mme Hanska. Il a pour thème la transposition de leur amour.

Et pour une fois, c'est sûr de lui et l'esprit en repos que Balzac arrive le 25 décembre 1833 à Genève et descend à l'hôtel de l'Arc. On l'installera ensuite à la maison Mirabaud plus proche de la demeure des Hanski. Il passera quarante-six jours à Genève.

En ces années 1830, fuir Paris est un privilège : depuis le début du mois d'avril 1832, c'est par centaines que les citadins fortunés quittent la capitale. Dans ce Paris misérable, la vie est devenue insupportable. Le chômage a jeté dans les rues des milliers de travailleurs désœuvrés qui espèrent tout de la contestation et du soulèvement populaires. Aucun problème n'a été résolu par l'insurrection de 1830. Au contraire, les difficultés se trouvent accrues parce qu'elle a opposé la bourgeoisie à l'aristocratie. Le pouvoir des notables est remis en cause. Les affaires stagnent, les manufactures et les chantiers de construction ferment, ce qui provoque la pauvreté et la mendicité. Le crédit est paralysé par la fermeture des grandes banques, celle de Laffitte entre autres. Les impôts augmentent, les ressources diminuent. Le mécontentement devient général et se traduit par des grèves, des bris de locaux et de machines et des mouvements contre la main-d'œuvre étrangère qui gagnent la province. Les manifestants de Nantes, Saint-Etienne, Lyon, Grenoble, comme ceux de Paris ont pour devise : « Vivre en travaillant ou mourir en combattant. » Pour la première fois, le drapeau noir, symbole de la fureur populaire, fait son apparition. Hissé sur les murs, il exprime la volonté du peuple de résister jusqu'au bout. Pour *le Journal des débats*, c'est la lutte entre la classe possédante et celle des démunis. Enfin, une terrible épidémie de choléra ravage plusieurs quartiers de Paris et cause en huit mois 18 400 décès. Les rues sont jonchées de cadavres hideux. Casimir Périer, régent de la Banque de France puis successeur de Laffitte à la présidence du Conseil, muselle la presse et réprime vigoureusement le soulèvement populaire lorsque le choléra le frappe à son tour et met fin à ses activités. La ville empoisonnée sent la haine, la révolte et la mort. La bourgeoisie réalise que les classes laborieuses, « ceux de la rue » peuvent devenir téméraires et dangereux.

En comparaison, Genève est un petit paradis : le commerce se développe et les banques prolifèrent. Des savants, des artistes, des écrivains du monde entier se retrouvent et rencontrent d'illustres personnalités, des exilés politiques célèbres : Charles Louis Napoléon, troisième fils de Louis Bonaparte, frère de Napoléon Ier et futur empereur des Français, se considère déjà comme le véritable prétendant bonapartiste, ce qui pour autant ne l'empêche pas de donner des leçons particulières de mathématiques afin de subsister. Un vieil hôtel genevois accueille Franz Liszt et la ravissante comtesse Marie d'Agoult qu'il vient de rencontrer chez Frédéric Chopin et qui, comme lui éprise d'absolu, a aussitôt abandonné son mari et ses enfants pour le suivre. Genève est aussi le refuge de nombreux exilés polonais sans fortune comme les poètes Mickiewicz et Krasinski, animateurs des soirées de leurs compatriotes de riche et haute noblesse venus se reposer quelques mois sur les bords paisibles du Léman. Parmi les plus illustres familles, les Wodzinski, les Potocki et les Hanski ouvrent leurs salons à l'élite du monde artistique.

En arrivant à Genève, Eveline a retrouvé de nombreux parents et amis : la superbe cousine Ossolinska, fille du général Chodkiewicz, d'une intelligence supérieure, et la comtesse Claudine Potocka, protectrice des exilés polonais et considérée par eux comme une sainte.

C'est dans cette ambiance de fête permanente et

A dix-huit ans, Eveline Rzewuska épouse le riche comte Hanski de vingt-deux ans son aîné. Il a l'air d'un patriarche. La mère d'Eveline lui a donné de sages conseils : « Au cours de la nuit de noces tu dois laisser agir ton mari. La douleur n'en sera que plus légère et tu pourras même ressentir le plaisir. » (Maison de Balzac.) *(Hachette)*

Le jeune Honoré, d'habitude négligé, prend soudain soin de sa toilette. Madame Mère en déduit que son fils est amoureux d'Emmanuelle, la fille de Mme Laure de Berny. Quel scandale lorsqu'on découvre qu'il feint d'aimer la fille pour conquérir la mère... (Laure de Berny. Maison de Balzac.) *(Hachette)*

...car c'est de Laure de Berny qu'il est passionnnément épris. Il a vingt-trois ans. A quarante-cinq, elle est la mère de sept enfants. Elle deviendra «la Diclecta». Il lui jurera un amour éternel. (Balzac par Devéria. Maison de Balzac.) *(Hachette)*

Charlotte Laure de Balzac, Madame Mère, dépeinte par Honoré : « Si vous saviez quelle femme est ma mère : un monstre et une monstruosité tout ensemble. Elle me hait pour mille raisons. Elle me haïssait déjà avant ma naissance. » *(B.N.)*

Pour échapper aux siens et vivre de sa plume, Balzac entre dans une « usine à romans » et sous le nom de lord R'Hoone, anagramme anglicisé d'Honoré, il écrit, selon sa propre expression, de « véritables cochonneries ». (Balzac jeune, musée de Saché.) *(Hachette)*

Vingt ans plus tard, à cette table, dans sa maison de la rue Basse — devenue musée et que l'on peut visiter 47, rue Raynouard à Paris — il écrira d'immortels chefs-d'œuvre : *la Cousine Bette, la Rabouilleuse, les Paysans* et *le Cousin Pons*. (Fauteuil de Balzac et table de travail.) *(Presses de la Cité)*

Pour s'enrichir, Honoré se lance dans l'édition. Afin de supprimer les intermédiaires il sera auteur, imprimeur et distributeur. Il achète dans le Marais une vieille imprimerie. Dix-huit mois plus tard, Balzac est en faillite. *(Hachette)*

Zulma Carraud. L'écrivain trouvera près d'elle le havre de paix nécessaire à l'inspiration. Mariée, elle a décidé que jamais ses relations avec Honoré ne dépasseront le stade de l'amitié. Mais quelle amitié ! (Zulma Carraud par Edouard Vichot, 1827, coll. part.) *(Hachette)*

Balzac s'éprend d'Henriette de Castries. Elle autorise quelques caresses. Elle deviendra dans son œuvre la cruelle duchesse de Langeais. (Mme de Castries, coll. part.) *(Hachette)*

La duchesse d'Abrantès, célèbre par sa laideur, introduit Honoré, son amant, dans les milieux littéraires parisiens. Pour lui plaire, il l'aide à rédiger ses Mémoires. Le résultat est si mauvais que les méchantes langues intituleront l'ouvrage : « Mémoires de la duchesse d'Abracadabrantès ». (Litho de Gavarni.) *(Hachette)*

En 1832, Balzac reçoit la lettre d'une admiratrice mystérieuse qui signe « l'Etrangère ». Une correspondance s'établit entre eux. Un an plus tard, c'est la première rencontre à Neuchâtel. Il la trouve « d'une splendeur voluptueuse » et écrit à sa sœur : « J'ai été enivré d'amour. » (Mme Hanska.) *(B.N.)*

Balzac énorme, démesuré, enthousiaste, visionnaire et génial. (Balzac vu par Nadar et par Rodin) *(Presses de la Cité)*

les enfants s'amusent.

c'est très intéressant, c'est la comédie humaine

Le jeu des bonshommes - nohant 1837. par
Balzac et george Sand comme spectateurs
maurice Sand

Balzac rend parfois visite à son amie George Sand à Nohant. (Dessin de Maurice Sand) *(B.N.)*

Le comte Hanski est mort. Eveline règne sur les trois mille serfs et les vingt-deux
belle; les demandes en mariage affluent. Cependant c'est Balzac, malade, endetté

mille hectares de terre qui entourent le château de Wierzschovnia. Elle est riche,
mais célèbre et charmeur qu'elle choisit d'épouser. *(Hachette)*

A Wierzschovnia, Balzac est impressionné par l'immensité du château, il découvre le luxe dans lequel vit son amie, s'émerveille en pénétrant dans une suite de salons richement meublés et compare ce manoir à « une espèce de Louvre ou de temple grec ». (Chambre et salon de Mme Hanska à Wierzschovnia.) *(Hachette)*

Après la faillite de son imprimerie, Balzac s'installe rue Cassini près de l'Observatoire. *(Hachette)*

Balzac, ayant travaillé toute la nuit, troque sa houppelande contre un gilet de soie et un habit bleu à boutons d'or. Ressemblant ainsi au bourgeois gentilhomme, il va rendre visite à ses amis Théophile Gautier et Frédérick Lemaître. (Coll. part.) *(Hachette)*

THÉ ARTISTIQUE ASSAISONNÉ DE GRANDS HOMMES.

Et vous, Honoré, en voulez-vous une tasse.

Réunion littéraire dans la maison de Mme de Girardin. Parmi les invités : Frédéric Soulié, Alexandre Dumas, Franz Liszt, Jules Janin et Victor Hugo. *(Hachette)*

Après une séparation de dix années et l'échange de centaines de lettres, les deux amants se retrouvent dans le salon de Mme Hanska à Saint-Pétersbourg. Avant de partir pour la rejoindre il lui écrit : « Je suis marié d'âme depuis onze ans bientôt. Ave Eva. » *(Hachette)*

Honoré découvre à Paris le « nid d'amour de son Eve » où ils vivront après leur mariage. Situé dans la rue Fortunée (actuellement rue Balzac) cette belle demeure date du XVIIIe siècle. *(Hachette)*

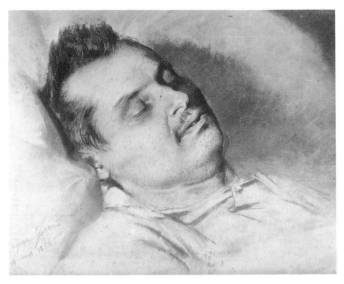

Eveline décide de tout sacrifier pour épouser ce malade condamné par les médecins. Ils rentrent rue Fortunée où Balzac meurt le 18 août 1850. Il n'est marié que depuis cinq mois et quatre jours. (Balzac sur son lit de mort par Giraud.) *(Presses de la Cité)*

M. et Mme Honoré de Balzac reposent côte à côte, là où, coïncidence étrange, Balzac avait enterré le père Goriot, là où Rastignac, contemplant Paris couché à ses pieds, s'est écrié : « A nous deux maintenant ! » (Pèlerinage au Père-Lachaise sur la tombe de Balzac.) *(Hachette)*

Balzac étant mort, Eveline ruinée, dénuée du nécessaire ne subsistera que grâce à l'aide matérielle de Jean Gigoux, peintre renommé et ami de sa fille. (Eve par Jean Gigoux, coll. part.) *(Hachette)*

Attaquée, calomniée, insultée, après la mort d'Honoré, devenue « la Moscovite » comme Marie-Antoinette devint « l'Autrichienne », Eve se consacrera à l'œuvre de son mari auquel elle survivra durant trente-deux longues années. *(Hachette)*

de joie de vivre typiquement slave que pénètre Balzac. Il plaît à tous et se prête aux exigences de chacun : Dyonisa et Saverina Wylezynska l'écoutent et tombent sous le charme de sa dialectique ; il abandonne une grave conversation avec M. Hanski au sujet de questions agraires pour se jeter à quatre pattes sur le sol devant la petite Anna qui saute en riant sur le dos de ce bon gros cheval. Avec Eveline, il se montre candide et attentif ; il rayonne de bonheur, d'entrain, d'esprit et d'amour juvénile.

Dans toute la ville se répand le bruit de l'arrivée de ce jeune auteur, célèbre depuis le succès d'*Eugénie Grandet*. Toute la classe intellectuelle désire faire connaissance avec le nouvel élu et le salon des Hanski regorge de personnalités. Un essaim d'admiratrices l'entoure chaque soir. Elles sont belles, souriantes, gracieuses, béantes d'admiration et à l'écoute émerveillée de la bonne parole. Et Dieu sait si Balzac la dispense, cette bonne parole ! Eveline l'écoute, observe et juge sa démesure, son exubérance, ses attitudes de comédien ainsi que les mauvaises manières de ce plébéien. Mais, comme ces jeunes femmes qui n'ouvrent la bouche que pour le complimenter et dont elle est jalouse, elle est envoûtée et s'abandonne à la sensualité qui émane de l'orateur.

Jalouse, elle ! Alors qu'il ne pense qu'à elle, ne vit que pour elle, ne voit qu'elle et ne vient là que pour elle !

Vers minuit, Honoré rentre chez lui et, avant de commencer sa nuit de travail, il lui écrit une lettre dans laquelle il se prosterne à ses pieds, la supplie de jeter les yeux sur ce « pauvre esclave », ce serviteur désintéressé qui se donne à elle pour la vie. Puis, sans relâche jusqu'à midi il travaille sur le manuscrit de *la Duchesse de Langeais*. Ensuite, sans reposer sa plume, il écrit une nouvelle lettre à son idole que le groom de l'hôtel portera quelques heures plus tard chez Mme Hanska avec ordre de ne la remettre qu'en main propre à la destinataire : « Genève. Janvier 1834. Très chère souveraine, Majesté sacrée, sublime reine de Paulavska et lieux circonvoisins, autocrate des cœurs, rose d'Occident, étoile du Nord, etc., fée des *tiyeulles* ! Votre Grâce a désiré ma cafetière et je supplie Votre Altesse Sérénissime de me faire l'honneur d'en accepter une plus complète et plus jolie ; puis de me dire, de jeter du haut de son trône éminentissime une parole pleine de bonheur, d'ambre de fleurs, en me faisant savoir s'il faut se trouver à Votre Sublime Porte avec la voiture pour aller à Coppet, dans une heure. Je dépose mes hommages aux pieds de Votre Majesté, et la supplie de croire à la probité de son humble moujik. Honoreski. »

Et le soir ils se retrouvent, dînent en famille, vont ensuite au château de Coppet ou aux Chênes, chez l'historien Sismondi considéré par Karl Marx comme le chef du socialisme petit-bourgeois. L'après-midi, au cours d'une promenade, ils parviennent à s'isoler : lui, dans son rôle préféré de moujik, étendu sur l'herbe, à ses pieds, frémissant d'un douloureux désir d'asservissement, la souhaitant triomphante et superbe, lui jurant que la veille, entouré de ces ravissantes jeunes femmes, il n'a cessé de songer à elle, la suppliant enfin dans un chuchotement de se laisser adorer et de venir le rejoindre dans sa chambre. Elle, tout effarouchée, mais charmée par la soumission inconditionnelle de cet homme de génie, demeure hésitante.

Il la voit tous les jours, mais c'est insuffisant et c'est souvent que, dès son réveil, il lui envoie un message par porteur : « Genève. Janvier 1834. J'ai dormi comme un loir, je vais comme un charme, je vous aime comme un fou, j'espère que vous vous portez bien et je vous envoie mille tendresses. »

A deux ou trois reprises, elle le rejoint dans sa chambre, le visage voilé pour n'être pas reconnue. Nous sommes en plein mélo... La belle se refuse encore et toujours. Il est à Genève depuis un mois et attend en vain que se concrétise leur union. Ce jeu fait-il partie de la panoplie de leurs fantasmes ? Va-t-il revivre le même échec qu'avec Mme de Castries ? Ces femmes de la haute société, ces riches oisives sont-elles toutes d'hypocrites coquettes aussi inconséquentes qu'inconstantes ?

Le 26 janvier, Balzac met un point final au manuscrit de *la Duchesse de Langeais*. Dès le lendemain, il lit sa dernière œuvre à Eveline qui n'ignore pas que l'héroïne en est la duchesse de Castries et l'intrigue celle que vécut Balzac avec cette femme un an plus tôt. Le roman se termine par ce dialogue entre Ronquerolles et Montriveau, devant le corps de la défunte duchesse devenue carmélite sous le nom de sœur Thérèse :

— C'était une femme et maintenant ce n'est rien. Attachons un boulet à chacun de ses pieds, jetons-la dans la mer et n'y pense plus que comme nous pensons à un livre lu dans notre enfance.

— Oui, dit Montriveau, car ce n'est plus qu'un poème.

— Te voilà sage. Désormais aie des passions ; mais de l'amour, il faut savoir le bien placer et *il n'y a que le dernier amour d'une femme qui satisfasse le premier amour d'un homme*.

C'est à Genève, au Pré-Lévêque, que le 26 janvier 1834, il écrit ces dernières lignes de *la Duchesse de Langeais*. En tuant cette coquette recluse dans son cloître, il se venge totalement. Cette phrase, l'un des plus célèbres aphorismes balzaciens, est une allusion au grand amour de Mme de Berny et à son aventure avec Mme de Castries. Que Mme Hanska, qu'il courtise humblement depuis plusieurs mois, prenne garde et lui accorde ce que la duchesse lui a refusé ici-même l'année passée : le don d'elle-même, seule preuve de la sincérité de son amour... Sans quoi, il saura la bannir implacablement.

Honoré annonce à la famille Hanski son départ pour Paris : il rejoindra la capitale le 9 février. Eveline résiste encore parce qu'elle n'a pas confiance : elle découvre la preuve de l'immoralité de l'écrivain dans son œuvre et dans son existence désordonnée. Elle le surnomme le Français volage. Et puis son rang social, son honneur de femme, d'épouse, sa renommée freinent l'élan qui la pousse vers lui. Mais Eveline est sensuelle, passionnée... Et le tentateur se fait de plus en plus pressant : « Tu verras que la possession augmente, grandit l'amour... » lui écrit-il, puis il retient sa place sur la diligence : la date du départ est proche. irrévocable, menaçante... Dans les derniers jours de janvier, Mme Hanska, dissimulée sous de longs voiles, pénètre dans la chambre de Balzac au Pré-Lévêque. Et cette fois, l'ange daigne « descendre sur la terre » et donne à « son pauvre moujik » la permission de l'adorer. Ce jour-là, ils connaissent un état d'euphorie qui touche à l'extase : « Elle est à moi. Oh ! Les anges ne sont pas si heureux au paradis que j'étais hier... » lui écrit-il le lendemain. Grâce à la complicité de l'innocente Lirette, Mme Hanska retrouvera Balzac à plusieurs reprises dans la maison Mirabaud pour connaître de nouveau « les certains délices que je venais chercher à Genève et qui te faisaient sublime, ravissante, épouse enfin, à jamais mienne ».

Leur amour vient d'atteindre son apothéose. On pourrait supposer que cet événement va bouleverser leur vie. Telle Marie d'Agoult abandonnant mari et enfants pour suivre Franz Liszt, ou George Sand fuyant avec Musset pour connaître « l'amour insensé ». Mme Hanska pourrait suivre Balzac et partir avec lui pour Paris. Eh bien non ! Rien ne change. La richissime comtesse ne divorce pas, n'abandonne pas sa fille et son vieil époux pour partager la petite vie bourgeoise de l'homme qu'elle aime, de l'écrivain pourchassé par les créanciers, toujours à court d'argent et qui doit se battre avec sa plume, au jour le jour. Lui non plus ne changera rien : maintenant qu'ils sont liés pour l'éternité, ils peuvent attendre. Quoi ? La disparition de cet indésirable mari, de ce vieillard souffreteux qui, en toute logique, ne devrait pas les importuner longtemps. Alors, ils décident de se retrouver bientôt à Vienne. En attendant, ils s'écriront souvent. Afin de sceller cet accord, ils s'offrent mutuellement un coffret pour serrer leur correspondance. Un jour certainement proche, il réalisera le but qu'il s'était fixé jeune homme : « épouser une femme riche et noble ». Il pourra s'unir officiellement à Mme Hanska, qui, veuve, fortunée, aristocrate et libre deviendra Mme Honoré de Balzac.

La famille Hanska boucle ses bagages et poursuit vers l'Italie son long voyage d'agrément.

Ivre de joie, Balzac rentre à Paris le 11 février pour apprendre que Mme de Berny, la Dilecta, son premier amour, est gravement malade.

CHAPITRE XIII

NOUS NOUS REVERRONS A WIERZSCHOVNIA

Apaisé par sa victoire, riche d'espoir et débordant d'enthousiasme, Balzac retrouve Paris et sa vie mondaine agitée. Il est à trente-cinq ans en pleine possession de ses moyens et se donne dix années pour terminer *la Comédie humaine*, une œuvre gigantesque, irréalisable en trente ans pour un écrivain doué et fécond. Auparavant, il se dispersait. Il décide d'œuvrer désormais dans la méthode et établit un plan de travail très rigoureux. Dans le cadre de son contrat avec Mme Béchet pour les *Etudes de mœurs au XIXe siècle* qui se divisent en trois parties *Scènes de la vie de province* et *Scènes de la vie parisienne*, s'organise une production régulière d'où naissent en 1835 *Melmoth réconcilié, la Fleur des pois, Seraphita* et *le Père Goriot*, en 1836 *l'Enfant maudit, le Secret des Ruggieri* et *le Lys dans la vallée*, en 1837 *la Vieille Fille, les Illusions perdues* et *César Birotteau*... Chaque année, Balzac produit un grand roman, un chef-d'œuvre, et de longues nouvelles qui parfois serviront de brouillon ou plus exactement de creuset pour d'autres romans, d'autres chefs-d'œuvre. Parce qu'il les estime imparfaits, il reprend d'anciens ouvrages et donne une forme nouvelle à *la Peau de chagrin*, *les Chouans*, et *le Colonel Chabert*, cependant qu'il écrit, en collaboration avec Jules Sandeau, une pièce de théâtre ; parallèlement, il rédige, deux fois par semaine, des lettres de dix pages au moins à sa « très chère Souveraine », sûr maintenant de l'épouser un jour et de vivre riche et libre à ses côtés.

Il possède l'amour, il veut atteindre la gloire. Pour devenir célèbre et propager son œuvre, il doit faire parler de lui, fréquenter les lieux à la mode. On le voit dans les salons du baron Gérard, chez Sophie Gay et aux réceptions des Girardin. A l'Opéra, il partage la loge de Charles de Boigne, le fondateur du Jockey Club, et aux Italiens celle du comte et de la comtesse Guidoboni-Visconti aux charmes de laquelle il succombera bientôt. Il est également reçu dans les milieux polonais mondains, en particulier chez la princesse Potocka, cousine de Mme Hanska.

Il arrive en grand équipage, vêtu d'un habit à boutons d'or, se vante de ses fabuleux contrats mais ne possède pas de quoi régler les factures mensuelles de ses petits fournisseurs. Il doit rembourser à Mme Delannoy les 10 000 francs qui viennent de lui permettre de passer plus d'un mois à Genève. Et surtout il veut aider sa mère actuellement dans le besoin. Il est bien temps de penser à elle ! Il est à l'origine de sa ruine et son frère Henri, le « chouchou », l'a conduite à la misère. Cet incapable est parti pour l'île Bourbon dans le but d'y faire fortune. Il en est revenu sans un sou et criblé de dettes. Madame Mère, pour le remettre en selle, a vendu ce qui lui restait : sa maison de la rue Montorgueil. A présent, c'est elle qui est dans la gêne. Sans argent, sans toit, elle est hébergée chez les Surville dont la situation est loin d'être florissante depuis que le chef de famille a perdu son emploi. Balzac décide de secourir les uns et les autres et, de surcroît, d'économiser l'argent nécessaire pour aller retrouver en Italie ou plus tard à Vienne celle dont l'absence lui est insupportable.

Un jour, il va rendre visite à Mme de Berny, le grand amour de sa jeunesse, sa « chère Laure ». Elle n'a que cinquante-sept ans, mais c'est une vieille femme qu'il retrouve, épuisée, grabataire et dont le visage porte les stigmates d'un mal incurable. Les médecins avec lesquels il s'est entretenu sont pessimistes et Balzac quitte La Bouleaunière le cœur serré au souvenir de son premier amour et des vertigineux baisers échangés sous « les églantiers fleuris » de « la maison du bout ». Et pourtant c'est elle, cette femme décrépite, c'est bien elle la « mère sublime », l'initiatrice des sens et de l'esprit, l'unique, l'élue, la Dilecta.

Le travail estompe son chagrin. En rentrant à Paris, il s'attelle à son « fiacre », boit à jeun beaucoup de café et, vêtu de sa houppelande blanche à ceinture de soie, s'acharne au travail quinze heures par jour, seul dans sa nuit, luttant avec les mots. Il invente, enjolive, brode sur des faits authentiques ; grâce à son expérience de journaliste, à son sens de l'observation, il découvre dans la vie même l'histoire vraie, le canevas sur lequel il va construire son roman, comme le prouvent ces lignes extraites de ses notes, datées de 1834 : « Sujet du *Père Goriot*. Un brave homme ; pension bourgeoise ; 600 francs de rente ; s'étant dépouillé pour ses filles, qui, toutes deux, ont 50 000 francs de rente, mourant comme un chien. »

Cette même année, il écrit à Mme Hanska : « La peinture d'un sentiment si grand que rien ne l'épuise, ni les froissements, ni les blessures, ni l'injustice : un homme qui est père comme un saint, un martyr est chrétien. » Ensuite, il installe ce personnage principal dans un cadre typique, celui de la pension Vauquer, microcosme de la petite société parisienne, composée d'employés, de retraités et d'étudiants parmi lesquels Vautrin et le jeune Rastignac. Tout autour, le fourmillement des nantis, des snobs, des grands bourgeois au cœur sec, véritable « égout moral » au centre duquel le père Goriot crèvera comme une bête, dans l'indifférence générale, victime de l'égoïsme et de l'inconscience de ses filles.

Onze mois s'écoulent et il écrit à Mme Hanska le 22 décembre 1834 : « *le Père Goriot* est encore une surprise que je vous ménage, dans le genre de *l'Absolu*, quoique ces deux œuvres soient aussi différentes comme la Chine et le Groenland. Elles sont de la même force. Seulement dans mon désir de conquérir vingt-cinq jours de liberté, j'ai fait *le Père Goriot* en vingt-cinq jours. Mais il s'est étendu. Ce ne sera fini que le 11 janvier. Je ne puis m'en aller sans finir *Seraphita*, que la *Revue* me demande à genoux, et sans satisfaire Mme Béchet. Adieu mes chères, mes blanches, mes ravissantes espérances ! Non, je ne puis être en janvier à Vienne ! Mais peut-être y serai-je en février, le jour où je quitterai notre bon Genève. J'oublierai *un an*, et je tâcherai de croire que la veille je vous ai vue. »

De sa vie Balzac n'a été aussi bien inspiré. Jamais il n'a travaillé avec autant de facilité qu'au cours de cette période de surmenage et jamais il n'a gagné autant d'argent. Vendu à 2 500 exemplaires en trois mois, *le Père Goriot* lui rapporte 10 000 francs. Convaincu que l'immortalité pour un grand écrivain réside dans la pureté de son style, il reprend et corrige sans cesse les épreuves des œuvres rééditées. Il travaille avec l'aide d'un ami grammairien Charles Lemesle qui souligne ses fautes. Au-dessus de son bureau, les piles d'épreuves à relire s'entassent. A Mme Hanska, il parle des « écuries d'Augias », de son style où se dissimule souvent quelque maladresse. Il ajoute : « Cent soixante pages à corriger... La case aux épreuves est pleine. J'ai un mois de février horrible, plein de travaux qui ne me donnent pas un liard...

Ce qui me tue c'est les corrections... » Et il doit une fois encore reporter son voyage à Vienne. Réclamant toujours des avances à Mme Béchet, il vit rue Cassini dans le luxe des tapis d'Orient, des toiles de Jouy, entouré de meubles anciens, de bronzes rares et de tableaux de maîtres. Les célébrités des Boulevards » invitées à des soupers fins admirent sa table garnie de porcelaine, de cristal et d'une superbe argenterie qu'il porte de temps en temps au mont-de-piété. Et lorsque Mme Hanska lui reproche d'avoir dépensé une fortune pour garnir de tapis d'Orient les planchers de ses sept pièces, il rétorque qu'un frotteur pour cirer ses parquets lui reviendrait à 5 francs par mois et qu'en dix ans il aurait dépensé 600 francs dont il ne resterait rien tandis que ses tapis vaudraient toujours une fortune ! Voilà sa façon très personnelle de compter !

Et dans l'attente d'un roman à terminer, d'épreuves à corriger, d'une indispensable rentrée d'argent, d'une dette à régler d'urgence, Balzac reporte de mois en mois sa prochaine rencontre avec Eveline : « Oh ! je suis bien profondément humilié, lui écrit-il, d'être si cruellement attaché à la glèbe de mes dettes, de ne pouvoir rien faire, de ne pas avoir la libre disposition de moi-même... J'ai tressailli en lisant votre raisonnement : *pas de lettres, il vient.* Cette idée devait vous arriver ; j'en ai été trop souvent tourmenté. Il me prend des rages périodiques de tout laisser là, de m'enfuir, de monter en voiture ! Puis les chaînes retombent, je vois l'épaisseur de mon cachot... Il me faut tout tirer de mon écritoire. Là est mon Potosi, mais pour l'exploiter il faut y dépenser des nuits et y perdre ma santé. La misère est une horrible chose. Elle fait accuser notre cœur, elle dénature tout. Aujourd'hui, je crois à ma libération, j'y touche. Encore six mois de sacrifices et je suis sauvé, je redeviens moi, je suis libre ! J'irai manger avec vous le premier morceau de pain qui m'appartiendra, qui ne sera pas trempé de larmes, d'encre, de travail !... »

Après avoir quitté l'Italie, les Hanski arrivent à Vienne vers la mi-juillet. Le comte et la comtesse sont heureux d'y retrouver des êtres chers : M. Hanski a fait ses études dans la capitale autrichienne où il rencontre d'anciens condisciples et sa femme rend visite à de nombreux membres de sa famille exilés en Autriche. Elle est souvent invitée chez la princesse Lubomirska, veuve de son grand-oncle Séverin Rzewuski émigré à Vienne après le partage de la Pologne. Dans son somptueux hôtel particulier, elle mène grand train et l'on se dispute l'honneur d'être reçu dans son salon en compagnie de l'élite de la société viennoise. Eveline retrouve aussi sa « chère tante Rosalie » qui séjourne tour à tour dans son château de Volhynie et dans sa résidence à Vienne. Son salon est fréquenté par des aristocrates de haut rang : les Hanski rencontrent le prince de Ligne, le duc de Salerne, le prince de Wurtemberg et des sommités du monde des arts et des lettres.

Eveline entretient toujours une correspondance avec Balzac mais elle est devenue méfiante à son égard. Il a beau faire, lui parler de ses « larmes amères versées dans le silence », lui jurer qu'elle est son « doux asile », sa « seule pensée », sa « fleur du ciel » et qu'il vit dans une totale chasteté, le charme est rompu. Eveline doute ; elle ne croit guère à ces sentiments déclarés trop emphatiquement. A Genève, elle a découvert un personnage très différent de celui qu'elle imaginait à la lecture de ses lettres : le timide jouvenceau était en fait un amoureux expérimenté, le poète romantique un écrivain réaliste et le jeune homme épris d'absolu un individu bavard et hâbleur.

Les potins parisiens parviennent jusque dans la

151

capitale autrichienne et, par le truchement d'amis et de familiers en résidence à Vienne, Mme Hanska n'ignore rien de l'existence dissipée d'Honoré. Par sa cousine, la princesse Potocka, Eveline apprend qu'il se montre dans les théâtres et dans les salons aux côtés d'une certaine comtesse Sarah Guidoboni-Visconti, grande aristocrate aussi voyante que belle. Elle est au courant de ses dépenses somptuaires, de ses réceptions princières, rue Cassini, et de l'histoire de cette fameuse canne au pommeau couvert de turquoises, achetée 700 francs chez un grand joaillier et dont parle tout Paris. C'est pourquoi lorsqu'il évoque dans ses lettres sa chasteté, sa misère, ses dettes et son travail harassant, « la reine de Wierzschovnia » ne croit pas un mot des allégations de son « pauvre moujik ».

Un incident qui aurait pu tourner au drame mais s'est terminé en vaudeville lui apporte une preuve supplémentaire du machiavélisme de son amant. Balzac entretient avec Mme Hanska une double correspondance : l'une peut être lue en famille, l'autre qui porte sur l'enveloppe un signe convenu est strictement personnelle. L'une est respectueuse, l'autre délirante de propos passionnés. Or, dans le courant du mois de juillet, l'une de ces missives enflammées tombe entre les mains du maréchal Hanski : Balzac annonce à son « chéri loulou » qu'il peut enfin se libérer et qu'il partira pour Vienne le 10 août. Ivre de joie à l'idée de s'arracher à son « collier de misère », il ne rêve que de retrouver cette femme exquise et de presser sur son cœur sa « blanche Minette », de baiser son « front idolâtré » et ses « cheveux aimés ». Il est facile d'imaginer l'étonnement puis la fureur du maréchal à la lecture de ces propos. Averti par Eveline de cette fâcheuse péripétie, Honoré écrit au comte pour l'informer qu'il est dans l'obligation de reporter son voyage à Vienne et, feignant d'ignorer que le maréchal a lu son dernier courrier adressé à son épouse, il se plaint auprès de lui du fait que Mme la Comtesse a fort mal pris ce qui n'était qu'un jeu. Oui, il lui a envoyé une lettre d'amour, mais une fausse lettre d'amour. Mme la Comtesse, nature pure et candide, ne se souvient apparemment pas lui avoir demandé un jour, à Genève, comment on rédigeait en français une lettre d'amour. Voilà la raison du ton très particulier de ce billet envoyé à titre de modèle et non pas personnellement à Mme la Comtesse qu'il respecte et vénère... En réponse, Mme la Comtesse, oubliant qu'elle était à l'origine de cette supercherie et s'estimant offensée, lui avait fait part de son mécontentement et de sa décision de ne plus le revoir ! Et, comble de la fourberie, Balzac assure M. le Comte de ses plus vifs regrets et, même si à cause de sa niaiserie, il doit perdre la chère amitié de ce couple et rompre avec lui, il supplie M. le Comte d'intervenir auprès de Mme la Comtesse afin d'obtenir son pardon fraternel et total. Il présente enfin à l'un et à l'autre ses plus plates excuses pour cette mauvaise plaisanterie.

Le plus extraordinaire est que le cornard croit l'incroyable, gobe cette fable balzacienne et répond à l'amant de sa femme par une aimable lettre l'invitant à venir à Vienne ! Mme Hanska, de son côté, pardonne à son moujik et l'autorise, maintenant que les choses sont clarifiées, à poursuivre sa correspondance.

Les mois passent et Balzac ne parvient pas à économiser l'argent nécessaire pour entreprendre son voyage. A Vienne, Mme Hanska réussit à reporter de mois en mois le retour en Ukraine et le comte s'impatiente : il fixe irrévocablement leur départ à fin mai. Cette fois, Balzac doit quitter Paris sans plus différer. Comme il n'a toujours pas un liard à consacrer à cette entreprise, il fait appel à Mme Béchet, demande d'autres avances à d'autres éditeurs, porte quelques précieux objets qui décorent l'appartement de la rue Cassini au mont-de-piété et, le 9 mai 1835, escorté par un laquais en livrée porteur de ses bagages aux armes d'Entraygues, il prend la route pour Vienne dans son luxueux carrosse. Après un long voyage, il arrive dans la capitale autrichienne le 16 et descend à l'hôtel de la Poire d'or dans la Landstrasse. Il revêt aussitôt son habit bleu dont les boutons d'or semblent, selon son expression, avoir été « ciselés par une main de fée » et, s'appuyant sur sa célèbre canne, fait son entrée chez les Hanski.

Ce séjour à Vienne ne sera en rien comparable à l'heureux temps où Eve et Honoré découvraient à Genève leur amour réciproque. Ce ne sont que réceptions, grands dîners, soirées brillantes ou mondanités chez les Hanski qui demeurent dans l'élégant quartier des diplomates. Cette vie contraignante, orchestrée sans doute à dessein par le maréchal-comte, empêche les deux amants de se retrouver seuls, ne fût-ce qu'un instant. Dès son arrivée, Balzac est l'hôte du chancelier, le prince de Metternich. Le départ est donné : les plus hautes personnalités de la capitale se disputent l'honneur de recevoir l'illustre écrivain français. Le prince Schwarzenberg l'accompagne à Wagram pour lui faire découvrir le champ de bataille ; il est l'invité des Esterhazy, du prince Schönburg, des Lubomirski et du baron de Hammer-Purgstall qui lui offre un talisman que Balzac conservera toute sa vie. Quelle satisfaction pour Honoré que cette consécration, cet accueil chaleureux, ces soirées où il n'entend que compliments, louanges et flatteries dont il se repaît ; il pérore, on l'écoute, il est heureux que ces aristocrates le traitent en égal. Son orgueil de grand homme est comblé. M. Hanski l'accompagne partout, fier d'exhiber son protégé. Seule tache sur cette surface claire et brillante : Eve est toujours présente sans jamais pouvoir l'approcher par crainte d'éveiller les soupçons de son époux. Jamais le moindre contact, pas de tête-à-tête ; à peine parfois l'échange d'un regard... Alors, il lui écrit : « Mon Eve adorée, je n'ai jamais été si heureux, je n'ai jamais autant souffert. Je savais ce que je venais chercher de douleurs et je les ai trouvées. Nous n'aurons ni une heure ni une minute. Ces obstacles attisent une telle ardeur que je fais bien, crois-moi, de hâter mon départ. »

En fait, si Balzac veut « hâter son départ » c'est parce qu'il n'a plus d'argent : les frais du voyage, le carrosse, l'hôtel, le laquais et ses diverses dépenses lui ont coûté plus de 15 000 francs. Il lui reste à peine de quoi tenir quelques jours. Il ne peut pas ne pas penser aux factures impayées qui l'attendent à Paris et aux longues nuits qu'il devra passer attelé à « son fiacre » pour éponger ses folles dépenses. La consécration triomphale de son œuvre littéraire à Vienne sera la seule compensation de ce séjour si décevant par ailleurs pour les deux amants qui doivent s'imposer la comédie de l'indifférence. A force de feindre le désintéressement, ils en arrivent à douter de leur amour.

Balzac fixe au 4 juin la date de son départ. Quand se reverront-ils ? Bientôt, en Ukraine, puisque M. Hanski a eu la bonté de l'inviter à venir passer quelques semaines dans son château de Wierzschovnia. Ravie, Eveline avait ajouté qu'il serait là chez lui, qu'il disposerait d'un personnel nombreux, d'une chambre, d'un salon et d'un bureau réservés à son seul usage. Qu'il vienne et demeure plusieurs mois, un an, deux ans même, si tel est son désir, afin de travailler dans la quiétude la plus absolue et sans souci aucun. Emu par la bonté dont fait preuve M. Hanski et séduit à l'idée de cette « vie de château » idéale, Balzac accepte avec enthousiasme : « Nous nous reverrons à Wierzschovnia », promet-il.

Leur séparation est déchirante ; la correspondance

de Balzac après son retour à Paris en apporte la preuve. Cependant, à dater de ce jour, l'échange de lettres va diminuer en fréquence.

Eveline retrouve Wierzschovnia. L'hiver est là, déjà : le vent impétueux cingle les hommes et les bêtes et fait tourbillonner la neige poudreuse qui recouvre la steppe. Enfermée dans sa bibliothèque, entourée de ses livres, Eveline contemple l'étendue blanche et terne, figée dans un silence infini. Jamais Honoré ne lui a semblé aussi éloigné d'elle. Elle doute de son amour, elle doute de le retrouver un jour, elle doute d'elle-même, elle doute de tout par jalousie profonde. Elle prend aussi conscience que le fait d'attendre de redevenir une femme libre correspond au souhait honteux de voir disparaître cet époux qui s'est toujours montré si bon à son égard. Alors, pour oublier, pour se racheter, elle décide d'aider le comte à gérer ses terres. Elle quitte sa bibliothèque pour parcourir à cheval le vaste domaine qu'elle connaît peu, pénètre chez ses serfs, enquête sur les méthodes de travail, change les horaires et, suivant l'exemple de Thaddée, change le mode d'exploitation pour obtenir un rendement supérieur. C'est une réussite et le comte est ravi d'assister à la métamorphose de sa chère femme. Cette activité débordante lui laisse peu de temps pour correspondre avec Balzac qu'elle tient au courant de ses travaux. Ses lettres d'hebdomadaires deviennent bimensuelles puis mensuelles. Honoré s'inquiète de ce changement de rythme et lui conseille d'abandonner ces travaux indignes d'une grande dame : « Allez, soyez la reine de Wierzschovnia... Soyez plutôt une plante intellectuelle, développez votre beau front où brille la plus éclatante des lumières divines ! » Il lui demande d'écrire régulièrement, « tous les huit jours ou chaque quinzaine... », juge qu'elle se dissipe et l'adjure de « ne pas gaspiller son âme » ! Ce qui n'empêche pas le courrier en provenance d'Ukraine de devenir de plus en plus rare. On peut supposer que la boîte aux lettres Lirette Borel ne fonctionne plus. La vieille fille s'est peut-être rendu compte qu'il ne s'agissait plus d'un jeu. Elle ne peut ignorer ce dont elle fut certainement le témoin à Genève : la transformation d'une amitié intellectuelle en aventure amoureuse. Car c'est elle qui triait le courrier et remettait selon le code convenu certaines lettres à Mme la Comtesse et d'autres à M. le Comte. Peut-être est-elle à l'origine de cette fameuse missive « interceptée » par M. Hanski ? Erreur volontaire ou involontaire ? On peut se poser la question. Henriette Borel, à dater de ce jour, a pris conscience qu'elle devenait la complice de sa maîtresse pour duper son maître. Or, si elle aime et sert avec dévouement Mme Hanska, elle a pour M. le Comte une profonde dévotion. De là son changement d'attitude et son refus de participer désormais à cette mauvaise action. Eve doit donc trouver une nouvelle filière dont nous ignorons tout, pour correspondre avec Honoré.

A Vienne, l'attitude désinvolte de cet amant égoïste et réputé volage, uniquement préoccupé de sa gloire, a quelque peu refroidi l'ardeur de sa passion, car elle va jusqu'à lui déconseiller de venir à Wierzschovnia. Il faut bien que le sentiment qui l'unissait à l'écrivain se soit dégradé. En outre, la gestion du domaine lui prend la majeure partie de son temps. C'est pourquoi, malgré les lettres ardentes qu'il lui adresse, les réponses se font rares. Alors Balzac essaye de se justifier auprès de celle qui se désintéresse de l'homme mais que l'écrivain passionne toujours. Elle lui reproche son inconstance, sa légèreté, sa ruineuse façon de vivre. Il jure qu'il vit en reclus, « dans l'abstinence d'un cénobite », ne lui parle que de son travail, de ce combat quotidien pour acquérir la gloire et la fortune, un combat qui l'épuise et qu'il abandonnerait sur-le-champ si, à l'horizon, ne se profilait l'espoir

157

d'une existence heureuse auprès de sa lointaine compagne. Puis, il sombre dans la mélancolie : « Oui ! je ne puis que vous écrire quelques pages et bientôt je ne vous en écrirai que de désespérées, car le courage commence à m'abandonner. Je suis las de cette lutte sans repos, de cette production constante, sans succès productif. Belle chose que d'exciter des sympathies morales, quand un frère et une mère ont besoin de pain ! Belle chose que d'entendre de sots compliments sur des œuvres écrites avec notre sang et qui ne se vendent pas, tandis que M. Paul de Kock se vend à trois mille exemplaires et *le Magasin pittoresque* à soixante mille ! Nous nous reverrons si je triomphe mais je doute du succès ! »

Mais ces écrits n'ont que la valeur des paroles qui s'envolent... Car pour conquérir cette gloire et cette fortune, pour faire face aux nouvelles dettes occasionnées par ses vacances viennoises, Balzac se lance une fois de plus dans une carambouille littéraire confuse : il revend à un éditeur-libraire les romans publiés sous le nom de Saint-Aubin, puis un ouvrage dont il n'a écrit que le titre, *les Mémoires de deux jeunes mariés*. Un autre éditeur, Buloz, lui a remis d'importantes avances pour publier *Seraphita* que Balzac devait terminer à Vienne et dont il n'a pas écrit une seule ligne faute de temps. Furieux, Buloz, qui est aussi directeur de *la Revue des Deux Mondes* et de *la Revue de Paris*, revend à un hebdomadaire de Saint-Pétersbourg, *la Revue étrangère*, les premiers chapitres du *Lys dans la vallée*. Balzac s'estime abusé et décide d'attaquer en justice *la Revue des Deux Mondes* et son directeur. Mais Buloz est un personnage important dont dépend le monde littéraire. Toute la presse prend le parti de Buloz : on fouille dans la vie privée de Balzac, on découvre qu'il a usurpé sa particule et ses titres de noblesse, que sous des pseudonymes divers il a commis des ouvrages indignes d'un grand écrivain, on cite les chiffres de ses dettes et des faramineuses avances accordées par différents éditeurs pour des œuvres qui ne voient jamais le jour. D'Alexandre Dumas à Eugène Sue, le Tout-Paris littéraire publie une déclaration commune dans laquelle leur malheureux confrère est vilipendé. Seuls Victor Hugo, George Sand et Théophile Gautier refusent de la signer. Quelques semaines plus tard, Balzac gagne son procès. Mais il s'est mis à dos la plupart des éditeurs et des journalistes parisiens. Sa réputation est ternie et c'est avec courage qu'il attaque ceux dont il dépend en particulier, « les critiques qui font les réputations sans jamais pouvoir s'en faire une ». Il lui faudra beaucoup de temps pour reconquérir le terrain perdu. Puisque la presse est contre lui, il décide de devenir propriétaire d'un journal. Il crée une petite société dont il est majoritaire et rachète la *Chronique de Paris*, une publication hebdomadaire qui a beaucoup de mal à subsister. Il invite à souper, dans sa superbe argenterie de Lecointe, d'importantes personnalités pour faire connaître son journal et son action. Car Balzac se mêle aussi de politique. La *Chronique de Paris* va devenir « la nouvelle doctrine du parti royaliste ». Dans une lettre à Mme Hanska, il écrit en toute simplicité : « Je veux le pouvoir en France et je l'aurai. » Alors, il se vante, fait de l'esbroufe auprès de ses invités, assure qu'il a déjà deux mille abonnés qui rapporteront 20 000 francs de bénéfice. Il fait coter en Bourse les actions de la revue... Tout cela n'est qu'une nouvelle gasconnade : il n'a que deux cent quatre-vingt-huit abonnés. Après six mois d'une exploitation désastreuse, les actionnaires grugés se défont de leurs parts. La société est dissoute et Balzac se retrouve endetté de 70 000 francs. Ajoutons ses dettes précédentes d'un montant de 50 000 francs et nous arrivons à la somme de 120 000 francs soit plus de 3 millions de francs actuels. Ces activités lui prennent tout son temps et l'empêchent d'honorer son plus important contrat, celui qui le lie à Mme Béchet. Il lui doit toujours les tomes III et IV des *Scènes de la vie de province* et la veuve, lasse d'attendre, l'attaque devant les tribunaux et le somme de lui remettre ces deux ouvrages qui doivent compléter sa collection, sous astreinte de 50 francs par journée de retard.

Le procès Buloz, l'échec de la *Chronique de Paris*, ses problèmes familiaux, ses démêlés avec la dame Béchet, ses dettes en progression constante viendraient à bout de tout un chacun. Pour Honoré, il ne s'agit que de petits ennuis passagers qui ne tarderont pas à s'effacer grâce à ses prochains triomphes littéraires. Il décide d'échapper à ces importuns en disparaissant et en changeant de vie, tout simplement.

CHAPITRE XIV

UN PEU DE GLOIRE, QUELQUES PLAISIRS, BEAUCOUP DE MISÈRE...

En premier lieu et de toute urgence, Balzac doit échapper à ces créanciers, teigneux comme des corbeaux, à ces huissiers acariâtres, à ce défilé de fantômes qui hantent son antichambre. Et brusquement, Honoré disparaît. Il est introuvable. Rue Cassini, un laquais en livrée répète inlassablement aux visiteurs : « M. de Balzac est parti sans laisser d'adresse ; il voyage à l'étranger... »

Qu'est-il devenu ? Il a un soir déménagé en catimini pour s'installer dans un autre appartement rue des Batailles, sur la colline de Chaillot, devenue depuis le quartier du Trocadéro. Et c'est en cachette qu'il vit là, sous le pseudonyme simple mais inattendu de Mme veuve Durand ! Seuls quelques intimes sont au courant et pour parvenir jusqu'à lui doivent connaî-tre les mots de passe saugrenus, renouvelés plusieurs fois par semaine. Surcroît de précaution : un escalier dérobé lui permet de quitter les lieux au cas où un importun viendrait à le débusquer. Au fond, ce vieil enfant terrible est heureux de créer autour de lui une atmosphère mystérieuse et romanesque : Horace de Saint-Aubin reprend le dessus.

Théophile Gautier écrit que pour atteindre cette obscure veuve Durand l'on doit annoncer au portier : « C'est la saison des prunes. » La voie est libre, mais l'épreuve se poursuit un peu plus loin, sur le palier où se tient en faction un serviteur à qui le visiteur doit déclarer : « J'apporte des dentelles de Belgique. » Troisième contrôle : devant la porte du boudoir de l'écrivain, un dernier domestique attend l'énoncé d'un autre mot de passe : « Mme Bertrand est en bonne santé. » Alors paraît la veuve Durand, moustache hérissée, houppelande ouverte sur bedaine de chanoine.

Ce refuge lui coûte fort cher : « Le fer à cheval était orné d'un divan turc, un divan de cinquante pieds de tour, en cachemire blanc relevé par des bouffettes en soie noire et ponceau, disposées en losanges. Ce boudoir était tendu d'une étoffe rouge sur laquelle était posée une mousseline des Indes cannelée comme l'est une colonne corinthienne par des tuyaux alternativement creux et ronds, arrêtés en haut et en bas dans une bande d'étoffe couleur ponceau sur laquelle étaient dessinées des arabesques noires. Six bras en vermeil supportant chacun deux bougies étaient attachés sur la tenture à d'égales distances pour éclairer le divan. Le plafond au milieu duquel pendait un lustre en vermeil mat étincelait de blancheur et la corniche était dorée. Le tapis ressemblait à un châle d'Orient, il en offrait les dessins et rappelait les poésies de la Perse, où des mains d'esclaves l'avaient travaillé. Les meubles étaient couverts en cachemire blanc, rehaussé par des agréments noirs et ponceau. La pendule, les candélabres, tout était en marbre blanc et or. » Ainsi, Balzac décrit-il dans *la Fille aux yeux d'or* son propre boudoir où trône un divan dont la ligne courbe mesure plus de seize mètres, somptueux lieu d'amour aménagé pour éblouir les belles aristocrates. Car il est toujours à la poursuite de son rêve, à la recherche d'une femme belle, noble et fortunée...

Et c'est encore de son courrier qu'il sort une nouvelle comtesse : elle signe Louise, en toute simplicité, mais son papier porte des initiales qu'une couronne comtale surmonte. Il répond aussitôt et leur échange de lettres durera deux années. Comme à l'accoutumée, il dresse le tableau de sa vie de tâcheron, de ses soucis matériels et de son désir de s'unir définitivement à l'âme sœur qu'il recherche. Il se déclare « altéré de sentiments », « condamné à la solitude » et d'une « sensibilité féminine », en quête « d'un attachement inconnu au monde dans le secret duquel ne serait personne ». Il veut la voir, la connaître et la supplie de lui accorder un entretien. L'énigmatique comtesse demeure inflexible et refuse toujours de le rencontrer. Plus tard, lorsque sa correspondante avouera que son papier à lettres, aux initiales ornementées d'une couronne comtale, est une imposture, qu'elle n'est que Louise et pas du tout comtesse, Balzac mettra fin à cette correspondance devenue sans intérêt.

Et Mme Hanska ? Eh bien ! il ne l'oublie pas ! Peut-être même se reproche-t-il de délaisser sa chère « souveraine » qui, parce qu'elle est loyale et intègre, doit vivre dans le remords de s'être donnée à lui... Depuis quelque temps, Balzac a espacé sa correspondance. Saisi par le repentir, il lui écrit : « Je vous prie de trouver ici ces jolies fleurs d'âme, ces caressantes pensées que vous excitez et qui vous appartiennent, tristes ou non, car il est de ces amitiés inaltérables qui ressemblent au ciel : il peut passer dessous quelques nuages, l'atmosphère peut être plus ou moins ardente, mais au-dessus le ciel est toujours bleu. »

Ce « ciel toujours bleu » est représenté à cette date, non par Louise ni par Mme Hanska, mais par une nouvelle comtesse qui entre dans la vie de Balzac d'une façon remarquable. C'est en février 1835 que, dans une loge des Italiens louée en commun avec le comte Guidoboni-Visconti, Honoré fait connaissance avec cette femme de trente ans dans la plénitude de sa beauté, grande, aux formes pleines, au décolleté étourdissant, avec un visage lisse et frais d'une grande finesse, encadré de longs et lourds cheveux blonds. Balzac admire cette délicieuse comtesse qui semble en quête d'adulation et dont on assure qu'elle se laisse volontiers courtiser. Selon son habitude, il se renseigne : les Visconti, descendants des ducs de Milan, sont de grande et authentique noblesse. Honoré est attiré, pris au piège comme l'alouette par le miroir scintillant au soleil. Or, cette comtesse, de son nom de jeune fille Sarah Lowell, est née dans la roture à Londres, d'une curieuse famille d'hypocondriaques à tendance suicidaire : sa mère, comme elle d'une grande beauté, a mis fin à ses jours ainsi que l'un de ses frères. Sa sœur est morte démente, dans un asile psychiatrique tandis que son dernier frère sombrait dans l'ivrognerie. Seule, Sarah semble normale. Mais derrière un équilibre apparent, un flegme britannique, elle dissimule un tempérament très exigeant : constamment à la recherche du plaisir, cette blonde olympienne collectionne les amants. Et son noble époux, dont la seule passion est de jouer du violon, est le plus couronné des cornards : les ramifications de ses bois de vieux cerf, dont chacun représente une liaison de sa jeune femme, suffiraient pour orner les murs d'une antichambre. Elle cède à qui lui en fait la demande, à ce nabot de prince Koslowski comme à ce bellâtre de marquis Lionel de Bonneval auquel Honoré va bientôt succéder. Là encore, il rencontre la femme idéale, noble, riche, élégante... Elle se donne à lui, s'affiche ostensiblement en sa compagnie et l'aide financièrement. La comtesse Guidoboni-Visconti deviendra l'ardente et arrogante lady Dudley du *Lys dans la vallée* dont l'héroïne, Mme de Mortsauf, sera la représentation de Mme de Berny, l'initiatrice, le premier amour de Balzac.

Mais qu'il est difficile de comprendre les motivations de cet être imprévisible ! D'une part il tente de susciter la jalousie d'Eve en lui écrivant : « Je suis étonné que vous n'ayez pas encore lu *le Lys...* Ne dit-on pas que j'ai peint Mme Visconti ? Voilà à quels jugements nous sommes exposés. » D'autre part il confie à Zulma Carraud : « Depuis quelques jours je suis tombé sous la domination d'une personne fort envahissante et je ne sais comment m'y soustraire, car je suis comme les pauvres filles, sans force contre ce qui me plaît. »

A Wierzschovnia, par l'intermédiaire de sa tante Rosalie qui déteste celui qu'elle surnomme « l'écrivailleur français » [1], par le canal du prince Koslowski, jaloux d'être délaissé et grâce aussi à d'autres correspondants russes ou français, Mme Hanska apprend ce qui est de notoriété publique à Paris : la nouvelle liaison de son amant. Elle lui envoie plusieurs lettres de reproches et l'accuse de trahison. Il répond aussitôt en retournant la situation et en se plaignant avec cynisme de la malveillance dont il est victime : « Mme de Visconti dont vous me parlez est une des plus aimables femmes, et d'une infinie, d'une exquise bonté. D'une beauté fine, élégante, elle m'aide à supporter la vie. Malheureusement je la vois très rarement. »

En fait, depuis un an, il a d'étroites relations avec la belle Sarah Visconti qui, le 29 mai 1836, met au monde un garçon, Lionel Richard Guidoboni-Visconti, dont Balzac, au dire de ses plus pointilleux biographes, est le père. Le témoignage d'un juge versaillais nommé

---

1. La mère de cette tante Rosalie était la belle Rosalie Lubomirska dont nous avons parlé précédemment, l'amie de la reine Marie-Antoinette et qui mourut en France sur l'échafaud ce qui explique la haine de cette parente pour les Français.

Lambinet[1] est chronologiquement indiscutable, car il est fondé sur des dates précises, celles de plusieurs séjours mystérieux à Meudon pour démontrer qu'ils sont amants, et surtout celles de deux voyages en commun à Boulogne-sur-Mer. Tout d'abord, le 16 juin, Balzac accompagne la comtesse qui se rend dans sa famille en Angleterre. La date du second, le 31 août, correspond au retour de la jeune femme qui vient de passer deux mois et demi dans son île natale. Balzac est allé à sa rencontre. Ils restent plusieurs jours ensemble à Boulogne-sur-Mer. La fiche de location de calèche au nom de Balzac, datée du 31 août, est une preuve qui permet de lui attribuer la paternité de cet enfant né neuf mois plus tard. Mais alors pourquoi Sarah donne-t-elle à son nouveau-né le prénom de Lionel qui est celui de Bonneval, le prédécesseur d'Honoré ? Le juge Lambinet estime que la comtesse a voulu, par cette substitution, abuser son entourage et laisser à son amant la liberté d'esprit indispensable pour la création. Il est vrai que cette fois, elle est vraiment amoureuse et désire vivement aider et protéger cet écrivain renommé et malchanceux, toujours à la recherche d'un havre paisible qui lui permette de retrouver ses facultés créatrices. Cet homme est épuisé, las de vivre. Il lui dit sa recherche de la perfection, son dégoût des contraintes matérielles et son grand besoin de détente, de repos. Il lui parle de l'Italie qu'il connaît un peu et où il aimerait retourner. Hélas ! Son impécuniosité ne lui permettra jamais plus un tel voyage ! La généreuse comtesse s'apitoie, réfléchit et découvre le moyen d'offrir à Honoré ce séjour dont il rêve : la défunte mère de son mari possédait en Italie des biens, des nantissements, des inté-

---

1. *Balzac mis a nu et les dessous de la société romantique d'après les Mémoires inédits d'un contemporain de Charles Léger*, Paris, Gaillandre, 1928.

rêts dans plusieurs affaires et des créances exigibles mais jamais réclamées, parce que le comte, uniquement passionné de musique, estimait qu'il ne parviendrait jamais à débrouiller une situation si confuse, lui qui avait horreur des chiffres. Sarah présente Balzac au comte, non seulement comme un écrivain de génie, mais aussi comme un homme très au fait des affaires, habile, entreprenant, excellent gestionnaire, et donc très capable de démêler ce problème d'héritage au mieux des intérêts de la famille. Le mari avale l'hameçon, la ligne et la gaule, accompagne Balzac chez son notaire et lui signe une procuration qui lui donne pouvoir d'agir en son nom. Pour le seconder dans ses difficiles tractations, Honoré demande au comte la permission d'engager un secrétaire qui l'accompagnera. Le musicologue accepte et lui remet une somme importante qui couvrira très largement les frais de voyage des deux hommes.

Quelques jours avant son départ, Balzac présente son secrétaire au comte et à la comtesse : c'est un certain Marcel, un garçon mince, grand, aux cheveux bruns très courts, réservé ou peut-être timide au point qu'il ne dit mot, ce qui attendrit la comtesse Sarah tandis que le comte le trouve fort convenable. On peut imaginer le fou rire des deux compères qui à l'issue de cette visite se trouvent enfin seuls... La jolie farce en vérité ! Car cet élégant jeune homme est une ravissante jeune femme... Ce joli Marcel est une mignonne Caroline dont Honoré a fait la connaissance quelques semaines plus tôt.

Caroline Marbouty est l'épouse d'un haut magistrat de Limoges, de beaucoup son aîné. Elle mène une existence qui distille l'ennui. Mornes réceptions entre Limougeauds dans de tristes salons limousins, messe le dimanche à la cathédrale Saint-Etienne, promenade l'après-midi sur les bords de la Vienne ou dans le quartier du Château... et rien, jamais rien qui soit

susceptible d'apporter un rayon de soleil sur cette grisaille. Comment meubler cette solitude et ce loisir
éternel dont elle ne sait que faire ? Avec quelques bons
livres, parmi lesquels ceux de Sainte-Beuve qui vient
de publier *Volupté*, une œuvre lyrique et désenchan-
tée, et ceux de Balzac, l'auteur à la mode, le défenseur
de la femme esseulée. Caroline écrit à l'un et à l'autre.
Seul Sainte-Beuve répond et l'invite à venir lui
rendre visite à Paris. Elle le trouve si triste et si
ennuyeux qu'elle ne le rencontre qu'une fois et cherche ensuite à joindre Balzac. Comment parvient-elle à
franchir les portes bien gardées qui se succèdent et
interdisent toute approche ? Sans doute parce que les
laquais-cerbères ont informé leur maître qu'une jeune
beauté désirait l'entretenir et que, toujours sensible
aux charmes féminins, Honoré n'a pu résister à sa
curiosité. Et c'est dans le somptueux boudoir blanc
et or de la rue des Batailles qu'elle lui apparaît. Elle
est superbe, ardente, charnue, un tantinet masculine,
le fessier rebondi et tout aussitôt il l'imagine vêtue
en garçon... Comme elle arrive bien ! Justement il doit
partir pour l'Italie et cherche une compagne. Serait-
elle d'accord pour se joindre à lui et l'assister au cours
de ce voyage ? Si oui, la chose doit demeurer secrète,
car les frais de ce séjour seront avancés par une amie
très chère... et très jalouse... Pour donner le change,
Caroline doit accepter de s'habiller en homme, ce
qui, certes, lui ira à ravir, et de se faire passer pour
son secrétaire. Elle pourrait alors adopter pour prénom Marcel... Pourquoi Marcel ? Parce que c'est le
prénom du page des *Huguenots* de Scribe et Meyerbeer
dont la première vient de remporter un triomphe à
l'Opéra. Caroline, enchantée à l'idée de troquer son
ronron quotidien contre la grande aventure, accepte
avec empressement de participer à cette facétie. Ils
scellent leur contrat sur-le-champ dans le plaisir et la
volupté : « J'ai passé trois nuits sans dormir », préci-

sera plus tard Caroline Marbouty. A l'issue de ce vol nuptial, il la conduit chez Buisson, son tailleur, qui lui confectionne une seyante redingote grise et un pantalon noir moulant qui met en valeur la plénitude de ses formes. Et c'est le départ joyeux pour Turin, en chaise de poste tirée par quatre chevaux. Ensemble, ils visitent la Grande Chartreuse, franchissent le col du Mont-Cenis et après mille péripéties, arrivent à Turin où ils descendent à l'hôtel de l'Europe.

Annoncée par *la Gazette Piémontaise*, l'arrivée de Balzac ne passe pas inaperçue. Chacun veut le recevoir, le contempler, parler avec lui et admirer sa canne au pommeau turquoise aussi célèbre que lui. Les invitations pleuvent et, chaque soir, le grand homme suivi de son page se livre complaisamment, dans les salons, à l'émerveillement des belles aristocrates. A tous et à toutes, il présente Marcel comme son compagnon, son associé, son secrétaire et ce jeune garçon, timide et discret, est accueilli avec sympathie par l'élite piémontaise. C'est qu'il a beaucoup de grâce et d'esprit et aussi une certaine ressemblance avec George Sand, si bien que plus tard, lorsque l'on découvrira que ce garçon à la voix haut perchée est en réalité une jeune femme, on sera convaincu que sous ce déguisement se cache George Sand. Dès que les premiers bruits circulent, le scandale risquant d'éclater, Balzac tente de s'en sortir en créant autour de cette affaire un halo de mystère : il écrit à un marquis, méchante langue réputée, dont il vient d'être l'hôte et qui ne manquera pas de colporter la nouvelle, que son compagnon de voyage est « une charmante et vertueuse femme qui, n'ayant jamais eu la chance de respirer l'air de l'Italie, s'était reposée sur mon âme pour un inviolable secret. Elle sait qui j'aime et y a trouvé la plus forte des garanties. » Mais les aristocrates turinois ne retiennent que l'aveu et s'estiment bafoués pour avoir fait les honneurs de leurs salons à une femme déguisée en homme, à un travesti imposé par un pervers. Toujours infatigable et omniprésent, Balzac a trouvé le temps d'entrer en pourparlers avec les héritiers Visconti et d'entamer une action juridique qui, faute d'un arrangement entre les parties, doit déboucher sur un procès. Il n'a plus rien à faire en Italie et décide de quitter Turin au plus vite avant que l'affaire Marbouty ne tourne à l'esclandre.

Sur la route du retour, il passe par Genève, s'y arrête et conduit Caroline sur les lieux où, trois ans plus tôt, il avait juré à Eve « un amour éternel, unique et impossible », le château de Coppet, la résidence des Hanski, la maison Mirabaud et les bords du lac. Il s'attarde à Genève plusieurs jours qu'il consacre aux souvenirs et plusieurs nuits qu'il accorde à Mme Marbouty. Il écrit à Mme Hanska, lui annonce qu'il fait un pèlerinage pour revivre d'inoubliables instants, qu'il est à Genève afin de « respirer un air embaumé » et que sa pensée ne le quitte pas. Il l'informe, au cas où des échos parviendraient par la rumeur jusqu'à Wierzschovnia, qu'une jeune femme l'accompagne mais « qu'elle ne fut pas autre chose que la poésie du voyage ». Poésie captivante à n'en pas douter puisque le retour à Paris qui nécessite cinq jours en chaise de poste s'effectue en dix jours de berline et onze nuits dans divers hôtels.

Il rentre chez lui le 22 août 1836 pour apprendre la mort de Mme de Berny par un faire-part que lui a envoyé son fils Alexandre. C'est le 27 juillet à La Bouleaunière, tandis que Balzac roulait vers le Mont-Cenis, que la Dilecta a quitté ce monde. La « dame de la maison du bout », sa première maîtresse, celle qui l'avait « fait entrer en littérature », « Mme de Villeparisis » n'est plus. Bien que préparé à cette issue par la longue maladie dont elle avait souffert, Honoré est bouleversé et c'est au cimetière qu'il va lui rendre une dernière visite. Sans doute est-il pris de remords de n'avoir pas été présent au chevet de celle qui fut l'Initiatrice dans toute l'acception du terme, à l'idée qu'elle souffrait et mourait, alors qu'il batifolait sur la route de Turin en compagnie de Caroline Marbouty qu'à dater de ce jour il ne reverra jamais. Avec cette disparition s'estompe une partie de sa jeunesse, la plus belle, la plus pure. Et c'est à Mme Hanska qu'il se confie : « Oui, la première femme que l'on rencontre, avec les illusions de la jeunesse, est quelque chose de saint et de sacré. » Pour lui, Laure de Berny, la protectrice amoureuse, la douce compagne maternelle devient l'Irremplaçable. Il a la certitude de n'avoir été aimé qu'une seule fois dans sa vie.

Laure de Berny appartient à un passé doré qui s'efface pour faire place à la dure réalité présente : Balzac, comme un cerf qui se rembuche, poursuivi par des créanciers toujours à la traque, n'a plus de repaire, plus de domicile où résider. Les huissiers ont trouvé l'appartement de la rue Cassini vidé de ses meubles [1]. Ils ont ensuite découvert son refuge de la rue des Batailles d'où ils sont repartis bredouilles, le loyer étant au nom de Mme veuve Durand. Délogé, il va se réfugier rue de Provence, dans un meublé où les officiers ministériels ne tardent pas à le débusquer. Et cette fois, à défaut d'une nouvelle tanière il risque l'hallali.

Ces embuscades successives l'excèdent. Il a trente-huit ans. Qu'a-t-il fait de sa vie jusqu'ici ? A mi-chemin de son parcours, en travaillant sans relâche dans des conditions pénibles, il n'a pas même accompli la moitié de son œuvre. Et déjà, il sent ses forces l'abandonner : il souffre de maux d'estomac, de migraines, de vertiges et son cœur se met parfois à battre la cha-

---

1. Dans le courant de l'année 1836, Balzac a purgé une peine de dix jours de prison à l'Hôtel des Haricots pour avoir voulu se soustraire à la loi sur la garde nationale. Il sera emprisonné une seconde fois pour le même motif en 1839.

made. Ses joues s'empâtent d'une mauvaise graisse et son ventre devient bedaine. Ses cheveux sont gris et une méchante calvitie dégage son front. La perte de plusieurs incisives l'oblige à ne plus sourire. Un peu de gloire, quelques plaisirs, beaucoup de misère, énormément de dettes, tel est le bilan de vingt années d'un labeur quotidien de quinze heures. Des milliers de feuillets noircis pour rien... Et voilà qu'il touche le fond : il ne peut plus échapper à la meute. Jamais il ne pourra terminer son œuvre. Jamais il ne parviendra à épouser sa chère Eve dont le vieil époux s'acharne à se bien porter. Il a raté sa vie et le 8 février, il se confie à la comtesse Guidoboni-Visconti et lui fait part de son anéantissement. Amoureuse, donc bienveillante et généreuse, Sarah le sauve du naufrage pour la deuxième fois. Un homme recherché à ce point ne peut trouver de solution que dans la fuite. Comme de surcroît il a besoin de paix, d'indépendance et de liberté pour créer, il doit quitter la France. Elle parvient à convaincre de nouveau son mari qu'il est indispensable et urgent d'envoyer Balzac en Italie afin de conclure cette affaire d'héritage par un arrangement qui évitera le procès. Pressé par son épouse, le comte mandate dès le lendemain 9 février son homme de confiance.

Honoré part aussitôt pour Milan, seul cette fois. Il est accueilli par le prince Porcia avec le faste réservé aux célébrités, car son lot est de passer sans transition des imputations infamantes et du bannissement aux réceptions mondaines et honorifiques. S'il n'est pas prophète en son pays, ce hâbleur, ce virtuose en jongleries diverses, arrive à l'étranger paré de l'auréole du génie. Il ne cherche plus à fuir par les escaliers de service mais fait de majestueuses entrées dans les salons de l'aristocratie par des portes rocaille ornementées d'armoiries. C'est alors l'oubli total. Il est moins gros et mieux portant. Il baigne béatement dans

cette gloire qui lui est due. Il descend à l'hôtel Vene-
zia et, sans appréhension, ouvre sa porte à tous : plus
d'huissiers, plus d'importuns à craindre ! Seulement
des admiratrices, comme la ravissante et frêle Clara
Maffei qui lui fait visiter Milan, ou la princesse
Belgiojoso et la comtesse Sanseverino dont il est l'hôte.
On lui offre à la Scala une loge si grande que Balzac
y reçoit comme dans un salon. Le grand sculpteur
Putinatti le représente sous la forme d'une statuette
qui sera son cadeau de remerciement à la comtesse
Guidoboni lors de son retour à Paris.

Il quitte Milan pour Venise, afin de se préoccuper
des affaires du comte et de rencontrer sur place un
héritier récalcitrant. Adroitement, il parvient à éviter
un interminable procès en persuadant ce légataire d'accepter une transaction au mieux des intérêts de la
famille Visconti. Puis, il s'attarde une semaine à
Venise, visite les palais médiévaux, la basilique Saint-
Marc et admire les œuvres de Véronèse, de Titien et
du Tintoret. Il immortalisera cette ville en une des-
cription magistrale dans une nouvelle intitulée *Massi-
milla Doni*. Il séjourne ensuite à Florence puis à Gênes,
où les autorités, dans la crainte d'une épidémie, le
retiennent en quarantaine. Il traverse enfin par — 25°
le Saint-Gothard recouvert de neige et rentre à Paris
le 5 mai 1837, après trois mois d'absence.

Il est évident qu'entre-temps, rien ne s'est arrangé :
on a saisi les quelques meubles abandonnés rue
Cassini. Son voyage lui a coûté, outre les frais de
déplacements financés par le comte, la totalité d'une
avance importante accordée par le libraire-éditeur
Bohain. Non seulement il n'a plus un sou mais, lors
de la liquidation judiciaire de son ancien éditeur
Werdet, il a signé, pour le garantir, des traites de
complaisance, délit pour lequel il risque aujourd'hui
la contrainte par corps notifiée devant huissier par
un officier de police, suivie d'une peine de prison. Si

les représentants de la loi n'ont pu faire saisir ses meubles de la rue des Batailles et de la rue de Provence, c'est parce que les quittances de loyer de ces appartements mentionnaient un autre nom que le sien. Mais ces domiciles sont connus des autorités et il ne peut s'y réfugier sans risquer d'être pris... Il se tourne alors vers quelques amis pour les adjurer de lui trouver « une chambre, le secret, du pain et de l'eau ». Aucun n'accorde cette aumône à l'auteur de *la Comédie humaine*. Seule une fois encore, la bonne et énergique comtesse Guidoboni vient à son secours. Elle lui offre chez elle, dans le lointain quartier des Champs-Elysées, l'abri idéal : une chambre secrète dans laquelle elle le séquestre littéralement. Défense, sous aucun prétexte, de sortir pour se promener dans la rue, défense de mettre le nez à la fenêtre, défense de se montrer aux invités lors des réceptions... Balzac supporte fort bien cette claustration : il se jette sur la feuille blanche et écrit en deux mois *la Maison Nucingen*, *la Femme supérieure* et rédige une partie de *César Birotteau*, un nouveau chef-d'œuvre.

Malgré les précautions prises, cette ultime retraite est un jour découverte. Balzac, sauvé par une femme, a été trahi par une autre femme, sans doute Caroline Marbouty qui, ulcérée d'être délaissée au profit d'une rivale, a livré son amant dont elle connaissait le refuge.

Un matin, Honoré travaille dans sa « cellule ». On frappe à la porte palière. Un domestique informe Mme la Comtesse qu'un messager désire lui parler personnellement. C'est un garde du commerce qui demande à rencontrer de toute urgence M. de Balzac. Réponse négative de la comtesse, bien entendu : M. de Balzac est inconnu dans cette maison. L'homme est bien ennuyé car il doit lui remettre en main propre ce colis d'une valeur de 60 000 francs... Il va repartir... Qu'il attende ! La comtesse revient dans une minute.

Aparté entre Sarah et Honoré qui, incapable de résister à cet appât, se présente au garde qui lui propose cette affreuse alternative : ou bien le règlement immédiat de ses dettes, ou bien un séjour à Sainte-Pélagie, la sinistre prison de la rue du Puits-de-l'Ermite. Inutile de tenter de fuir, la maison est cernée et une voiture attend le délinquant pour le conduire à la maison d'arrêt. Sarah Guidoboni-Visconti, dévouée jusqu'au bout, règle la totalité des créances de son hôte. Les gardes déguerpissent et pour Balzac cesse enfin la chasse à l'homme.

Il est maintenant libre de circuler, d'agir selon son gré, de commencer une nouvelle vie. Quitter la ville, se retirer comme Voltaire à Ferney ou Rousseau aux Charmettes, dans une maison entourée d'un paysage bucolique où il retrouvera intactes les sources de son inspiration. Et désormais tout est possible : *César Birotteau* a connu un grand succès et deux mois après sa parution, il encaisse la somme fantastique de 20 000 francs (500 000 francs actuels). La presse hebdomadaire et périodique ainsi que de nouveaux éditeurs le sollicitent... Et son exubérante imagination repart au galop : à ce rythme, en deux ans, il peut gagner 100 000 francs, rembourser Madame Mère et s'offrir le refuge champêtre où il pourra terminer son œuvre.

Il découvre cette retraite qui, pour être idéale, doit se situer à la campagne tout en étant proche de la ville, un peu au-delà du pont de Sèvres, sur les coteaux de Saint-Cloud au lieu-dit les Jardies dans un décor champêtre d'où il découvre Paris coupé en deux par les méandres de la Seine. Là, il retrouve son enfance, ses souches paysannes, la terre. Il ne sera plus obligé de fuir, d'aller se réfugier chez les Margonne à Saché ou chez les Carraud à Issoudun. Ici, pas de voisins et, à moins de trente minutes de Paris en tilbury, ce ne sont que champs, prés et vergers à perte de vue et la

fraîcheur et l'ombre et le soleil d'une vallée suisse...
Qui plus est, ce rêve qui va devenir réalité est peu
onéreux, cette maison des Jardies est une véritable
affaire qu'il achète le 16 septembre 1837 pour la modi-
que somme de 4 500 francs ! Il sait bien que ce n'est
qu'une bicoque inconfortable, trop haute, pas assez
grande, mais il a les moyens d'entreprendre des travaux et de transformer en quelques mois cette modeste
villa en folie du XVIIᵉ siècle...

Une folie, en vérité, qui va lui coûter, ainsi qu'à la
comtesse Guidoboni-Visconti, une petite fortune.

Il écrit aussitôt à Mme Hanska qu'il vient d'acquérir, dans un petit village, une « simple cabane ».

CHAPITRE XV

ANNA LA BIEN-AIMÉE

Dans le boudoir meublé de fauteuils et de chaises tapissés de soie rose, d'une commode Louis-XV et d'un bonheur-du-jour en marqueterie, une serve défait les pinces ornées de diamants et les rubans qui maintiennent la chevelure de sa maîtresse en une harmonieuse spirale puis dénatte ses cheveux qui retombent sur ses épaules en larges ondes brunes moirées de roux. Aux murs, des miroirs et des tableaux qui ne représentent que des fleurs. La servante aide Eveline à ôter sa chemise au col et aux poignets brodés, ceinturée d'une cordelière de soie jaune aux extrémités frangées. Elle est nue et la servante s'agenouille pour la déchausser. Tandis qu'elle lui retire ses mules de cuir souple, Eveline se contemple dans une psyché qui lui renvoie l'image d'une femme grande, belle, aux hanches larges, à la taille étroite, avec de jolis seins ronds et lourds. Jusqu'ici le temps n'a pas gravé une ride sur son visage. Rassurée, elle pénètre dans la salle de bains en rotonde. C'est aussi un hammam composé de trois salles de marbre rose avec des fontaines d'où jaillit une eau tiède, puis chaude, enfin presque brûlante dans la dernière où la visibilité est nulle tant la chaleur est dense. Quatre servantes nues s'ébattent avec leur maîtresse et, après une demi-heure de jeux et de gymnastique, pénètrent dans une piscine dont l'eau est si fraîche qu'elles poussent de petits cris et se débattent en éclatant de rire. Eveline sort la première aussitôt suivie de ses femmes et entre dans une salle de repos au toit en forme de dôme vitré, sorte de jardin d'hiver garni de plantes, avec au centre une table matelassée sur laquelle, après avoir été séchée puis frottée, Eveline s'allonge et s'abandonne aux mains des jeunes filles qui vont l'épiler, la masser, lui faire les ongles et la parfumer de la tête aux pieds. Dans cette atmosphère raffinée, sensuelle, Eveline s'alanguit sous les doigts agiles qui effleurent son corps en un massage lent et délicat. Plus un mot maintenant, plus un rire, mais une sorte de complicité qui semble naître du silence.

A Wierzschovnia, la vie a repris son cours, mais avec quelques variantes. Depuis son long voyage à l'étranger, le monde d'Eveline n'est plus le même. L'Occident lui a permis de découvrir un univers différent, moins dogmatique, plus large de vue et d'esprit plus élevé. Elle a aussi le sentiment d'avoir vécu avec Honoré des moments très importants et la certitude que lui seul est capable d'enrichir sa vie ; ce compagnon, cet adorateur tendre et soumis qui vit à huit cents lieues de son château est plus que jamais proche d'elle. Elle ne veut plus entendre les ragots colportés par la tante Rosalie et les autres. Honoré lui a juré fidélité et il tient certainement parole. « Nous nous reverrons à Wierzschovnia », lui a-t-il promis lorsqu'ils se sont quittés à Vienne et elle espère qu'il ne tardera pas car elle assume de lourdes responsabilités et se sent bien seule. Le comte Wenceslas Hanski est souffrant et dans l'impossibilité de gérer ses affaires. Un grave malaise cardiaque vient de le clouer au lit un mois durant. Il peine à se remettre et doit maintenant se ménager. Eveline a pris en main la direction du domaine et de ses trente régisseurs. Elle supervise Dyonisa et Saverina Wylezynska : les deux jeunes femmes qui lui sont toujours aussi dévouées demeurent dans un pavillon que Balzac décrira plus tard sous le nom de la Demoisellière, proche du village des serfs et des artisans dont elles surveillent les travaux et le rendement. C'est à elles qu'ils rendent leurs comptes et exposent leurs problèmes. Eveline n'intervient qu'en cas de litige. Ainsi, la comtesse a davantage de temps à consacrer à ses intendants qui la volent et aux fonctionnaires gouvernementaux qui, de plus en plus gourmands, exigent des dessous-de-table exorbitants.

Partout alentour se propagent les échos des succès remportés par Mme Hanska et la rumeur ne tarde pas à gagner les milieux littéraires et artistiques de Genève et de Vienne. Les cinquante chambres du vieux manoir ne désemplissent pas car voisins et amis se disputent l'honneur d'être reçus et de s'entretenir au cours de longues veillées avec cette jeune femme à la conversation si brillante. Et Balzac est souvent au centre de ces entretiens. Mme Hanska laisse entendre qu'il sera bientôt l'hôte de marque de Wierzschovnia où il résidera plusieurs mois, plusieurs années peut-être, afin de terminer sa *Comédie humaine*.

Dans ses lettres, Balzac se plaint sans cesse de sa triste existence et lui affirme qu'il arrivera bientôt, la canne à la main, le sac sur le dos et franchira le petit pont qu'elle lui a souvent décrit « et qui conduit au palais des Mille et Une Nuits »... Un seul point noir : l'argent nécessaire pour réaliser cette entreprise qui représente pour Balzac une somme qu'il lui est impossible d'économiser... De fait, Honoré se débat au milieu de difficultés dont il lui fait part dans sa correspondance, une correspondance de plus en plus espacée car le travail dévore son temps. Mais

Eveline ne comprend pas qu'un écrivain de sa qualité puisse être aussi endetté : c'est qu'il vit dans le désordre ou l'insouciance ou que, peut-être, il perd au jeu. Elle lui en fait le reproche et il se justifie : « Je suis si courroucé, si ému de ce passage de votre lettre que ma main tremble comme si j'avais tué mon prochain. Mais c'est vous qui avez tué quelque chose en moi. Vous me dites que je vous ai caché quelque perte au jeu, quelque désastre et que je suis une pauvre tête financière. Chère et belle châtelaine, vous parlez de la misère comme une personne qui ne l'a pas connue et qui ne la connaîtra jamais. Faut-il pour la cinquième ou la sixième fois vous expliquer le mécanisme de ma misère et comment elle n'a fait que croître et embellir ? Je le ferai ne fût-ce que pour vous démontrer que je suis le plus grand financier de l'époque. Ma dépense de luxe est produite par deux nécessités. La première : quand un homme travaille comme je le fais, il lui faut une voiture, car la voiture est une économie. Puis il lui faut de la lumière la nuit, du café à toute heure, beaucoup de feu, trouver tout à point, ce qui constitue une vie chère à Paris. La deuxième : à Paris, ceux qui spéculent sur la littérature n'ont pas d'autre pensée que de la rançonner, et si j'étais resté dans un grenier, je n'aurais rien gagné. J'ai donc considéré comme une excellente affaire d'afficher tous les dehors de la fortune pour ne pas être discuté et pouvoir faire mon prix. » Nous ignorons la réponse de Mme Hanska mais le jugement fut certes sévère car Honoré rétorque vertement : « La vie que je mène ne souffre pas que les choses de l'amitié se convertissent en continuelles explications. Laissez-moi vous confier un très mauvais sentiment que j'ai : je n'aime pas que mes amis me jugent, qu'ils ne croient pas que mes déterminations soient nécessaires. »

Cependant, reproches et critiques ne cessent de pleuvoir. Eveline va jusqu'à lui conseiller de ne pas venir la rejoindre à Wierzschovnia puisqu'il lui répond : « La seule amie qui s'est présentée au début de ma vie a revolé vers le ciel. Vous me dites qu'il y a entre nous autant d'idées que de distance et vous me dissuadez de venir vous voir. Votre lettre m'a fait beaucoup de mal. » Un peu plus tard, il parle une fois encore de ce qui chez lui tourne à l'obsession : l'argent : « Il faut gagner bien de l'argent pour pouvoir aller en Ukraine, car il ne faut rien devoir ici pour voyager tranquillement... Pas de recettes et pas d'amis qui m'avancent des fonds. Que devenir ? » Mme Hanska n'entend rien à ce langage ou fait la sourde oreille mais jamais elle ne proposera de lui avancer les 5 000 francs nécessaires. Elle lui répond seulement que mieux vaut reporter sa venue à cause de la fatigue qu'il ressent et du travail qu'il doit accomplir. « Plus vous me défendrez de venir à Wierzschovnia, répond-il, sous prétexte qu'il y a trop de fatigue plus vite j'irai. Mais soyez tranquille, je ne puis respirer l'air de la liberté, me sentir sans chaînes, c'est-à-dire sans dettes, avant sept ou huit mois. »

Mois après mois le temps coule et leur correspondance comme leur amour va s'amenuisant. C'est que les années passent et que trois mille kilomètres séparent les deux amants. Des bruits circulent toujours sur l'inconduite de Balzac et Mme Hanska est atteinte dans son orgueil. Pourtant elle connaît le tempérament d'Honoré et sait qu'il ne peut demeurer chaste en l'attendant indéfiniment. L'un et l'autre sont fort occupés. Balzac a les soucis qu'on lui connaît : ployant sous les dettes, il besogne comme un galérien. Eveline est également débordée par les tracas quotidiens. Elle assume ses responsabilités de suzeraine auprès de ses vassaux et de son petit peuple d'une part et, d'autre part, consacre le temps qui lui reste à sa fille bien-aimée, Anna.

Précisément, on célèbre aujourd'hui son douzième

anniversaire en présence de toute la famille et d'une centaine d'invités qui occupent le château depuis une semaine. Seule fausse note dans cette harmonie joyeuse : le comte Wenceslas Hanski souffrant doit garder la chambre et n'assistera pas aux festivités.

Anna et sa mère sont très proches l'une de l'autre. La perte de quatre enfants rend d'autant plus précieuse à Eveline l'existence de la petite Anna sur qui elle reporte tout son amour maternel. Jolie, fine, vive et joyeuse, c'est une fillette attentive et studieuse. Elle est élevée dans la foi catholique par son institutrice Mlle Borel qui, après s'être accusée de servir les amours coupables de sa maîtresse au risque d'encourir avec elle les peines de l'enfer pour l'éternité, après avoir enduré une terrible période de doute métaphysique, a décidé de renier le protestantisme pour se convertir à la religion catholique, afin de mieux comprendre et de sauver sa maîtresse et pour surveiller plus étroitement l'éducation de la petite Anna dans un dogme commun. Grâce à ce dévouement quasi sublime la fillette reçoit une éducation parfaite et s'enrichit de multiples connaissances. Elle s'exprime fort bien en quatre langues et joue remarquablement du piano. Enfin, elle a pour sa mère un respect à la fois féodal et familier. Lirette Borel a reporté sur l'adolescente l'amour respectueux qu'elle avait pour la comtesse. Le secret qu'elle détient lui pèse et rien ici-bas ne l'en délivrera. Croyante et excessivement pieuse comme le sont souvent les convertis tardifs, elle se réfugie dans une décision sans appel : elle accomplira son devoir d'éducatrice et demeurera au service d'Anna jusqu'à son mariage. Après quoi elle se retirera dans un monastère pour y prendre le voile et obtenir le pardon de sa faute.

Il est midi. Suivie de ses femmes, Mme Hanska sort de sa chambre dont les fenêtres diffusent une lumière dorée. Vêtue d'une robe mauve à larges fleurs blanches spécialement dessinée par un grand couturier parisien, le front ceint d'un diadème, elle descend par l'escalier d'honneur et pénètre dans le salon bleu orné de bouquets d'hibiscus aux fleurs rayonnantes. Les cadeaux, enveloppés de papiers chatoyants, sont déposés sur plusieurs tables. Les uns sont destinés à Anna, les autres aux serviteurs. Sur un buffet monumental trône un impressionnant gâteau au chocolat surmonté de douze bougies qu'Eveline contemple rêveusement. Elle se revoit, petite fille, à Pohrebyze, le jour de la fête de son père, le comte Rzewuski, sur la scène du théâtre du château dans une robe à crinoline et portant perruque blanche poudrée pour interpréter avec ses frères et sœurs, devant une foule d'invités, *les Surprises de l'amour* de Marivaux. Elle était troublée et heureuse tout à la fois, parce que parmi les spectateurs se trouvait Thaddée, attentif et rassurant.

Accompagnée de Mlle Borel qui se retire aussitôt, Anna fait son entrée, vêtue d'une dalmatique blanche aux manches amples et courtes et esquisse deux révérences devant sa mère dont ensuite elle baise la main. Une quinzaine de serviteurs suivent la jeune fille et lancent au-dessus d'elle une pluie de pétales de roses. Les invités applaudissent et un orchestre féminin composé d'une cinquantaine de musiciennes et de choristes interprète un air du folklore.

Les réjouissances dureront jusqu'au milieu de la nuit. Dans ce grand parc, des gerbes de feu et des fleurs lumineuses embraseront le ciel et éclaireront furtivement le pourtour crénelé du château de Wierzschovnia.

CHAPITRE XVI

J'AI MIS UN GÉNIE A MES PIEDS...

Balzac est propriétaire des Jardies depuis une semaine lorsqu'il apprend que les rails du chemin de fer Paris-Saint-Germain passeront à quelques pas de sa propriété. Déjà, à deux cents mètres du portail, une équipe d'ouvriers pose les premiers éléments de la future gare de Sèvres. C'est la première ligne du réseau ferré français autour de Paris. Cet événement est une affaire ausi excellente qu'inattendue : il va devenir riche, c'est certain, puisque bientôt les terrains d'alentour vaudront une fortune et que le prix de sa maison va décupler ! Plus besoin d'une voiture et d'un cheval : en une demi-heure, grâce à cette nouvelle locomotive à vapeur, il sera au cœur de Paris... Pour une fois, la chance lui sourit : pour s'enrichir, il lui suffit d'acheter des terrains, le plus de terrains possible. Alors, il achète ceux qui sont à vendre et ceux qui ne le sont pas en proposant des prix si élevés que les paysans se laissent tenter, surpris par l'ambition terrienne de ce Parisien. Et voilà Balzac en possession d'un vaste domaine de terres en friche, sur une pente raide et impraticable, dominées par une maison inhabitable.

184

Une catastrophe ? Pas du tout ! Il ne lui faut qu'un peu d'imagination pour transformer la « simple cabane » en bungalow indien entouré de vérandas et cette caillasse pentue, lézardée et friable, qui s'éboule sous la pluie, en une superposition de terrasses dans le style des Jardins de Babylone tout simplement ! De Venise, il fera venir des pilotis imputrescibles, en bois d'aloès, qui soutiendront les serres dans lesquelles il disposera cent mille pieds d'ananas qui pousseront abondamment sur ces coteaux ensoleilllés. De l'ananas à Sèvres, voilà une riche idée ! C'est comme si c'était fait et Balzac court boulevard Montmartre, accompagné de Théophile Gautier, à la recherche d'une boutique assez bien achalandée pour écouler sa production d'ananas qui, tout compte fait, doit lui rapporter plus de 400 000 francs par an.

Une importante mise de fonds est indispensable et les Guidoboni-Visconti acceptent de devenir ses associés pour créer cette mirifique affaire. Le comte loue une maison dans le parc, une bicoque qu'il fait remettre en état, paye un loyer à l'amant de sa femme et lui avance 10 000 francs pour lui permettre de commencer les travaux. Aussitôt, des dizaines d'artisans et d'ouvriers, spécialistes de plusieurs corps de métier, envahissent les Jardies : l'intérieur de la maison principale est détruit ainsi qu'une partie de l'extérieur, puis transformée en bungalow par des maçons et des charpentiers tandis que, dans le parc, les cimentiers creusent la terre, montent des murs qu'ils bouchardent, après quoi des menuisiers installent des châssis sur lesquels sont montées des vitres. En attendant que les pieds d'ananas arrivent d'Amérique tropicale, des jardiniers et des arboriculteurs plantent des pommiers et des poiriers qui, plus tard, augmenteront les revenus de l'entreprise. Balzac décide, ordonne, surveille, critique, fait défaire puis refaire, donne une avance ici, emprunte un peu là et en dépit de ce labeur parvient à écrire entre septembre 1837 et août 1839 une partie de *Splendeurs et misères des courtisanes*, *la Maison Nucingen*, *la Femme supérieure*, *le Curé de village*, et *les Secrets de la princesse Cadignan*. Parallèlement, il s'occupe de la mise en vente de *César Birotteau*, devient le premier président de la Société des gens de lettres le 16 août 1839 et pose sa candidature à l'Académie française.

Il gagne beaucoup d'argent qu'il investit aussitôt dans ses terres, persuadé que bientôt en jailliront les paillettes d'or du Pactole. Mais il veut plus, il veut mieux et décide de créer un village composé de jolies maisons éparpillées dans son parc, qu'il ne louera qu'à une clientèle sélecte, disposant de gros revenus, un lieu hors classe et envié de tous.

En février 1838, il s'aperçoit que son affaire devient un gouffre qu'il n'arrive plus à combler. Les frais s'accumulent, les dettes aussi et pas un centime ne tombera dans son escarcelle avant une année au moins. Une grosse somme lui est indispensable pour renflouer les Jardies, une somme si importante qu'aucun de ses livres ne pourra jamais lui rapporter. Soudain, un souvenir revient à sa mémoire, suivi d'une extravagante idée dont il est coutumier : lors de son dernier voyage en Italie, cependant qu'il était en quarantaine à Gênes, un de ses compagnons retenu comme lui à l'hôpital, un certain Giuseppe Pezzi, négociant de son état, lui avait affirmé qu'un trésor était caché en Sardaigne sous la forme d'anciennes mines argentifères exploitées du temps des Romains et abandonnées parce que taries. Or, selon Pezzi, avec un traitement moderne, il serait possible d'extraire des scories d'argent natif de ces anciens minerais. Là est la solution : il lui faut partir tout de suite pour la Sardaigne d'où il reviendra riche. Lui seul peut se lancer follement dans une opération aussi chimérique : comme César Birotteau, le héros de son dernier roman, il est prêt à spéculer et à perdre une fortune honnêtement gagnée par le travail. Transposition de la réalité, les personnages de son œuvre entrent dans sa vie. Son imagination crée un monde dans lequel, ensuite, il pénètre inconsciemment. Balzac possède les caractéristiques du vrai joueur pour qui le risque est supérieur à l'appât du gain. Gagner ou perdre lui importe peu : l'essentiel est de vivre la tension extrême, véritable jouissance qui sera sanctionnée par la ruine ou récompensée par la richesse.

Mais ce voyage nécessite quelques centaines de francs dont ce futur millionnaire ne dispose pas. Qu'importe ! Il va passer par Issoudun pour intéresser le commandant Carraud à son projet. Ancien polytechnicien, passionné de chimie, le commandant le comprendra et participera à l'affaire. Balzac se trompe : le commandant Carraud l'écoute, demeure dans l'expectative, ne conseille ni ne déconseille et se dit enfin dans l'impossibilité de lui avancer des capitaux. Sans se décourager, Honoré frappe à d'autres portes : celle de sa mère, celle de Buisson, son tailleur, celle de son ami le docteur Nacquart, celle enfin d'une vieille cousine et parvient à réunir un viatique. Il peut partir... Mais comme il se trouve dans le Berry, il va jusqu'à Nohant rendre visite à George Sand. Elle le reçoit, vêtue d'un pantalon rouge et chaussée de pantoufles jaunes, l'invite à dîner et lui parle de la liaison orageuse de Liszt et de Marie d'Agoult. En échange, il lui raconte les derniers potins parisiens et la triomphale première de *Ruy Blas* de Victor Hugo. Enfin, elle lui apprend à se servir d'un narghilé et Balzac aspire avec délices la fumée par « le bec d'ambre d'un mangifique houka de l'Inde ».

Le 17 mars 1838, il part pour Marseille, et c'est le commencement d'un exténuant périple qui durera trois mois et qu'il raconte remarquablement dans les *Lettres à l'Etrangère*. Pour gagner Marseille, il a dû voyager cinq nuits et quatre jours sur l'impériale d'une diligence, ne se nourrissant que de 10 sous de lait par jour. A Marseille, il apprend que la Sardaigne n'est desservie directement par aucun bateau et qu'il doit passer par Ajaccio d'où un pêcheur pourra peut-être le conduire jusqu'en Sardaigne. Il descend dans un hôtel miteux et passe trois journées sinistres en attendant le départ d'un bateau pour Ajaccio où il débarque après une traversée pénible sur une mer houleuse. Il ne conservera que le souvenir d'un insupportable mal de mer. A Ajaccio, on le consigne dans un hôpital pendant cinq jours parce qu'une épidémie de choléra est signalée à Marseille. Libre, il doit encore attendre trois jours la bonne volonté d'un marin, pêcheur de corail. Il embarque avec lui le 2 avril, se nourrit de poissons et débarque sur la terre richissime, sur l'île au trésor... qui n'est — il ne tarde pas à s'en apercevoir — qu'un monde de misère et de désolation... Rien... Pas de routes, par conséquent pas de voitures ni d'auberges... pas même un gîte à l'étape... Rien que quelques indigènes maigres, vêtus d'un pagne ou de guenilles. Et là, Balzac doit fournir un effort surhumain : il pèse plus de cent kilos et n'est pas monté sur un cheval depuis dix ans. Pour arriver à la Nurra, plaine insalubre qui recouvre le minerai argentifère, il doit se laisser ballotter quinze heures d'affilée sur une rossinante pantelante, dans une savane spongieuse recouverte de mousse ou à travers des forêts de grandes yeuses frisottées. Pour toute nourriture, un pain noir, amer, fait par les habitants avec des glands de chêne.

Et tout cela, tant d'efforts, tant de fatigue pour apprendre en arrivant au but que Giuseppe Pezzi a obtenu, après plusieurs mois de démarches auprès des autorités, l'autorisation par décret royal d'exploiter cette mine abandonnée ! Il faut reconnaître que Balzac avait eu une intuition divinatrice car, vingt ans plus tard, la Société des mines d'argent occupera plus de deux mille ouvriers et fera des bénéfices qui se chiffreront par millions ! Il vient de passer à côté du gros lot et, pendant quelques heures, il ressent une impression d'extrême abattement : il n'a plus qu'à retourner à Paris, mais l'argent qui lui reste ne le lui permet pas. Cependant, ce diable de bonhomme aux réserves inépuisables reprend vite le dessus, fait en sens inverse le chemin parcouru puis de Gênes se rend à Milan où, clochard harassé, il se présente chez le prince Porcia qui un an plus tôt l'avait reçu comme un grand seigneur... Il n'a plus rien... Il ne veut qu'un lit, un peu de repos, un peu de nourriture et un peu, un tout petit peu d'argent pour lui permettre de regagner son logis... Gêné mais charitable le prince offre à l'encombrant personnage une petite chambre dans laquelle il pourra demeurer le temps de se remettre de sa fatigue. Il lui offre aussi la somme nécessaire à son retour et le quitte en s'excusant de ne pas mieux le recevoir : c'est qu'il est très pris actuellement par la visite de l'empereur d'Autriche... Un an plus tôt, le prince eût été flatté de le présenter au souverain...

De cette chambre, Balzac écrit à Mme Hanska pour lui narrer succinctement son voyage, son espoir et sa déception et lui promet de lui raconter bientôt son aventure dans le détail et de vive voix : « Ce sera, conclut-il, une de nos bonnes soirées à Wierzschovnia. »

Eveline jette un dernier coup d'œil sur sa fille avant de quitter sa chambre. Elle peut vaquer à ses affaires sans souci : Anna qui souffre d'un léger mal de gorge est assise sur son lit, bien calée par plusieurs oreillers, entourée par la dizaine de femmes affectées à son service, qui s'empressent autour d'elle pour lui faire boire un verre d'eau de rose, lui frotter la nuque et les tempes avec une eau de Cologne à la bergamote, lui masser les chevilles avec de l'huile d'amandes douces, lui lire quelques passages de son livre préféré, lui préparer une tisane ou l'aider à manger. C'est à qui sera la plus zélée, à qui devancera la première le moindre désir de la jeune fille dont chacune rêve d'être la préférée.

Ensuite, comme elle le fait toujours en début de matinée, la comtesse rend visite à M. Hanski. Terrassé par une nouvelle crise, il repose sur son lit, dans la pénombre, gardé par deux médecins et cinq serviteurs qui se relaient à son chevet. Il semble mieux que la veille car il la reconnaît et lui rappelle que M. de Balzac devrait bientôt paraître à Wierzschovnia pour répondre à leur invitation... A ce propos, l'appartement que lui destine la comtesse est-il remis à neuf ? Les travaux sont-ils terminés ? Eveline le rassure : elle va de ce pas se rendre compte sur place. Puis elle demande des nouvelles de la santé de son mari aux médecins qui se montrent moins pessimistes que la veille, effleure de ses lèvres le front du malade et quitte la chambre. Elle donne l'ordre à l'une de ses deux suivantes d'aller faire patienter les marchands qui l'attendent dans le grand salon puis se dirige vers l'appartement destiné à son amant et qui est situé dans l'aile ouest du château. Architectes et décorateurs ont parfaitement réussi l'agencement et l'ornementation de ces trois pièces : salon ciel et jaune et chambre rose décorée de galons, de glands, de franges et de passements d'or et de soie. Des tapissiers s'affairent à recouvrir les murs de la dernière pièce d'une épaisse moire gris perle à larges ondes changeantes. Eveline a exigé la perfection pour ce cabinet de travail : cheminée monumentale, meubles et bureau Louis-XV, et rideaux de velours rouge pour encadrer les quatre baies d'où l'on découvre le parc. Dans ce décor élégant et intime, Honoré trouvera la paix qu'il recherche.

Uniquement préoccupé d'accomplir son œuvre, il lui sera enfin fidèle !

Après avoir fait quelques recommandations au décorateur qui surveille les travaux, Mme Hanska se rend dans le salon de réception où, en l'attendant, les marchands déploient leurs trésors devant l'intendant qui passe ses commandes et la douzaine de servantes privilégiées, admises à assister aux achats de Mme la Comtesse. Auparavant, Eveline allait une fois par mois faire ses emplettes à Berditchev, Jitomir ou Kiev, mais depuis la maladie de son mari, elle a tant à faire au château qu'elle ne peut en sortir. C'est pourquoi les commerçants viennent à domicile. Le spectacle est curieux car les colporteurs étalent leurs marchandises sur les tapis de Perse, tout autour du grand salon. Velours frappés ou brochés, étoffes rares brodées ou cloquées, tissus de soie, crêpe, taffetas ou lamés d'or ou d'argent voisinent à même le sol avec les bottes et les chaussures, les onguents, les baumes miraculeux, les bas de fil ou de coton, les savonnettes, les pierres à dégraisser et les plantes médicinales : jusquiame, millepertuis, salsepareille, hysope, arthémis et sauge qui soulagent ou guérissent. Eveline, entourée de ses servantes qui jacassent et poussent de petits cris pour approuver le choix de leur maîtresse, jette son dévolu sur un lourd brocart rehaussé de ramages brochés, sur un satin lamé turquoise et sur quelques rouleaux d'un surah souple et léger qui permettront aux couturiers du château de lui confectionner trois nouvelles robes. Puis, après avoir essayé une quinzaine de modèles différents, Mme Hanska achète six paires de souliers à l'italienne avec talons hauts et cambrures accentuées, les unes de tapisserie à boucles d'argent, les autres en cuir à lacets croisés. Elle s'arrête ensuite devant un vendeur de parfums qui se tient un peu en retrait et présente sa marchandise sur un éventaire maintenu par une sangle passée derrière son cou. Sur son pla-

191

teau, une trentaine de petits flacons en cristal, jaspe brun, jade olivâtre ou onyx translucide. Autant de fioles précieuses que d'essences rares. Eveline a la passion des parfums et ce marchand est réputé pour son odorat particulièrement subtil. Ses compositions sont des œuvres d'art que Mme la Comtesse essaye sur les servantes qui l'entourent. Elle saisit avec dextérité sur le plateau une lamelle d'or qu'elle plonge dans un flacon puis dépose la gouttelette en formation sur le poignet gauche de l'une de ses femmes qui fait aussitôt pénétrer le parfum en se massant légèrement avec l'index droit. Eveline flaire alors sur l'épiderme de la jeune fille la tiède exhalaison du parfum reposé. Benjoin et musc pour l'une, civette et iris pour l'autre, ambre et jasmin pour celle-ci, autant de délicats mélanges d'essences animales et végétales si réussis qu'il est malaisé de choisir. Eveline se détermine enfin pour trois fioles en cristal filigranées d'or ; lavande, muguet et surtout myrrhe dont les fragrances l'exaltent. Pour Anna, elle choisit deux flacons en jade, l'un de rose discrète, l'autre de violette odorante qu'elle confie à l'une de ses servantes en lui ordonnant de les porter immédiatement à la jeune malade.

Après un repas léger et rapide, la comtesse reçoit dans sa bibliothèque l'intendant pour la vérification hebdomadaire des comptes. Une heure plus tard, Saverina et Dyonisa viennent chercher Mme Hanska pour se rendre au village des moujiks, comme elles le font chaque mois afin de juger ceux d'entre eux qui ont commis des fautes graves. Il existe trois catégories de serfs ou moujiks : les *krepostnye*, qui possèdent une petite maison entourée d'une parcelle de terrain qu'ils cultivent pour leur propre compte, mais qui doivent consacrer quatre jours par semaine à travailler sur les terres de leur seigneur, les *dvorovye*, attachés à la maison du maître, qui accomplissent un service domestique et les *obrotchnye* qui ont acheté un peu de terre au seigneur et lui payent une redevance.

A Wierzschovnia, le comte Wenceslas Hanski a toujours refusé de parcelliser les terres du domaine au bénéfice de ses moujiks. Il ne possède que des *krepostnye* et des *dvorovye*. Ces derniers, les domestiques, font sauter l'anse du panier ou chapardent des denrées pour les échanger ou les revendre. Surpris, ils sont punis sur-le-champ par l'intendant. Les *krepostnye* se volent entre eux, ferrent la mule ou trichent sur le temps de labeur qui est dû au maître en n'accomplissant que deux ou trois jours de travail hebdomadaire au lieu de quatre ; certains commettent des crimes graves, comme le meurtre ou le viol. Ce petit peuple est sous l'autorité de Dyonisa et de Saverina qui habitent la plus grande maison du village. C'est chez elles que ceux qui ont commis de grands forfaits sont jugés et condamnés par Mme la Comtesse qui remplace M. Hanski depuis que, malade, il doit garder la chambre. Elle préside un tribunal composé de ses deux adjointes et de moujiks méritants et renommés pour leur loyauté. Les assassins, passibles de la peine de mort, sont jugés puis remis aux autorités légales qui, si le jugement est confirmé, exécutent le coupable. Les autres ne relèvent que du seul jugement de leur suzeraine et s'entendent condamner à une amende sous forme de quintaux de blé ou de journées de travail supplémentaires, à quoi peut s'ajouter pour les délits majeurs le supplice du knout. Au lendemain du jugement, un serviteur du château se porte volontaire pour appliquer le châtiment devant les moujiks et leurs familles réunis sur la place du village. Le knout est un fouet à lanières de cuir terminées par des crochets ou des boules de métal. Les coups appliqués sur le dos nu du supplicié sont insupportables au-delà d'une vingtaine et Mme Hanska n'utilise que rarement cette punition. Encore n'ordonne-t-elle jamais plus de douze coups. Il faut souligner que cette tâche lui répugne et qu'elle ne s'y prête que contrainte par les lois en vigueur [1].

Ce soir-là, Eveline refuse de souper avec Saverina et Dyonisa comme elle le fait habituellement après avoir présidé le tribunal de justice. Elle est triste et en veut un peu à ses deux adjointes car, à leur demande, elle s'est trouvée dans l'obligation de condamner très durement un homme accusé de viol : vingt coups de fouet dont il ne guérira qu'après plusieurs semaines de souffrance et d'inactivité et six mois de travail total pour le compte du maître, ce qui privera sa famille de nourriture. Qui pis est, elle a condamné ce serf sur l'accusation d'un autre serf, son voisin, lequel pourrait bien être le coupable et le sentiment d'une injustice tourmente Eveline. Elle exige de Dyonisa et Saverina une enquête sérieuse et dans l'attente du résultat ordonne de surseoir à l'exécution de la peine et de ravitailler dès le lendemain la famille du condamné.

Mme Hanska rentre au château, rend une nouvelle fois visite à son mari puis à Anna et, après cette dure journée, regagne directement sa chambre. Sur son bureau, une lettre, sans doute placée là par Lirette, repose en évidence. Elle reconnaît l'écriture d'Honoré et se saisit de l'enveloppe. Nous sommes le 10 juin 1840 ; ils se sont quittés le 4 juin 1835. Voilà donc cinq ans qu'elle ne l'a pas revu... « Nous nous reverrons à Wierzschovnia ! » Pourquoi reporte-t-il toujours sa venue ? Combien de fois cet inconstant l'a-t-il trompée ? L'aime-t-elle encore ?

Eveline ouvre la porte-fenêtre et sort sur la terrasse qui domine le parc et le village. Elle fait sauter les

---

1. L'Occident était, dans ce domaine, plus cruel encore que la Russie. Pire que le servage, l'esclavage était légal. Il n'a été aboli en France que le 27 avril 1848 et aux Etats-Unis en 1860 seulement.

cachets de cire, ouvre l'épaisse enveloppe brune et lit : « Je ne supporte plus d'être si longtemps sans vous voir. On monte *Vautrin* : quand vous tiendrez cette lettre, cette grande question sera décidée. C'est toute une fortune d'argent et une fortune littéraire jouée dans une soirée. Oh ! comme il me faut du repos ! Voici que j'ai quarante ans ! Quarante ans de souffrances... Je soupire après la terre promise d'un doux mariage, fatigué que je suis de piétiner dans un désert sans eau plein de soleil et de bédouins ! Dans dix ans, qui pourrait, grand Dieu ! vouloir de moi... Aller vous voir est un désir constant chez moi. Mais il faut ne laisser derrière soi ni billets à payer, ni dettes, ni soucis d'argent et cela représente au moins 60 000 francs. *Vautrin* peut me les donner en quatre mois. Que *Vautrin* réussisse et 1840 me verra dans votre manoir. »

Eveline pose la lettre sur un balustre de la terrasse. Elle est une nouvelle fois dans le doute. Honoré lui semble si loin d'elle ! Leurs préoccupations sont aujourd'hui si divergentes... Que se dire après une aussi longue séparation ? En fait, il lui semble bien qu'elle ne croie plus en lui, en son amour. Et pourtant que de souvenirs passionnés... A Neuchâtel première rencontre : « Je vous aime, Inconnue, et cette bizarre chose n'est que l'effet naturel d'une vie toujours vide et malheureuse.. » A Genève « le jour inoubliable » lorsque enfin elle se donne à lui : « Les anges ne sont pas si heureux en paradis que j'étais hier. » Mais ensuite, Vienne, la déception, la découverte d'un autre personnage, sale, négligé, fat, coureur et grossier... Qui est le vrai Balzac ? L'homme supérieur, l'écrivain de génie, qui lui fait part de sa recherche permanente et de la construction de son œuvre : « Dans les *Etudes philosophiques*, je dirai pourquoi les sentiments, sur quoi la vie ; quelle est la partie, quelles sont les conditions au-delà desquelles ni la société ni l'homme n'existent... » Ou bien le pauvre moujik amoureux d'une étoile qui se prosterne dans la poussière devant la reine de Wierzschovnia : « Je reprends ma correspondance selon l'ordre de Votre Beauté... » ? C'est ce dernier qui, au fond, plaît à Eveline. Assez autoritaire et fière de ses origines, elle apprécie le fait d'avoir un génie à ses pieds. Et Balzac se complaît dans cette attitude servile, s'humilie dans ses lettres, en se qualifiant de « serf docile » ou d'« humble moujik ». Enfin il s'avilit avec délectation en baisant les pantoufles de sa souveraine... Alors, Mme Hanska, flattée, accepte qu'il lui fasse le don de sa personne. Mais, avec la distance et le temps, son esclave, lui semble-t-il, s'affranchit. Avec combien de femmes l'a-t-il trompée ? Quel avenir a-t-elle avec lui ? N'est-il pas un débauché uniquement intéressé par sa fortune ? Est-il encore digne d'être l'hôte de Wierzschovnia ?

Sur la terrasse, appuyée contre un pilastre de marbre, Eveline contemple son domaine qui s'étend devant elle à l'infini ; les arbres bruissent légèrement et sur les toits du village se meuvent des clairs-obscurs argentés. Elle respire la senteur fraîche, traversée d'effluves odoriférants, venus des jardins et des bois, mélange de fleurs et d'humus.

Est-il souhaitable qu'Honoré s'aventure prochainement sur la route de Wierzschovnia ?

A l'inverse de ses projets sur le développement des mines de Sardaigne, l'entreprise des Jardies n'est pas une bonne idée. Qui plus est Balzac, au lieu de poursuivre un but précis, disperse ses efforts, passe de la culture de l'ananas à la plantation de vignes de tokay puis à l'installation de pépinières de plantes et de fleurs. Mais, sur cette terre glissante, toute de caillasse et de glaise, rien ne pousse. Les factures s'accumulent : 4 000 francs pour le décorateur, 1 000 francs pour le serrurier et surtout un solde impayé de 12 000 francs que l'entrepreneur Hubert exige sous menace de saisie. Pour le calmer, Balzac hypothèque ses terrains. Un après-midi, il travaille dans son bureau lorsqu'il entend un fracas long et violent : il a l'impression que tout s'écroule autour de lui. C'est le mur de soutènement qui vient de céder, occasionnant un catastrophique éboulement de terre et de matériaux. « Les murs des Jardies, écrit-il à Zulma Carraud, se sont écroulés par la faute du constructeur qui n'avait pas fait de fondations ; et tout cela, quoique de son fait, retombe sur moi car il est sans un sou, et je ne lui ai encore donné que 8 000 francs en acompte. »

Après le fiasco des mines de Sardaigne qui l'a laissé démuni, les événements se précipitent de désastre en désolation. Artisans, entrepreneurs et créanciers divers obtiennent des jugements contre lui et la ronde des huissiers reprend : ils surgissent à deux reprises, accompagnés d'un commissaire, pour saisir les meubles des Jardies le 5 octobre et le 15 novembre. Mais Balzac a déjà mis à l'abri ses biens les plus précieux, les uns dans un appartement spécialement loué à cet effet 108 rue de Richelieu, les autres au fond du parc des Jardies, dans la maison qu'occupe sa maîtresse la comtesse Guidoboni-Visconti, ce qui vaudra plus tard à son cocu d'époux une plainte et une demande de dommages et intérêts pour avoir « recelé une partie du mobilier du sieur Balzac hors de la propriété des Jardies ».

A la fin de 1839, l'affaire des Jardies qui devait faire de lui un millionnaire lui a coûté 10 000 francs, ce qui porte son endettement à la somme fabuleuse de 240 000 francs soit 6 millions de francs actuels.

Balzac est déprimé ; la comtesse est lasse de cet amant fantasque et velléitaire qui, à ce train, ne tardera pas à la dépouiller. Elle rompt et les Visconti quittent les Jardies pour regagner les Champs-Elysées. Balzac est sans ressources et va devoir abandonner son entreprise après trois années d'efforts... à moins qu'il ne trouve le moyen de se renflouer... et vite ! Il lui reste un recours : le théâtre auquel il n'a jamais voulu sacrifier car, romancier à part entière, il estime que l'art dramatique est un art mineur. Il méprise cette forme d'écriture faite de dialogues faciles pour distraire un public candide. Comme l'entomologiste examine un insecte à la loupe il étudie l'homme minutieusement avec délectation, en décrivant son caractère, ses motivations, ses réactions, son métier et son cadre de vie. Au théâtre, tout n'est que charge et bouffonnerie, mais un spectacle peut rapporter beaucoup plus d'argent qu'un livre. C'est dans le théâtre qu'il trouvera son salut : « Un succès, dit-il, y donne près de 100 000 francs, deux succès m'acquittent. »

Il apprend incidemment que M. Harel, le directeur de la Porte-Saint-Martin, est dans l'embarras : la comédie qu'il fait représenter est un fiasco et il cherche de toute urgence, pour le tirer d'affaire, une pièce qui soit un succès assuré. Balzac lui rend visite et lui propose de mettre en scène une figure populaire de son roman à gros tirage *le Père Goriot*, accueilli triomphalement par la critique et le public. Il s'agit de Vautrin, personnage secondaire assez solide pour devenir légendaire. C'est de surcroît un héros authentique puisque Balzac a pris pour modèle Vidocq, le fameux forçat évadé devenu chef de la police parisienne, qu'il avait un jour rencontré par le truchement de Mme de Berny. Harel s'enthousiasme à l'idée de transposer au théâtre ce policier énergique et pervers qui vient de connaître la célébrité grâce au *Père Goriot*. En bon directeur, il se met aussitôt en quête de l'interprète idéal... Si Frédérick Lemaître acceptait... Oui ! Frédérick Lemaître, avant qu'une seule ligne soit écrite, rien que sur l'idée, accepte d'incarner ce personnage parce qu'il est à sa mesure : démesuré. Et Harel, emballé, signe un contrat à Balzac sur ce simple projet. L'un et l'autre se congratulent... La belle affaire ! Avec ces dizaines de milliers de francs qui vont tomber dans leurs escarcelles, le premier va remettre à flot son théâtre et le second va renflouer les Jardies : « Je vais rester là jusqu'à ce que fortune soit faite, écrit Balzac. Je crois que j'y finirai mes jours en paix, donnant sans tambour ni trompette démission de mes espérances, de mes ambitions, de tout. »

Harel est pressé ; Balzac fera vite. Pour être à pied d'œuvre, il s'installe près du théâtre de la Porte-Saint-Martin, dans son appartement de la rue de Richelieu. Il va chaque jour au théâtre, assiste à l'engagement des comédiens, leur explique leur rôle, se préoccupe de la réclame en aidant à la composition des affiches... mais il n'écrit toujours pas la pièce. Pourquoi ? Parce qu'il n'a aucun sens du dialogue et ignore tout de la composition dramatique. Et peu à peu arrive la veille du jour prévu pour la lecture de l'ouvrage, sur la scène du théâtre, en présence du directeur et des comédiens. Il est temps de faire vite. Balzac convoque quatre amis : Ourliac, Laurent-Jan, Belloy et bien entendu Théophile Gautier qui, plus tard, racontera la scène avec humour, dans ses *Souvenirs romantiques*. Il leur annonce qu'il doit lire le lendemain un grand drame en cinq actes au directeur de la Porte-Saint-Martin et que les répétitions commenceront aussitôt, la troupe étant engagée avec dans le rôle principal Frédérick Lemaître. Ses amis s'installent confortablement, s'apprêtant à écouter la lecture de cette pièce au sujet de laquelle leur confrère désire connaître leur avis. « Mais Balzac, écrit Théophile Gautier, annonce le plus simplement du monde :

— Le drame n'est pas fait !

— Diable ! fis-je, eh bien, il faut faire remettre la lecture à six semaines.

— Non. Nous allons bâcler le diorama pour toucher la monnaie. A telle époque j'ai une échéance bien chargée.

— D'ici à demain, c'est impossible. On n'aurait pas le temps de le recopier.

— Voici comment j'ai arrangé la chose. Vous ferez un acte, Ourliac un autre, Laurent-Jan le troisième, de Belloy le quatrième, moi le cinquième, et je lirai à midi comme convenu. Un acte de drame n'a pas plus de quatre ou cinq cents lignes. On peut faire cinq cents lignes de dialogue dans sa journée et dans sa nuit. »

Surprise de l'assemblée ! Témérairement, Théophile Gautier lui demande quelques précisions :

« Contez le sujet, indiquez le plan, dessinez-moi en quelques mots les personnages et je vais me mettre à l'œuvre, répondis-je, passablement effaré. Ah ! s'écriat-il avec un air d'accablement superbe et de dédain magnifique, s'il faut vous conter le sujet, nous n'aurons jamais fini... »

Un vague plan est ébauché. Balzac obtient un délai et bâcle l'ouvrage avec la seule aide de Laurent-Jan, les autres ayant déclaré forfait. Le fiasco va être à la hauteur de la méthode de travail. Refusée à deux reprises par la censure qui estime que *Vautrin* bafoue la police, la pièce est autorisée en troisième lecture et créée le 14 mars 1840. Accueil glacial des trois premiers actes par un public composé en grande partie de journalistes vilipendés par Balzac dans *les Illusions perdues* et d'une assitance mondaine qui méprise le théâtre populaire et juge insipide et vulgaire cette tentative de Balzac. Le scandale éclate au quatrième acte, lorsque Frédérick Lemaître fait son entrée en général mexicain, le crâne couvert d'une perruque rousse surmontée d'un toupet qui le fait ressembler à une caricature de Louis-Philippe. Des sifflets fusent et le duc d'Orléans sort de sa loge avec fracas et quitte la salle. Il n'y aura pas d'autre représentation : la pièce est interdite le lendemain et la critique accable l'auteur.

La Porte-Saint-Martin ferme ; Harel est en faillite. Balzac criblé de dettes a maintenant un créancier de plus : un certain Foullon qui lui a prêté 5 000 francs, remboursables après le triomphe de *Vautrin* et qui le poursuit hargneusement. Il est épuisé et tellement à bout de ressources qu'il emprunte 60 francs à une amie pour se nourrir.

Cependant, sa production est toujours aussi régulière, intense. Dans cette période agitée, entre 1839 et 1840, occupant ses nuits à gagner l'argent qu'il dilapide le jour, il écrit la deuxième partie des *Illusions perdues*, *le Cabinet des antiques*, *Une fille d'Eve*, *Béatrix*, *Pierrette*, *Pierre Grassou* et *les Fantaisies de Claudine...* Jamais son style n'a été aussi précis, concis.

Mais l'affaire de la Porte-Saint-Martin, après la catastrophe des Jardies, l'a brisé. Il tombe malade et se trouve dans un état d'abattement total. Il écrit à Mme Hanska : « Je ne vaux pas un insecte fiché sur le carton dans la boîte de quelque naturaliste amateur. »

Il doit encore reporter à un moment plus favorable son séjour à Wierzschovnia.

CHAPITRE XVII

AVE EVA !

« 16 nov 1840. A compter du moment où vous recevrez cette lettre, écrivez-moi à l'adresse suivante : M. de Breugnol, rue Basse nº 19 à Passy près Paris. »

C'est ainsi que Mme Hanska apprend qu'une fois de plus, l'instable Honoré a déménagé. Ainsi se termine la ruineuse affaire des Jardies que Balzac a dû mettre en adjudication : cette propriété qui lui a coûté plus de 100 000 francs a été vendue 17 500 francs à un architecte du nom de Claret.

A la recherche d'une demeure discrète, Balzac découvre à Passy une maison retirée, construite au flanc d'une carrière qui descend jusqu'à la Seine. Devant le portail rustique, une borne placée en 1731, et que l'on peut voir encore aujourd'hui, délimitait les seigneuries de Passy et d'Auteuil[1]. Ce pavillon modeste comble ses vœux car il possède deux issues, l'une sur la rue Basse (l'actuelle rue Raynouard) et

---

1. C'est l'actuelle maison de Balzac que l'on peut visiter au numéro 47 de la rue Raynouard. Il y demeura d'octobre 1840 à février 1847 et y écrivit, entre autres, *la Cousine Bette*, *Ursule Mirouët*, *les Paysans*, *la Rabouilleuse*, et *le Cousin Pons*.

l'autre, à laquelle on accède par un escalier dérobé, aboutit deux étages plus bas dans la rue du Roc (aujourd'hui rue Berton). Par cette sortie secrète, il pourra échapper aux créanciers, aux huissiers et aux gardes nationaux qui le harcèlent. Il est d'autant mieux protégé qu'il voit arriver de loin le visiteur : celui-ci doit descendre deux étages pour atteindre la cour. Ce qui n'empêche pas Balzac d'inventer de nouveaux mots de passe compliqués et, pour plus de précaution, de vivre sous le nom d'emprunt de Mme de Brugnol. Car c'est Mme de Brugnol qu'il faut demander si l'on veut voir M. de Balzac. Mais à l'inverse de la veuve Durand, cette Mme de Brugnol n'est pas un mythe[1]. Louise de Brugnol habite cette maison et partage la vie de l'écrivain. Qui est-elle au juste ? Intendante, gouvernante, ou servante maîtresse ? C'est indiscutablement un personnage important dans la vie de Balzac. Elle a trente-sept ans et Marceline Desbordes–Valmore la trouve belle, timide, charmante et passionnée. Sans doute est-ce elle la Flore Brazier de *la Rabouilleuse.* Elle reçoit les intimes en maîtresse de maison, discute avec les libraires-éditeurs et les imprimeurs. Auprès d'elle, Balzac connaît pour la première fois de son existence un bonheur calme, bourgeois et casanier. A l'abri des soucis quotidiens, il écrit « de minuit à huit heures et de neuf heures à cinq heures » une importante partie de *la Comédie humaine.* Le 2 octobre 1841, il signe un contrat avec Furme, Hetzel et Paulin pour la publication de l'ensemble de son œuvre en dix-sept volumes, utilisant pour la première fois le titre général *la Comédie humaine.* L'édition tirée à 7 000 exemplaires rapportera à Balzac 50 centimes par exemplaire soit 3 500 francs par volume : au total,

---

1. Quelques jours après son arrivée rue Basse, Balzac décide, on ignore pourquoi, de l'appeler Mme de Brugnol alors qu'elle est née Louise Breugnot.

dix-sept fois 3 500 soit 59 500 francs (1 million et demi de francs actuels). Mais ces droits ne seront payés qu'après vente. A la signature, Balzac ne reçoit qu'un à-valoir de 15 000 francs lequel ne couvre qu'une partie de ses dettes. Ce travail incessant et ces soucis le dépriment : « J'étais sans argent, écrit-il, j'allais à pied de Passy à mes affaires, trottant le jour, écrivant la nuit. Je ne suis pas devenu fou, je suis tombé malade. » Son ami le docteur Nacquart lui ordonne un long repos : il va en Touraine puis en Bretagne en compagnie de Louise de Brugnol. De retour à Paris, ils reprennent leur vie commune, une vie qu'il décrit à Mme Hanska comme étant « monacale », alors qu'elle est bien plutôt devenue conjugale. Au cours de cette année 1841, Eveline et lui n'échangent que cinq lettres. Pourtant, Balzac ne cesse d'entretenir la flamme de cet amour mythique. Il veut aimer Eveline, donc il l'aime. Mais la châtelaine ne répond plus et reste six mois sans écrire. En juillet, le fidèle moujik supplie la reine de Wierzschovnia de ne pas le laisser dans l'inquiétude, de lui envoyer d'urgence quelques lignes. Afin de l'émouvoir, il lui raconte sa maladie, son voyage en Bretagne dans la tristesse et la solitude... Pas de réponse. Alors l'angoisse le saisit, son rêve va prendre fin. C'est la rupture ; jamais il n'épousera son Eve. Fin septembre, c'est un appel au secours qu'il lui adresse : « Voici la cinquième lettre que je vous écris sans avoir de réponse. Je suis plus qu'inquiet, je ne sais que penser... J'attends un mot de vous avec anxiété... J'ai des moments où je ne sais même plus inventer une raison de ce silence, je les ai toutes envisagées et les ai trouvées plus amères les unes que les autres. » Enfin, il reçoit une réponse, toute d'amertume et de mélancolie, qui confirme ses craintes parce qu'elle lui semble dissimuler une malencontreuse décision le concernant. Il n'a pas tort. Par le canal de ses amis polonais de Paris, Eveline est au courant de la vie commune de son amant avec une certaine Louise. Or, elle n'accepte pas d'être trompée. Il lui a cependant posé honnêtement cette question : « Un homme est-il une femme ? Peut-il demeurer chaste plusieurs années durant ? Il irait à l'impuissance et à l'imbécillité. » La comtesse, déçue, ne veut rien entendre. Elle l'a trouvé « sublime », elle le veut « divin » et le lui fait savoir. Or, Balzac affectionne les contrastes violents entre le réel et l'imaginaire. Toujours adorateur d'une idole, il boit à sa coupe, se nourrit d'elle, la désire et souhaite qu'elle le punisse pour cette profanation. Il l'aime totalement, mais cette Etoile polaire vit trop loin de lui et son corps a des besoins sexuels qu'il lui accorde mais qu'il refuse de reconnaître. Ainsi, par autosuggestion, conservera-t-il dans l'imaginaire la réalité de son amour. Car Balzac, démesuré, passionné et passionnant ne cesse jamais d'être sincère avec lui-même.

Et voilà que soudain tout va basculer. L'univers chimérique dans lequel il s'était taillé une existence confortable va s'effacer sous le poids d'une brutale réalité. Le 5 janvier 1842, il trouve dans son courrier une enveloppe bordée de noir en provenance de Wierzschovnia lui apprenant que deux mois plus tôt, le comte Wenceslas Hanski est décédé. Tout devient alors possible : Eveline est riche et libre et son rêve peut se concrétiser. Le choc est tel que Balzac, bouleversé, s'enferme dans son bureau et y demeure, comme hébété, vingt-quatre heures durant, refusant de recevoir quiconque. Cette lettre est brève, glacée, tardive et n'évoque en rien l'avenir des deux amants. Pas un mot tendre, rien de rassurant alors que la comtesse pourrait en toute indépendance se confier sans retenue. Il réfléchit, soupçonne, s'inquiète et répond : « J'aurais voulu deux mots pour moi dans cette lettre... Ecrivez-moi que votre existence sera toute à moi, que nous serons maintenant heureux sans un nuage possible. Vous n'avez pas rempli la dernière page de votre lettre ! Vous avez mis tant d'inquiétude autour de ce qui me rend heureux que je ne sais plus que penser. » Il ne reçoit pas de réponse. Peut-être l'imagine-t-elle très laid, très vieux, très gros... Il y a si longtemps qu'ils ne se sont pas vus ; Alors il reprend la plume et pour la rassurer se dépeint sous des dehors attrayants : « Je n'ai que quelques cheveux blancs épars... Je ne crois pas avoir changé depuis Vienne et j'ai le cœur si jeune que le corps s'est maintenu sous la rigidité monacale de mon existence. Enfin j'ai encore quinze ans de quasi-jeunesse, absolument comme vous, ma chère, et je donnerais bien en ce moment dix ans de ma vieillesse pour hâter l'heure où nous nous reverrons. »

Il devra attendre le 21 février 1842 pour comprendre la dure réalité. Mme Hanska estime que cette situation nouvelle ne change rien car elle n'est pas plus libre qu'auparavant : elle doit se consacrer à sa fille qui a été tout au long de sa vie sa seule consolation. Elle l'a attendu. Est-il jamais venu ? Pensait-il à elle lorsqu'il la trompait ? Il est trop tard maintenant pour venir à Wierzschovnia. Rien ne l'enchaîne plus à elle. Et Mme Hanska de conclure par ces trois mots qui, pour Honoré, vont trancher d'un coup tout espoir de bonheur : « Vous êtes libre. » La souveraine affranchit son esclave, qui depuis neuf années vit courbé sous le joug et, heureux ainsi, refuse cette liberté dont il ne sait que faire : « Avec quelle glaciale tranquillité vous dites : "Vous êtes libre" à celui qui n'a jamais imaginé qu'il le fût depuis neuf ans. Depuis Vienne je n'ai jamais pu conquérir le temps et l'argent nécessaires à un voyage de trois mois. J'ai beau vous raconter ma vie laborieuse, vous n'y croyez pas. Je lutte contre la tempête en tenant un mât auquel j'étais accroché désespérément et il vous plaît de me briser cet appui froidement... Non, je n'aurais jamais inventé ce désastre... J'ai le cœur déchiré !... C'était toute ma vie qui se jouait, vous en avez ôté l'âme en me disant : ne venez pas... » Balzac continue de bâtir le roman de sa propre vie. Il est convaincu de la réciprocité de leur amour, insiste, demande des explications, va comprendre que Mme Hanska se heurte à de graves difficultés dont elle lui fait part dans ses lettres et tentera de la convaincre qu'elle doit changer de vie, venir le rejoindre à Paris, l'épouser et devenir ensuite « l'une des reines » de la capitale.

Ce qu'il ignore, c'est que la situation de Mme Hanska va se compliquer, s'aggraver au point qu'elle risque de perdre la totalité des biens qui composent sa fortune.

Seule désormais, Eveline doit se battre sur plusieurs fronts. Elle est d'origine polonaise et de confession catholique mais vit dans un Etat uni à l'empire russe, donc de religion orthodoxe. Comme son mari, sa famille a choisi de coopérer avec l'oppresseur tsariste contre les patriotes polonais, dont la plupart ont préféré la lutte, l'insurrection et l'exil. Et toute cette famille se dresse contre elle sous la houlette de la terrible Rosalie Lubomirska dont la mère périt en France, sur l'échafaud, pour avoir été l'amie de Marie-Antoinette et dont la dramatique histoire faisait frissonner Eveline au temps de son enfance. Tenaillée par sa haine contre cette France révolutionnaire et sanglante qu'elle stigmatise en la personne de Balzac, elle ameute la famille au complet de Wierzschovnia à Saint-Pétersbourg. Tous sont au courant, par leurs parents exilés à Paris, de la liaison d'Eve avec un écrivain étranger et font chorus avec Rosalie pour la dissuader de faire une mésalliance avec ce faux noble, authentique plébéien, coureur de dot et aventurier. Le blason qu'il affiche sur ses couvertures et son cabriolet a fait long feu à la suite d'une enquête sérieusement menée par les Polonais de Paris. Ensuite et surtout, il y a sa fille Anna. Va-t-elle l'exiler en France, lui donner un nouveau père, lui faire épouser un humble étranger et transformer en roturière cette descendante d'une lignée noble et historique ? Car alors elle ne serait plus l'héritière des Hanski... Comme Eveline oppose encore quelque résistance devant cette conspiration familiale, un cousin de son mari qui a fait d'Anna sa légataire universelle, dans la crainte de voir sa fortune et celle du comte Hanski revenir à un Français sans scrupule, annule son testament, engage une action judiciaire contestant la validité de celui de M. Hanski, fait opposition à l'exécution du contrat signé par les deux conjoints, exige que la gestion du domaine de Wierzschovnia soit confiée à un fonctionnaire de l'Etat et gagne le procès.

Eveline est chassée de ses terres, de son château. Il ne lui reste qu'un espoir : engager une nouvelle procédure et, grâce à ses frères, très en cour auprès du tsar, obtenir l'annulation du jugement du tribunal de Kiev. Ce nouveau procès se déroulera à Saint-Pétersbourg. Puisqu'elle n'a plus rien à faire à Wierzschovnia, c'est dans cette ville qu'elle décide de s'installer avec Anna, afin de pouvoir défendre sur place ses intérêts.

C'est au cours d'une crise de lassitude et de découragement qu'Eveline a écrit ces mots : « Vous êtes libre. » Et puis, à Saint-Pétersbourg, elle se bat, espère gagner et reprend espoir. Elle fait part de ses problèmes à Balzac qui ne comprend pas et s'indigne : « Je ne vois pas comment on a pu annuler un contrat de mariage fait avant le mariage. J'ai peur de cette justice qui ne vaut pas mieux que la nôtre... O pauvre amie, combien le peu de bonheur qu'on a sur terre nous est vendu cher ! » Et il a ce mot qui touche Mme Hanska au plus profond d'elle-même : « Moins je vous vois riche plus il me semble que vous êtes mienne. » Elle fait le serment de ne jamais abandonner un être aussi sincère et lui écrit pour lui demander de patienter trois années environ. « Attendre trois ans, répond-il, c'est la mort. » Et il prend la résolution de la rejoindre à Saint-Pétersbourg : « Avec quel plaisir j'irai à Saint-Pétersbourg en mai prochain le jour de ma fête ! Vous seule pouvez dire : venez. Mais il faut que ce soit sans aucun danger, je le sens bien. Et qui sait si je ne ferai pas finir le procès ? » En apprenant l'intervention des frères de Mme Hanska, il reprend espoir : la cause principale est gagnée. Eveline ne risque que de perdre une part de ses revenus administrés, mais la fortune de son mari lui reviendra et elle sera encore une femme très riche. Il est optimiste et se montre si convaincant qu'il parvient à rassurer Mme Hanska qui retombe sous le charme de sa rhétorique amoureuse. Elle est seule à présent et plus que jamais ressent le besoin de se confier et de retrouver son génial amoureux. Elle l'autorise enfin à venir la rejoindre à Saint-Pétersbourg. Et puis, une crainte la saisit : huit années se sont écoulées, qui se sont gravées sur son front, aux commissures de ses lèvres, sous son menton... A ces fines rides s'ajoute un léger embonpoint : après plusieurs accouchements elle a perdu la fraîcheur de la jeunesse.

En apprenant qu'après dix-huit mois d'attente, Eveline lui permet de venir la retrouver, Balzac exulte : « O grand saint Honoré ! Toi à qui l'on doit une si belle-laide rue de Paris, protège-moi plus spécialement cette année ! Fais que le bateau ne saute pas ! Fais que je ne sois plus garçon, de par M. le Maire ou M. le Consul de France, car tu sais que je suis marié d'âme depuis onze ans bientôt ! Voici quinze ans que je mène la vie d'un martyr. Dieu m'a envoyé un ange en 1837, que cet ange ne me quitte plus qu'à la mort ! J'ai vécu par *l'écriture*, fais que je vive un peu par l'amour ! Occupe-toi plutôt d'elle que de moi, car je voudrais lui tout donner, même ma part du ciel, et fais surtout que nous soyons heureux bientôt. *Ave Eva.* »

Il fixe la date de son départ au mois de juin 1843 : « A compter d'aujourd'hui, écrit-il à Eve, je ne quitterai plus mon fauteuil ni mon bureau car il faut écrire cinq volumes sous peine de ne pouvoir partir. Je dois travailler jour et nuit. » En quelques mois sa production est intense : *Mémoires de deux jeunes mariés, la Fausse Maîtresse, la Rabouilleuse, Une ténébreuse affaire, les Paysans* et une partie des *Illusions perdues.* C'est à ses dettes, à son incessant besoin d'argent que nous devons bon nombre de chefs-d'œuvre. « Il est midi, je viens de prendre une forte dose de café, je me remets aux *Paysans* pour la dixième fois... » L'été, sa maison de la rue Basse, à Passy, est particulièrement inconfortable. Il y travaille dans des conditions infernales par 50° de chaleur : « J'ai dans mon cabinet quinze degrés de plus qu'au soleil, car le blanchisseur établi au-dessous de moi fait du feu au charbon de terre comme une locomotive, et au-dessus de ma tête, il y a du zinc. Je mouille deux chemises par jour à rester dans mon fauteuil. »

Mais à ce rythme, il s'épuise et change physiquement au point que, comme Mme Hanska, il s'inquiète : son corps ne résiste pas à tant d'acharnement. Qui plus est, Balzac est un gros mangeur et boit énormément, de l'eau et du café. Grand amateur de crudités, il dévore légumes, salades et fruits crus. Assis à son bureau quinze heures par jour, il manque d'exercice et grossit démesurément. En fait cet embonpoint est dû à une hydrophilie des tissus. De par cette accumulation de liquides, il souffre d'œdèmes et a le ventre enflé d'un commencement d'hydropisie. A quarante-trois ans, il ressent les atteintes du vieillissement. Il regrette d'avoir écrit à Eve, dix-huit mois plus tôt, qu'il n'avait pas changé depuis leur dernière entrevue et, par crainte de la décevoir lors de leurs retrouvailles, il adopte le ton badin pour l'informer : « Je suis si gros que les journaux en plaisantent, les misérables. Voilà la belle France, on s'y moque du malheur produit par les travaux. Ils se moquent de mon abdomen. Non, vous ne me reconnaîtrez plus ! » Dans une autre lettre, c'est le ton du découragement, de l'abandon : « Créer, toujours créer ! Dieu n'a créé que pendant six jours ! Aussi, mes dettes payées, vivre dans un coin, Russie ou France, sans entendre parler de quoi que ce soit en compagnie d'un amour comme le vôtre est une idée que je caresse. » Une autre fois son caractère de battant prend le dessus : « J'ai, sans avoir jamais vu l'empereur de Russie, de la propension pour lui : 1° parce que c'est le seul souverain dans l'acception du mot c'est-à-dire le maître... 2° parce qu'il exerce le pouvoir comme on doit l'exercer. 3° parce qu'il est au fond très aimable avec les Français qui vont voir sa ville... » Pour un peu, il prendrait la nationalité russe ! Il se voit déjà présenté à la cour devant un aréopage d'admiratrices et d'admirateurs ! Il a depuis longtemps calculé le coût de ce voyage : 200 francs de Paris à Dunkerque, 400 francs de Dunkerque à Saint-Pétersbourg, autant pour le retour, au total 1 200 francs qu'il ne parvient à réunir qu'en retardant son départ d'un mois. Il a aussi de quoi acheter quelques cadeaux, onguents, pommades, parfums, gants et pour sa souveraine deux émeraudes serties dans une bague en or.

C'est le 21 juillet qu'il s'embarque à Dunkerque à bord du *Devonshire* pour Saint-Pétersbourg où il arrive le 29 juillet 1843. Eve et Honoré se sont connus dix ans plus tôt et ne se sont pas vus depuis huit années.

CHAPITRE XVIII

BILBOQUET, ATTALA, ZÉPHYRINE ET GRINGALET

C'est un jeune homme qui, ce jour-là, se précipite, grillant d'impatience, vers son premier amour. Mais, sur le *Devonshire*, huit journées d'un voyage éprouvant le séparent du paradis. Huit journées durant lesquelles il souffre d'un mal de mer si fréquent que ce n'est plus un jouvenceau mais un vieillard égrotant qui arrive à Cronstadt. Il doit encore supporter des formalités douanières, la fouille des bagages, les interrogatoires et puis l'embarquement sur un autre bateau qui le conduit à Saint-Pétersbourg où l'attendent d'autres tracasseries administratives.

Libre enfin, il se hâte pour rendre visite immédiatement à sa chère Eve qui demeure avec sa fille et Lirette dans le palais Koutaïzoff, sur la Grande Millionne, au centre du quartier aristocratique de Saint-Pétersbourg.

Quelle est son impression en retrouvant cette femme qu'il n'a jamais voulu cesser d'aimer et qu'un témoin de l'époque, Boleslas Markévitch, décrit comme étant « une femme forte, pour ne pas dire grosse, d'une

212

quarantaine d'années, de petite taille, avec une large figure... » ? Il la trouve superbe, inchangée : « J'ai eu le bonheur à midi environ de revoir et de saluer ma chère comtesse dans sa maison Koutaïzoff, Grande Millionne. Je ne l'avais pas vue depuis Vienne et je l'ai trouvée aussi belle, aussi jeune qu'alors. » Son enthousiasme est tel qu'il s'enfièvre et passe une mauvaise nuit : « J'ai été réveillé maintes fois par une affreuse migraine. J'ai été trop secoué hier... Quoique fort, il y a des émotions qui dépassent mes forces. » A cette émotion s'ajoute une contrariété : son logement est envahi par les punaises qui la nuit tombent du plafond sur son lit, ce qui ne prête guère au repos paisible. Car à Saint-Pétersbourg, l'hôtellerie est pratiquement inexistante et le voyageur doit loger chez l'habitant. Mme Hanska, qui ne peut compromettre sa réputation en l'hébergeant, lui a trouvé, chez une vieille femme qui loue quelques pièces de son appartement pour vivre, dans la maison Tritoff, une modeste chambre avec petit déjeuner. L'inconfort est un détail dont Balzac, dans l'allégresse des retrouvailles, se moque bien. Au reste, c'est chez son amie qu'il passera le plus grand nombre d'heures.

Si, à ses yeux, Eve n'a pas changé, Anna en revanche est méconnaissable. La fillette qui, à Genève, exigeait qu'il se mît à quatre pattes pour jouer au cheval et grimper sur son dos, est devenue une ravissante jeune fille de seize ans. Toute la maisonnée, à commencer par sa mère, est en admiration devant elle et exécute le moindre de ses caprices d'enfant gâtée. La dévouée Lirette la sert aussi fidèlement qu'elle servait Mme Hanska avant l'entrée en scène de Balzac. Les rapports entre les deux femmes se sont tendus. Lirette en arrive à mépriser — et le fait bien sentir — cette comtesse qui ne sait pas tenir son rang et se commet avec un écrivain français. Elle estime que sa tâche d'éducatrice va bientôt toucher à sa fin ; lorsque la jeune Anna sera mariée, elle quittera cette maison et entrera en religion.

Balzac est déçu par l'accueil de Saint-Pétersbourg. Pas un mot sur lui dans la presse. On ne mentionne pas même son nom dans la liste des personnalités arrivées à bord du *Devonshire*. Pourtant, son œuvre est renommée en Russie. *Eugénie Grandet*, son premier roman traduit en russe, a connu un triomphe. Cette feinte indifférence est due à une querelle entre le tsar Nicolas Ier et le roi Louis-Philippe, si grave que l'on avait frôlé la rupture des relations diplomatiques entre les deux pays. La parution d'un livre du marquis de Custine, dénonçant le despotisme et les injustices du régime tsariste, aggrava la situation : « Quand vous serez mécontent en France, conseillait-il, allez en Russie... Quiconque aura bien vu ce pays se trouvera content de vivre partout ailleurs. » A Saint-Pétersbourg, une seule gazette parle de Balzac : c'est pour critiquer avec insolence ses dernières œuvres. « J'ai reçu le soufflet destiné à Custine », écrira-t-il un peu plus tard.

Donc, la capitale ignore l'illustre écrivain. La haute société boude le salon de Mme Hanska et les invitations sont rares, exception faite de quelques soupers à l'ambassade de France et d'une invitation du comte Benkendorff à une parade militaire qui permet à Honoré de voir le tsar de loin, comme « le chien qui regarde l'évêque », selon ses propres termes. Tout à son bonheur retrouvé, il se moque de la gloire et passe la totalité de son temps en compagnie d'Eveline, dans le salon bleu aux rideaux passementés, orné de meubles rococo, d'objets précieux et toujours artistement fleuri. En attelage de grand luxe, ils vont de conserve visiter la ville, longer la Neva, découvrir l'ancienne cité aux rues pittoresques, avec ses boutiques, ses colporteurs, sa foule de Grecs, d'Arméniens, de Tziganes vêtus de couleurs éclatantes. Ils visitent le Palais d'Hiver, le Palais de Marbre et la Kounstkamera (Cabinet des merveilles). De retour au palais Koutaïzoff, Eveline gagne sa chambre pour changer de toilette. En compagnie d'Anna, Honoré l'attend dans le salon ; il raconte à la jeune fille de belles histoires qu'il invente pour elle. Anna retrouve avec plaisir le vieil ami de son enfance, gros, malhabile, moustachu, qui sait si bien la distraire, l'émouvoir ou la faire rire. Eveline entre, vêtue d'une robe de taffetas mauve au léger froufrou, suivie de Lirette qui vient chercher Anna pour l'accompagner jusqu'à sa chambre. Après le souper, la soirée se prolonge autour du samovar fumant, afin de déguster un thé blond très fort et parfumé, en grignotant des macarons devant un feu qui pétille dans la cheminée. Honoré, fascinant, manifeste à sa chère Eve un amour sensuel et passionné. Ce sont les moments les plus harmonieux de leur vie. Balzac doit se souvenir des leçons d'érotisme de Mme de Berny car, comme elle, Eve affectionne les chatteries et les prémices amoureuses. Cette fois, l'accord physique et moral est total, définitif. Séduite, conquise, Eveline peut aimer sans entraves, sans remords. Et puisqu'ils sont libres, il la supplie de lui accorder le mariage... tout de suite ! Il a emporté les papiers nécessaires à l'établissement de l'acte par le consulat de France. Ils ont bien mérité ce bonheur après une aussi longue attente. Elle tente de le raisonner et lui demande de patienter. Mais enfin pourquoi ? Parce que le jugement concernant l'usufruit des biens de son mari est en passe d'être annulé par décision souveraine, grâce à l'intervention de ses frères auprès du tsar, et que ce mariage, considéré comme une provocation, ne pourrait que lui nuire. En second lieu, parce qu'elle ne pourra consentir à cette union que lorsque sa fille, légataire du comte Hanski, sera mariée et que les parts d'héritage auront été déterminées. Enfin, pour quitter la Russie, elle doit obtenir une autorisation du tsar qui lui accordera ou lui refusera la permission d'emporter sa fortune personnelle. Alors Balzac décide que c'est à Wierzschovnia qu'il ira l'épouser dès son retour... Impossible ! Sa famille, par vengeance, tenterait de faire révoquer la décision souveraine et de déshériter Anna... Non... Qu'il rentre à Paris et vienne plus tard la rejoindre à Dresde, puis à Wiesbaden où elle doit, pour sa santé, prendre les eaux... Elle lui jure de l'épouser dès que sa fille sera établie. Maintenant, ils doivent se séparer, après trois mois d'un bonheur retrouvé et définitif cette fois... Il a su se tirer d'une situation difficile et reconquérir sa déesse.

La mer lui ayant laissé de fâcheux souvenirs, il préfère rentrer par la route. Eveline lui offre des bottes fourrées, un manchon pour protéger ses mains, des provisions de bouche, l'accompagne à la malle-poste et lorsqu'il est assis, le recouvre d'un manteau et de fourrures superposées. Balzac, frileux, fait néanmoins un voyage pénible de quatre jours, s'arrête dans des auberges malpropres et glacées, se nourrit mal et dort peu dans cette immense voiture tirée par dix chevaux sur des routes cahotantes et boueuses. Il rentre par Berlin, Cologne, Aix-la-Chapelle et, le 3 novembre 1843, retrouve Paris et sa maison de la rue Basse.

Comme prévu, le procès s'est terminé à l'avantage de Mme Hanska qui repart aussitôt pour Wierzschovnia où mille tracas l'attendent : ses terres sont en friche, abandonnées, dévastées. Elle doit emprunter pour payer les dépens du procès. Au château, elle se sent épiée par des serviteurs à la solde des autorités qui, déçues par le récent jugement, tentent de la prendre en faute. Avec sa fermeté coutumière, Eveline fait front, jette dehors le personnel douteux et le remplace par une domesticité fidèle, relève les intendants mis en place par le pouvoir local et engage des régisseurs dévoués à sa cause.

Parallèlement se produit un événement d'importance, susceptible de transformer sa vie : les fiançailles de sa fille Anna avec le comte Georges Mniszech, un jeune homme de haut rang descendant d'une famille de soldats, d'aspect chétif et de caractère faible, mais très fortuné et épris d'Anna au point de satisfaire tous les caprices de cette ravissante enfant de seize ans. Il a compris qu'une ferveur profonde unissait la mère et la fille et, adroitement, fait preuve à l'égard de Mme Hanska d'admiration et de vénération. Eveline se confie, lui fait part de sa situation avec Balzac et le prie d'être son avocat auprès d'Anne pour lui faire admettre peu à peu son mariage avec le romancier. Pour cela, une rencontre entre le jeune couple et Honoré est indispensable et Mme Hanska leur propose de l'accompagner en Allemagne où Balzac doit précisément la rejoindre.

A Dresde, Eveline retrouve des parents et des amis exilés. Elle est reçue partout et fêtée en compagnie de sa fille et de son fiancé. Autour de Mme Hanska, jeune veuve riche et encore très désirable, les prétendants se pressent. Son aventure avec Balzac est connue et si l'on en parle, c'est en plaisantant. Personne ne croit à un mariage : un nom illustre ne peut ainsi se mésallier. Les donneurs de leçons ne manquent pas : la princesse Golitsin lui conseille de se méfier des artistes et ses tantes l'accablent de propos médisants sur le compte de cet écrivain débauché, de ce cynique coureur de dot. On lui rappelle qu'une Rzewuska ne peut se déshonorer. On lui présente des hommes jeunes, nobles, au physique agréable qui seraient heureux et fiers de vivre à ses côtés.

Mais, grâce au courrier, Honoré est toujours présent. Une fois par semaine, Eveline reçoit une lettre enflammée de son amant qui se grise de son amour, s'en nourrit et le transforme au gré de son imagination délirante. Cependant, de plus en plus souvent, il se plaint de son état de santé : « Je suis entré dans une période d'horribles souffrances nerveuses à l'estomac causées par l'abus du café. Il me faut absolument du repos. Ces douleurs affreuses, sans exemple, m'ont pris depuis trois jours. » Nous sommes en 1844 et il écrit les dernières pages des *Paysans* : « J'ai calculé ce matin que j'ai fait depuis deux ans quatre volumes de *la Comédie humaine*. Dans vingt et quelques jours je ne serai plus bon qu'à mettre en malle-poste... » Car son but est toujours de rejoindre Eve et de l'épouser. Elle seule sera capable de lui rendre la vie...

Alors, dans la tiédeur de l'ambiance mondaine, entourée d'arrogants salonnards, Eveline prend peur. A Saint-Pétersbourg, elle a déjà perçu ricanements et moqueries au passage du couple qu'elle formait aux côtés de cet homme édenté, joufflu, moustachu et ventripotent. Elle éprouve de la honte à l'idée du camouflet que lui infligeront les siens en présence de cet artiste aussi farfelu que mal tourné. Et que penserait Georges Mniszech, cet aristocrate si respectueux des bienséances ?

L'angoisse de perdre Mme Hanska saisit de nouveau Balzac alors que, malade, déprimé, le cerveau vide, il s'impose un labeur incessant pour terminer *les Paysans* avant d'aller la rejoindre : par courrier, il vient de recevoir l'ordre de demeurer à Paris. « Arrive une lettre de toi qui me dit qu'il ne faut pas venir à Dresde. Comment travailler ?... Maintenant je n'ai pas une ligne sur *les Paysans*, j'ai usé mes facultés à l'œuvre désespérante de l'attente. » Il n'imagine pas que sa « chère comtesse » puisse avoir honte de lui. Alors, il cherche des raisons : « Vous me marquez une sorte d'effroi de me voir venir là où vous êtes...

Vous ne voulez pas de moi à Dresde à cause d'une espèce d'hostilité contre moi. Hélas ! je la trouve partout. Mais vous serez obéie, et je n'irai pas. » Est-ce pour faire diversion à cette brouille qu'Eveline le charge alors d'une mission ? La mésentente entre elle et son ex-confidente Henriette Borel s'aggrave de jour en jour et menace de se transformer en haine. A plusieurs reprises, Lirette a manifesté le désir de quitter cette femme qui a trompé son mari en la trompant elle-même et en l'obligeant à trahir innocemment son maître. M. Hanski n'est plus. Maintenant fiancée, Anna n'a plus besoin d'elle et Lirette annonce à sa maîtresse son intention d'aller en France pour y prendre le voile afin de trouver dans la religion le pardon et l'oubli. Mais il lui faut un point de chute et quelqu'un pour l'aider dans ses démarches. Et c'est Balzac qui est chargé de recevoir à Paris Henriette Borel, dite Lirette, calviniste et Suissesse d'origine, parente pauvre au service d'une parente riche, qui veut se convertir au catholicisme et entrer en religion.

Balzac l'accueille et observe cette vieille fille sèche, un peu hystérique, au caractère aigri, qui fut le premier témoin de son amour, la « boîte aux lettres » et la confidente de l'Inconnue. On retrouvera Lirette quelques mois plus tard dans un nouveau chef-d'œuvre : elle deviendra, sous le nom de Lisbeth Fisher, la cousine Bette, la « sauvage Lorraine », la pauvre paysanne qui entre au service d'une cousine riche qu'elle a toujours jalousée, laquelle la fait venir à Paris « dans l'intention de l'arracher à la misère en l'établissant » alors que Bette perçoit aussitôt « le licou de la domesticité [1] ».

---

1. Pourquoi Balzac, annonçant ce roman à Mme Hanska, affirme-t-il que ce personnage est « un composé de ma mère, de Mme Valmore et de ta tante Rosalie » ? Ou pour tromper ses biographes ou pour qu'Eveline ne reconnaisse pas son ancienne confidente. On peut, à la rigueur, découvrir une ressemblance avec sa mère dont Lisbeth possède la douceur

Après de nombreuses requêtes, tractations et sollicitations auprès du clergé catholique pour obtenir la conversion d'Henriette Borel et son admission dans un couvent, Balzac assiste à la prise de voile de Lirette qui devient sœur de la Visitation et mourra dans ce monastère quelques années plus tard.

Il a perdu un temps précieux, ce qui l'oblige à travailler sans repos jusqu'au sommeil léthargique, pour « gagner une terrible bataille » dans laquelle il engage les forces qui lui restent. Atteint de névralgies, d'étourdissements, il peine de plus en plus. Ses yeux se fatiguent et pour mieux distinguer l'écriture sur la page blanche, il achète un grand chandelier à cinq bougies. C'est à Eve qu'il confie son désarroi : « Je suis resté sept heures dans une tristesse de suicide », et selon son habitude, s'agenouille et supplie humblement son idole de lui pardonner ses erreurs et de lui permettre de venir à Dresde.

Le 18 avril 1845, Balzac reçoit une lettre dans laquelle la comtesse Hanska lui fait savoir qu'elle lui accorde son pardon et l'autorise à la rejoindre. Aussitôt, il abandonne ses manuscrits, sans se soucier des lecteurs de *la Presse* qui attendent le chapitre suivant, ni des éditeurs qui lui ont versé des avances : « J'ai tout envoyé promener et *la Comédie humaine* et *les Paysans* et *la Presse* et le public et mes affaires, enfin tout... Je suis si heureux de partir que je ne puis écrire posément, je ne sais si tu pourras me lire, mais à mon griffonnage tu reconnaîtras ma joie. »

---

fielleuse, la jalousie et l'instinct de domination. En revanche, la cousine Bette, envieuse, haineuse, ne ressemble en rien à Marceline Desbordes-Valmore pas plus qu'à Rosalie Lubomirska que Balzac connaît à peine ou seulement par ouï-dire. La thèse de certains biographes de Balzac, selon laquelle la cousine Bette serait un composé de sa mère, de Lirette Borel et de Mme de Brugnol, sa gouvernante d'alors, semble la plus vraisemblable.

« Dresde et vous, vous me tournez la tête ; je ne sais que devenir... Chère étoile souveraine, comment voulez-vous qu'on puisse concevoir deux idées, écrire deux phrases, avec la tête et le cœur agités comme je les ai eus depuis novembre dernier ; mais c'est à rendre fou un homme ! » Devant tant d'insistance, Eveline lui a pardonné et l'a autorisé à venir à Dresde parce qu'elle a trouvé une solution : Balzac demeurera pendant quelques jours, sans se montrer, dans un petit hôtel discret. Après quoi, il quittera la ville en sa compagnie, avec Anna et Georges, pour effectuer un voyage de plaisir à travers l'Europe.

Au cours de quelques soirées intimes, Honoré fait la connaissance du comte Georges Mniszech, personnage quelconque, gentil, falot, un peu lymphatique, d'une intelligence moyenne, qui collectionne avec passion les insectes et plus particulièrement les coléoptères. Il aime rire et s'amuser et Honoré a tôt fait de le séduire. Anna aussi aime rire et c'est avec plaisir qu'elle retrouve le compagnon de son enfance. Eveline oublie rancune et jalousie et redécouvre voluptueusement les caresses particulières — dont il est souvent question dans leur correspondance — que sait si bien lui dispenser cet amant docile, initié dès sa jeunesse aux plaisirs féminins.

Malgré les précautions prises, la présence de Balzac ne passe pas inaperçue et Mme Hanska sent monter autour d'elle l'hostilité et la malveillance. Elle prend la résolution de partir avant la date prévue et une lettre de Camille Bystrzonowska à son frère[1] nous prouve qu'elle a raison : « Balzac et Mme Hanska sont partis et ils ont bien fait, car on se moquait beaucoup d'eux

---

1. Lettre citée par Mme Sophie de Korwin-Piotrowska dans *Balzac et le monde slave*.

mais la jeune femme payait ces moqueries en dédains. Elle s'imagine qu'elle parle très bien français, mais les messieurs disent ici qu'elle le prononce "à la mazovienne". »

Alors commence une équipée folle et insouciante qui durera de mai à novembre 1845 et sera pour Balzac l'une des rares périodes heureuses de sa vie. A Cologne d'abord, où la joyeuse bande assiste à un spectacle, selon Honoré, fort divertissant : *les Saltimbanques* de Du Mersan et Varin. Après quoi, chacun s'attribue le nom d'un personnage de cette parade en trois actes correspondant à son physique. C'est ainsi qu'Anna et Georges deviennent Zéphyrine et Gringalet, Mme Hanska la noble Attala et Balzac le jovial Bilboquet.

Le voyage se poursuit par Cronstadt, Karlsruhe, puis la Belgique, la Hollande et enfin la France. Car le véritable but de ce périple est pour Eveline un séjour à Paris. Mais, parce que le tsar interdit à ses sujets d'aller en France, pays révolutionnaire en plein bouleversement social, Balzac, dont l'imagination est toujours féconde, imagine une nouvelle supercherie. Il réussit à faire inscrire sur son passeport Mme Hanska sous le nom de sa sœur et Anna sous celui de sa nièce. Et c'est ainsi que Bilboquet, accompagné de la belle Attala, de Zéphyrine et de Gringalet, fait à Strasbourg une entrée triomphale en malle-poste le 7 juillet. De là, sans difficulté, ils gagneront Paris.

Sans lui demander son avis, Balzac a donné l'ordre à Mme de Brugnol de se mettre en quête d'un meublé proche de la rue Basse pour loger la petite famille. A contrecœur, mais dans l'obligation d'obéir, Louise découvre rue de la Tour [2] un agréable appartement de cinq pièces. Suivent alors des mois consacrés à l'amour, des mois d'un bonheur d'autant plus parfait

---

1. Cette rue porte toujours le même nom et relie la rue de Passy à l'avenue Henri-Martin.

que Balzac n'écrit pas une ligne, se consacre entièrement à son Eve et semble débarrassé des soucis matériels : « Je n'ai jamais été si heureux de ma vie, écrira-
t-il, il me semblait entrevoir l'image de l'avenir que
j'appelle au milieu de mes ennuis et de mon acca-
blante besogne. » En effet, si Eveline n'est toujours
pas décidée à épouser Honoré, elle accepte de lui
constituer un important capital de 95 000 francs, soit
près de 2 millions 500 000 francs actuels, que Balzac
baptisera aussitôt « le trésor-louloup » car la « chère
souveraine » de « l'humble moujik » est devenue son
« chéri-louloup ». Grâce à cette manne, Balzac règle
ses dettes et se met à la recherche d'une maison qu'il
habitera plus tard avec son Eve lorsqu'ils seront
mariés... Cette maison doit être digne de la descendante
des Rzewuski, donc grandiose ! Il en visite plusieurs
dans Passy, rue Basse, rue du Ranelagh, mais aucune
ne lui convient. Les Saltimbanques commencent à
s'ennuyer un peu à Paris. Alors, il repart avec eux et
leur fait découvrir Fontainebleau, Orléans, Bourges et
Tours sa ville natale, ensuite l'équipe toujours jubi-
lante gagne Rotterdam, Anvers et Bruxelles. Tout le
voyage se déroule dans une harmonie totale : Anna et
Georges ne songent qu'à s'amuser, Bilboquet joue les
joyeux compères et Eve se montre ravie de cet accord
parfait. Cependant, sur son conseil, Balzac rentre à
Paris régler deux problèmes majeurs qui préoccu-
pent la comtesse ; ils se retrouveront plus tard à
Baden-Baden.
    Le premier problème qu'il doit aborder de front en
arrivant rue Basse est de se débarrasser de Mme de
Brugnol. Eve la déteste : elle soupçonne la Monta-
gnarde d'être davantage maîtresse que gouvernante. Si
Honoré souhaite vraiment qu'elle revienne séjourner
à Paris, il doit renvoyer cette femme. Oui, mais comment ? La « grogneuse » s'accroche, refuse de partir,
exige une indemnité. Balzac lui obtient la gérance d'un

bureau de tabac. Elle refuse ce travail indigne d'elle. Honoré s'énerve et la « douce confidente » devient « la vieille chouette ». Alors, que veut-elle ? Qu'elle le dise ! Elle veut sa maison et pour ce faire a besoin de meubles, de linge et d'une dot... C'est cher payé mais, bon prince, Balzac accepte de l'aider afin de récompenser son dévouement et, le 31 août 1845, il écrit à Mme Hanska qu'elle « pleure comme une Magdeleine de cinquante ans qu'elle paraît avoir. Elle est à vouloir entrer dans un couvent où elle n'ira jamais. Mais je lui ai nettement dit qu'elle avait six mois pour chercher une position, que je l'aiderai pécuniairement. Tout cela ni sèchement, ni affectueusement mais positivement. »

Le second problème est l'achat d'une maison. Il poursuit ses recherches pour le placement du « trésor-louloup » et comme aucune demeure ne lui semble digne de sa souveraine, il décide d'acheter un terrain sur lequel il pourra construire la résidence idéale. Et c'est encore une affaire mirobolante que ce terrain qu'il découvre vers le parc Monceau. Alexandre Dumas et Victor Hugo sont d'accord pour l'acquérir avec lui et en revendre aussitôt une partie avec un gros bénéfice qui permettra de construire une superbe demeure sans débourser un liard. Comme toutes les combinaisons spéculatives de Balzac, celle-ci échoue.

Il quitte Paris, rejoint les Saltimbanques à Baden-Baden ; départ pour l'Italie, détour par Lyon, Avignon, Marseille, puis Rome et Naples. En cours de route, Honoré, avec son enthousiasme habituel, achète de quoi meubler cette maison chimérique, ce château en Espagne. Il acquiert ici ou là, chez des antiquaires, des brocanteurs de Naples, Marseille ou Lyon, un service de vieux chine, des vases, des girandoles et, improvisant au fur et à mesure, décrit à sa « chère étoile » la chambre Boulle qu'elle occupera, sa bibliothèque Empire et sa salle de bains style Fontainebleau... Il court les marchands de bric-à-brac et déniche à des prix ridicules des toiles de maîtres, entre autres un Tintoret et un Holbein. D'un naturel dépensier, Eve approuve, se prend au jeu, achète de son côté, puis s'inquiète en voyant fondre le « trésor-louloup ». Alors, Honoré se livre à d'incompréhensibles calculs, annonce qu'il a placé une partie de cette fortune à la banque Rothschild, en actions des chemins de fer de la Compagnie du Nord, qu'il n'en dépense là que les bénéfices qui deviennent un second placement puisque ces meubles et ces objets valent dix fois le prix payé... Il a acheté le service de vieux chine 300 francs, alors que Dumas a payé le même 4 000 et qu'il en vaut 6 000 ! Il s'apercevra plus tard que ce service est récemment sorti d'une fabrique hollandaise et que ses toiles de maîtres ne sont que de mauvaises copies.

A Heidelberg, Balzac laisse Mme Hanska poursuivre seule son voyage vers Francfort. Et c'est en proie à une véritable ivresse qu'il rentre à Paris car, à l'instant de le quitter, au dernier moment, son Eve lui a annoncé qu'elle attendait « un heureux événement ». Voilà la circonstance particulière qui va transformer leur vie... Il va être père... Il va produire sa plus belle œuvre... Cette fois, le mariage devient un devoir et c'est le père de famille responsable qui écrit dès son retour rue Basse : « J'ai de la vie, du courage et du bonheur pour trois dans le cœur... J'ai pleuré de joie... J'ai pleuré de bonheur... Je vous aime plus que ma propre vie. » Il faut maintenant, et rapidement, passer aux actes, marier Anna tout de suite afin qu'elle et lui puissent s'épouser avant la naissance du bébé. Mais auparavant, il lui faut découvrir et installer la demeure où ils pourront abriter leur amour et vivre douillettement avec leur enfant.

Le voilà revigoré. Il se sent mieux portant, ses douleurs s'estompent, le café semble agir de nouveau, l'imagination reprend le dessus et, en un mois, il écrit un tiers du *Cousin Pons* et le début de *la Cousine*

Bette. On se demande comment cet extraordinaire personnage trouve, en cet été 1846 particulièrement tor-
ride, l'énergie, les ressources nécessaires pour créer
ces deux romans, sans doute les plus importants de
sa carrière littéraire, dans cette maison de Passy dont
nous connaissons l'inconfort, avec son toit en zinc qui
la sépare du soleil brûlant et le blanchisseur qui, au
rez-de-chaussée, fait sans cesse « du feu comme une
locomotive »... La performance est d'autant plus étonnante qu'il doit, dans le même temps, se préoccuper
de tisanes et de médicaments pour soigner Mme de
Brugnol souffrante, alitée, et qui, plus grognon que
jamais, lui réclame un douaire pour quitter sa maison
et s'établir ailleurs. Il écrit à Mme Hanska : « Le
moment est venu que je fasse deux ou trois œuvres
capitales qui renversent les faux dieux de cette littérature bâtarde et qui prouvent que je suis plus jeune,
plus frais et plus grand que jamais. Le vieux musicien [1] est le parent pauvre, accablé d'injures, plein de
cœur. La cousine Bette est la parente pauvre, accablée
d'injures, vivant dans l'intérieur de trois ou quatre
familles et prenant vengeance de toutes ses douleurs.
J'espère avoir fini le vieux musicien pour lundi en me
levant tous les jours à une heure et demie du matin
comme aujourd'hui que me voilà rétabli dans mes
heures. »

Qui plus est, il trouve encore le temps de chercher
et de découvrir la maison idéale : située dans la rue
Fortunée, — actuellement rue Balzac — elle date du
XVIII⁰ siècle et fut la propriété d'un fermier général
avant la Révolution. Avec sa pierre grise, ses murs
trop hauts comme ceux d'une prison, son allure mas-
sive et sans grâce, elle est d'une infinie tristesse. Pour
l'acquérir, il jongle avec le « trésor-louloup », les

---

1. Avant de choisir pour titre *le Cousin Pons* Balzac avait
intitulé ce roman *les Deux Musiciens.*

actions des chemins de fer du Nord, les éditeurs, emprunte et signe des billets dont les échéances seront lourdes. On la lui vend 50 000 francs (1 million 200 000 francs actuels), somme à laquelle il faut ajouter, car elle est en mauvais état, plus de 20 000 francs pour les réparations, le ravalement, les peintures, etc. Le voilà endetté plus lourdement que jamais ce qui lui fait simplement dire qu'il sera « gêné pendant six mois... » Et pour couvrir ces dettes étourdissantes, il s'épuise au travail.

Il réalise son plan comme prévu et, le 13 octobre 1846, assiste à Wiesbaden au somptueux mariage d'Anna et de Georges. Zéphyrine et Gringalet, toujours aussi frivoles, n'ont pour seul projet que la jouissance de leur fortune. A celle de Georges Mniszech s'ajoute celle d'Anna, légataire du riche cousin de M. Hanski et celle à venir de Mme Hanska qui a fait de sa fille bien-aimée son unique héritière. Ce n'est plus une corbeille de mariage, c'est une inépuisable corne d'abondance. Et pourtant, en quelques années, ces deux étourneaux dilapideront ce trésor. Après la mort presque simultanée d'Eveline et de Georges, Anna Mniszech, devenue pauvre, se retirera dans un couvent où elle terminera sa vie.

Parti de Paris le 8 octobre, Balzac est de retour le 17. Rue Basse, il retrouve son cortège de tracas avec en plus les jérémiades et les exigences de Mme de Brugnol qui s'entête à demeurer sous son toit et les réclamations de Madame Mère qui, pour l'avoir sauvé de la faillite et aidé pécuniairement à plusieurs reprises, vit aujourd'hui dans la gêne, ici ou là, chez des parents qui veulent bien la prendre en charge. Les 18 000 francs qu'il lui doit encore sont devenus, selon elle, 50 000 francs par accumulation d'intérêts, ce qui met Honoré en fureur : il juge sa mère « monstrueuse ». Ce détestable climat ne l'empêche pas de produire intensément. Il écrit à Mme Hanska : « Ma femme et mon Victor-Honoré[1] me donnent un courage surhumain ; tu en seras convaincue quand tu sauras que, depuis mon retour de Wiesbaden, tout ce que tu liras de *la Cousine Bette*, tout cela, mon ange, ces vingt chapitres ont été écrits *currente calamo*, faits la veille pour le lendemain, sans épreuves ! »

Un accident va interrompre ce rythme impétueux et bouleverser une fois de plus ses projets : il apprend avec désespoir qu'Eve vient d'accoucher avant terme d'un enfant mort-né. « Je désirais tant un Victor-Honoré. Un Victor ne quitterait pas sa mère. Nous l'aurions eu vingt-cinq ans autour de nous. Car nous avons encore tout ce temps-là à vivre ensemble. » Le chagrin dans l'âme, il n'accepte pas ce coup du destin : « Rien ne m'occupe, rien ne me distrait, rien ne m'attache plus. Je ne croyais pas que je puisse tant aimer un commencement d'être. Mais c'était toi, c'était nous. La résignation me vient difficilement... Hier, levé à une heure, je n'ai pas pu écrire une ligne. J'en suis venu à la triste extrémité, bourré de café, de lire des romans, j'en ai lu trois dans une journée... J'ai souvent touché aux limites des forces physiques, me voilà au bout des forces morales... »

Au mois de janvier 1847, Eveline lui annonce qu'elle va venir le rejoindre à Paris. Le « nid d'amour » de son Eve, rue Fortunée, est un chantier en plein travaux. La rue Basse est occupée par Louise de Brugnol et envahie de meubles, d'ustensiles et de bibelots destinés à la rue Fortunée. Pour être seul avec sa souveraine, Balzac loue pour un trimestre un hôtel particulier rue Neuve-de-Berry composé d'un salon, d'une salle à manger et de trois chambres, le tout donnant de plain-pied sur un jardin. Eveline arrive début février et ils vont vivre là deux mois de bonheur. Ils passent

---

1. Balzac a décidé qu'Eve mettrait au monde un garçon qui portera son prénom et celui de son ami Hugo.

de longues soirées paisibles au coin du feu. Il parle, elle l'écoute en lui brodant des pantoufles : ils s'aiment. Eveline découvre la maison de la rue Fortunée et la trouve « cocasse ». Ensemble, ils courent les antiquaires pour finir de meubler cette demeure qu'ils baptisent le Palais Bilboquet et vont assister aux spectacles que l'on donne à l'Opéra ou aux Italiens. Un seul nuage dans ce ciel bleu : Mme Hanska ne peut pas supporter la présence de Mme de Brugnol, lorsqu'ils vont rue Basse, et elle exige qu'il la renvoie dans un très bref délai. Le 15 mai 1847, elle quitte Paris pour Francfort accompagnée de Balzac qui ne fait que l'aller et retour. Rue Basse, une désagréable surprise l'attend : Mme de Brugnol s'est emparée d'une trentaine de lettres adressées à Honoré par Mme Hanska et menace maintenant de les transmettre à la famille Rzewuski si Balzac qui, conformément aux ordres reçus, exigeait son départ immédiat, ne lui remettait pas auparavant son douaire sous forme d'une importante somme d'argent. Aux abois, il écrit aussitôt à Eveline pour lui faire part de l'excécrable chantage de la gouvernante en l'informant qu'il va porter plainte contre elle. Mme Hanska, qui voit sa réputation compromise et de ce fait ses affaires en péril, lui exprime sa colère par retour de courrier. Elle lui interdit de venir à Saint-Pétersbourg comme ils en étaient convenus et lui ordonne de mettre fin immédiatement au chantage de cette femme par quelque moyen que ce soit sous peine de rupture immédiate et définitive. Les termes de cette lettre devaient être d'une extrême violence, voire injurieux. Elle concluait en insultant son amant qu'elle « couvrait de mépris ». Dans sa réponse, Balzac reprend quelques phrases de cet ukase d'une maîtresse à son esclave. Il s'humilie, se soumet avec complaisance et assure qu'il va exécuter ses ordres. Après de longs marchandages, il parvient à récupérer les lettres contre une somme de 5 000 francs. Louise de Brugnol quitte la rue Fortunée et Balzac brûle aussitôt toute la correspondance que lui a adressée Mme Hanska. Il le lui annonce par écrit : « J'ai accompli tout à l'heure le plus grand sacrifice que je puisse faire... Tout est anéanti... » Et, l'échine courbée, il supplie sa souveraine de lui accorder sa grâce.

Un mois plus tard, le moujik repentant est pardonné et reçoit l'autorisation de rejoindre sa maîtresse non pas à Saint-Pétersbourg où elle n'est plus, mais à Wierzschovnia. Balzac est bien résolu à partir aussitôt et comme il ne possède pas la somme nécessaire pour ce voyage, il porte une fois encore son argenterie au mont-de-piété. Il peut prendre la route.

Connaître Wierzschovnia tant de fois imaginé... Le rêve va devenir réalité. Il lui reste un problème à régler. La maison de la rue Fortunée est prête ; il vient d'en terminer l'installation et l'habite depuis une quinzaine de jours en compagnie d'un valet de chambre, François, et d'une servante. A qui confier cette demeure et les objets précieux qu'elle contient ? Il ne connaît personne à part sa mère. Mais les mots prononcés au cours de leur dernière dispute ont été si violents qu'il a rompu avec elle. Pourtant, il est sûr de pouvoir toujours compter sur cette vieille femme qui, seule, est capable de repousser les créanciers, de chasser les importuns et de veiller sur les trésors de ce petit palais. Pour cela, Honoré renoue avec Madame Mère qui accepte d'accomplir cette mission.

Et le chevalier servant part rassuré pour retrouver son éternelle fiancée, découvrir son cadre de vie et, à Wierzschovnia, l'épouser enfin.

CHAPITRE XIX

J'ÉPOUSE LA PLUS HAUTE NOBLESSE D'EUROPE !

Wierzschovnia est à l'autre bout du monde. Normalement, de Paris, le voyage nécessite plus de deux semaines. Comment Balzac, encombré de ses nombreuses malles, parvient-il à effectuer le trajet en sept jours ? A ce diable d'homme, rien d'impossible ! Parti le 4 septembre, il arrive en Ukraine le 11 ou le 12. Après avoir, de chemin de fer en diligence, traversé Hanovre, Breslau, Brody en Volhynie puis Berditchev, il fait une apparition sensationnelle devant le perron de Mme Hanska, allongé dans un long panier d'osier de forme ovale, posé sur deux brancards, muni de quatre roues et tiré par deux chevaux. Il vient de parcourir (il l'écrira plus tard) « le quart du diamètre de la Terre », voyageant jour et nuit, sans un arrêt, sans même une pause, et atteint son but une semaine avant la date prévue.

On ne l'attendait pas si tôt et ses amis les saltimbanques lui font un accueil d'autant plus joyeux. Malgré la fatigue du voyage, Balzac refuse de se reposer avant d'avoir visité le château qui l'impressionne par son immensité. Il découvre le luxe dans lequel vit son amie, s'émerveille en pénétrant dans une suite de

salons richement meublés et compare ce manoir à
« une espèce de Louvre ou de temple grec ». Il réalise ce que représente cette vie opulente et mesure le
pouvoir que donne une grande fortune. Il est fasciné,
sous le charme, enthousiasmé, et la visite de l'appartement spécialement aménagé et décoré par Eveline à
son intention achève de le subjuguer. Comme il va
vivre heureux, blotti dans la tiédeur douillette de ce
salon ciel et jaune, de cette chambre en stuc rose
avec ses passements d'or et de soie, de ce cabinet qui,
avec ses murs recouverts de moire gris perle, sa cheminée monumentale et ce bureau Louis XV d'où il
découvre le parc et le village des serfs entouré à l'infini par les champs de blé éclairés de lueurs blondes...
Spectacle bucolique qui incite davantage à la rêverie
qu'au travail.

Au fil des jours, Balzac va découvrir une Eve inconnue qui force son admiration. Administrer un tel
domaine est une lourde tâche dont elle assume seule
la responsabilité avec courage, détermination et com-
pétence. Il apprécie particulièrement la façon dont elle
sait se faire respecter. Ainsi, il écrit à sa sœur Laure
qu'un domestique ayant oublié de poster une lettre
a été puni sur l'ordre de Mme Hanska : « Il a été
fouetté, mais cela n'a pas fait partir la lettre. » Un
soir, il assiste à un spectacle qu'il décrit avec la satisfaction du connaisseur : deux jeunes mariés, serviteurs attachés au service personnel de Mme la comtesse, se présentent devant elle pour prendre ses
ordres. Ils se prosternent à plat ventre devant leur
maîtresse, frappent le sol du front à trois reprises
puis lui baisent les pieds : « Il n'y a qu'en Orient qu'on
sache se prosterner », note Balzac en forme de conclusion.

Il observe la vie de cette communauté, avec ses rites
et ses propres lois et trouve le système excellent. Les
serfs sont des gens heureux qui travaillent très nor-

malement pour leurs maîtres trois jours par semaine :
« Ces cent cinquante jours par an, écrit-il, sont nécessaires pour labourer, ensemencer les terres du maître
et faire les récoltes. Ainsi, le paysan paye en quelque
sorte le loyer de ses vingt arpents avec son travail. Les
impôts que paye le paysan ne sont que fort peu de
chose. De plus le maître est forcé d'avoir des provisions
suffisantes pour nourrir ses paysans en cas de disette.
Ainsi, le paysan vit dans l'insouciance de l'enfant de la
maison. On le nourrit, on le paye et la servitude, loin
d'être un mal pour lui, devient une source de bonheur,
de tranquillité. » Il juge également les maîtres : « Le
paysan ne songe à gagner de l'argent que pour s'eni-
vrer. Le débit de l'eau-de-vie est un des principaux
revenus des propriétaires qui reprennent ainsi ce qu'ils
ont donné de salaires aux paysans. » Il estime enfin
qu'il ne faut surtout pas réformer cette petite société
bien équilibrée : « L'ignorance barbare, tel est le caractère des paysans russes. Ils sont adroits, rusés, mais
il faudra des siècles pour les éclairer. Leur parler de
liberté, c'est leur faire croire, comme aux nègres, qu'ils
ne travailleront plus. Ce serait la désorganisation de
tout l'Empire fondé sur l'obéissance [1]. »

En amoureux ravi, il admire Eveline, impression-
nante dans son rôle de souveraine absolue, dirigeant
ses trois cents serviteurs et ses trois mille moujiks
avec autant de grâce que d'autorité. Tout lui semble
simple et facile. Il se grise et s'imprègne de cette abondance de biens : meubles rares, tableaux de maîtres,
argenterie et vaisselle luxueuses, service impeccable.
Pour la première fois de sa vie, le tâcheron de la plume
n'a aucun souci matériel. Le moindre de ses désirs est
immédiatement satisfait et il se laisse vivre pelotonné
dans cette douce ambiance. Devant la cheminée où

---

1. Lettres sur Kiev. *Les Cahiers balzaciens* de Marcel
Bouteron.

brûlent des bûches de bouleau, Bilboquet le gai
compère passe de longues heures à distraire Anna, à
jouer aux échecs avec Georges ou à s'entretenir avec
Eve. La joyeuse équipe est reconstituée et, pour les
saltimbanques, c'est le bonheur parfait. Balzac écrit,
mais sans conviction, un volet de *l'Envers de l'Histoire
contemporaine, l'Initié* et quelques feuillets d'*Un caractère de femme*. Un seul fait le préoccupe : les difficultés auxquelles se heurte Eve qui doit sans cesse se
défendre contre les fonctionnaires tsaristes qui la
poursuivent de leurs exigences comme ils poursuivent
tous les Polonais de Russie.

A la fin du mois de janvier 1848, Balzac quitte Wierzschovnia pour revenir à Paris où ses affaires l'appel-
lent. L'hiver est rigoureux et le voyage par — 28° particulièrement pénible. Il retrouve la rue Basse le
15 février, quelques jours avant que n'éclate la révolution : dès le 23 février, l'émeute gronde, des mani-
festations autour de la Madeleine dégénèrent et les
soldats tirent sur la foule. Bilan : onze morts qui le
soir même traversent Paris en charrette, à la lueur des
torches, au milieu des clameurs vengeresses. A
soixante-dix-huit ans, Louis-Philippe Ier, fils de Philippe-
Egalité, abdique en faveur de son petit-fils le comte de
Paris et prend la fuite pour aller s'exiler en Angleterre. Lamartine se rend à l'Hôtel de Ville : la IIe République est proclamée le 25 février. L'après-midi, les
drapeaux rouges flottent sur la foule qui envahit la
place. Balzac, qui dans son œuvre s'est toujours fait
le défenseur des pauvres gens et le pourfendeur de la
bourgeoisie, devient soudain monarchiste légitimiste.
Le petit-bourgeois spéculateur, avide de s'enrichir,
s'effarouche devant ces prolétaires qui prennent le
pouvoir, ces centaines d'ouvriers qui, dans la rue,
manifestent pour demander l'augmentation de leurs
salaires, cette armée de chômeurs qui défilent en
réclamant du pain, de ce pain rarissime dont en quel-

ques semaines le prix a doublé. Pour calmer ces derniers, les plus dangereux, on leur accorde immédiatement une aide d'un franc par jour qui correspond à
un demi-salaire moyen. Cela n'arrange rien car parmi
ce peuple oisif se répand la propagande socialiste.
Balzac, comme la bourgeoisie, ressent l'angoisse du
« spectre rouge ». Les faillites des industriels, des
commerçants, des éditeurs se succèdent, les banques
ferment, les titres cotés en Bourse s'effondrent et les
actions des chemins de fer se négocient au tiers de
leur valeur. Balzac est ruiné. L'Assemblée décide d'envoyer les chômeurs assécher la Sologne et oblige les
jeunes gens à opter entre le licenciement et l'engagement dans l'armée. Le 22 juin, des barricades sont
dressées : les insurgés tiennent en main la moitié sud-
est de Paris. Refoulés faubourg Saint-Antoine, ils sont
attaqués par l'armée : sept à huit mille d'entre eux
sont exécutés dans les souterrains des Tuileries. Un
millier de soldats sont tués. A l'issue de cette bouche-
rie, quinze mille prisonniers sont déférés devant les
tribunaux ; cinq mille seront déportés en Algérie, les
autres condamnés à des peines de prison.

Ces événements affectent la santé de Balzac. Parfois, des griffes s'enfoncent dans son cœur, il devient
haletant, éprouve de la difficulté à respirer et une
sensation d'étouffement le saisit d'épouvante. Il se
débat en des spasmes qui s'achèvent par des vomisse-
ments de sang. Les troubles de la vue s'accentuent, il
s'affaiblit et au milieu de cette tourmente sociale songe
« à sauver sa peau ». Convaincu que seul un gouvernement autoritaire peut éviter à la France le chaos qui
succède aux révoltes, il écrit à Mme Hanska : « J'approuve la Sibérie et les façons du pouvoir absolu. »

Dans ses tiroirs, il a retrouvé deux pièces de théâtre :
la Marâtre et *Mercadet ou le faiseur*. Il reprend courage, se convainc que le théâtre lui apportera la fortune, entreprend des démarches et réussit à faire

représenter *la Marâtre* à la **Porte-Saint-Martin** le 23 mai. Les Parisiens ont d'autres soucis et, après trois représentations devant des salles aux trois quarts vides, *la Marâtre* est retirée de l'affiche. *Mercadet*, pièce écrite en 1840, est acceptée par le comité de lecture de la Comédie-Française mais, compte tenu de l'agitation populaire, la direction juge préférable d'en différer la première représentation.

Le courrier en provenance de Wierzschovnia transforme son accablement en désespoir. Les nouvelles de France inquiètent Mme Hanska. Elle sait Balzac ruiné et refuse de venir l'épouser à Paris comme convenu. Elle ne rompt pas avec lui, non... mais elle reporte la cérémonie à plus tard. Et que surtout il ne tente pas de venir à Wierzschovnia... On ne pourrait le recevoir. Durement touché, Honoré a cette réponse désabusée : « Perdre la fortune du cœur en même temps que toute espérance de fortune matérielle... Je ne lutterai plus... Je me laisserai doucement aller à la dérive... » Aigri, découragé, ruiné, miné par le mal, il vient de recevoir le coup de grâce et s'enferme dans la solitude avec les souvenirs d'Eve, recherchant tout ce qui lui avait appartenu, tout ce qu'elle avait touché... « Il y a des moments où je m'arrête en marchant parce que je sens exactement l'odeur ou l'étoffe de la robe de mon loup... » Trois mois plus tard, Eveline inquiète, apitoyée, cède une fois de plus et autorise Honoré à séjourner à Wierzschovnia. Il n'attendait que cela et répond aussitôt : « Ainsi mon cher trésor, nous allons être réunis pour longtemps, pour ce *toujours* de la terre. Cela ne m'effraie pas car le doux et tendre parfum de ton papier m'a causé plus de joie ce matin que dans aucun temps, je me sens riant comme un enfant de quinze ans. Je sais que dans vingt jours au plus tard, je saute sous le péristyle de Wierzschovnia et que je prends un air grave, l'air d'un homme sûr de son fait... Quel bonheur ! Pensons-y tous les deux d'avance pour ne pas faire de bêtises et en écrivant cela, moi, j'en fais ! Chère, je reverrai la chambre en stuc. Oh ! que Thomas ne m'ennuie pas ! Je n'ai pas besoin d'être gardé la nuit [1]. »

Fin septembre, il quitte Paris et « saute sous le péristyle de Wierzschovnia » dans les premiers jours d'octobre. On ne connaît de ce long séjour de dix-huit mois que ce que Balzac a écrit dans sa correspondance avec sa mère et sa sœur Laure de Surville. C'est d'abord l'euphorie, les agréables journées de travail, les doux moments en compagnie d'Eve dans la « chambre rose », les promenades à travers le parc ou en traîneau dans la steppe d'alentour. Honoré revêt alors un lourd manteau de fourrure, une pièce superbe, spécialement confectionnée par le tailleur du château. Les repas se déroulent au son du violon de Moïse, un serf tiré de sa condition par la comtesse parce qu'il interprète avec talent et sensibilité les *dumkas* et les airs romantiques du folklore polonais. Le soir, ce sont les parties d'échecs avec Georges, les bavardages puérils d'Anna qui l'appelle « mon père chéri » et les conversations passionnées avec Eve qui écoute son grand homme beaucoup plus qu'elle ne parle. C'est la vie paisible et heureuse d'une famille unie : « Mère et enfants sont sublimes... Nous vivons comme si nous n'avions qu'un cœur pour quatre », écrit-il. Et puis, avec le temps, le ton change. Il parle davantage du comte Mniszech et d'Anna que d'Eveline. « Les personnes avec qui je vis sont excellentes pour moi, mais je ne suis encore qu'un hôte très choyé et un ami dans la véritable acception du terme... J'ai ici la tranquillité matérielle, voilà tout... »

En poursuivant la lecture de ces lettres, l'on s'aper-

---

1. Thomas est le domestique qui, au cours de son précédent séjour, était attaché à son service.

çoit que les affaires sentimentales de Balzac ne vont pas aussi bien qu'il le souhaite. Mme Hanska s'effraie en découvrant la situation financière de son amant et les sommes folles dépensées pour l'agencement de la maison de la rue Fortunée. A-t-elle encore l'intention d'aller y habiter ? Rien ne l'enchante dans cette demeure où l'encombrante Louise est remplacée par l'acariâtre Madame Mère qui, dans ses lettres, réclame régulièrement de l'argent pour payer des entrepreneurs ou des créanciers. Eveline satisfait les demandes, comble le déficit mensuel, fait ses comptes et s'aperçoit que les dépenses de la rue Fortunée sont trois fois supérieures au budget prévu et qu'à ce train elle court à la ruine. Elle est consternée par l'inconséquence de cet homme qui ne peut apporter dans sa corbeille de mariage que 100 000 francs de dettes [1] et continue de dépenser sans compter ni réfléchir. Alors Mme Hanska se fâche et de violentes discussions transforment la douce ambiance en climat d'hostilité. Elle s'interdit de vivre comme une bête traquée, poursuivie par les huissiers ou par les gardes ; elle ne veut pas que sa fille connaisse l'angoisse du lendemain et jamais, au grand jamais, elle n'ira s'installer à Paris.

Balzac décide aussitôt de faire des économies. Il écrit à Madame Mère et lui demande de renvoyer la servante, de ne garder que François, le valet de chambre, lui recommande d'économiser sur la nourriture et de rogner sur tout. « Ces perpétuelles dettes de la maison, lui écrit-il, n'ont pas été sans faire mauvais effet et si quelque nouvelle affaire survenait, je ne sais pas si mon avenir n'en serait pas atteint. » Il a raison. Le courrier en provenance de Paris lui annonce de nouvelles difficultés ; Mme Hanska entre dans une « fureur cruelle » et lui ordonne de retourner à Paris

---

1. 2 millions 500 000 francs actuels.

afin de mettre cette maison en vente. « Elle hésite, écrit Balzac, à aller dans un endroit où elle ne voit que troubles, dettes, dépenses et visages nouveaux ; ses enfants tremblent pour elle. » Il faut croire cependant que, tant bien que mal, Balzac réussit à apaiser ce courroux, puisqu'il ne rentre pas à Paris et, qu'à dater de ce jour, Eveline verse à Madame Mère, outre les frais de la maison, une pension qui lui permet de rembourser les sommes empruntées à Mme Delannoy, laquelle n'a plus de quoi subvenir à ses besoins. En revanche, Mme Hanska, prudente et défiante après avoir été échaudée, prend en main les affaires d'Honoré et, en contrepartie des sommes déboursées, exige de devenir par « subrogation personnelle » propriétaire de la maison de la rue Fortunée. Balzac, faible et dépressif, se laisse gouverner mais juge Eve « avare et prévoyante au-delà de toute expression ». C'est que Mme Hanska se débat contre de réelles difficultés : un incendie a détruit une partie de ses habitations et la totalité de ses récoltes ; elle est endettée, ses revenus diminuent et elle est victime d'impositions abusives. De son côté, Anna mène de front plusieurs procès très coûteux pour recouvrer l'héritage de son oncle âprement disputé par des parents proches.

Les soirées distrayantes consacrées aux jeux et aux bavardages deviennent de sévères réunions où les intérêts de chacun sont supputés et discutés. Honoré est persuadé que jamais Eve ne consentira à devenir Mme de Balzac. Il est las de combattre, las de ces discussions familiales mesquines et dégradantes, las de cet hiver russe glacial et interminable et préfère regagner Paris, oublier Mme Hanska et terminer son œuvre. Mais un gros rhume l'oblige à garder la chambre une quinzaine de jours et à reporter son départ. En avril 1849, il est pris d'étouffements et de troubles cardiaques. Thomas Hubernarzak, le moujik attaché à son service personnel, ressent une profonde admiration pour ce grand écrivain qu'il considère comme un savant et le soigne avec dévouement. Il ne quitte jamais son maître, le soutient lorsqu'il marche et l'aide à monter les escaliers. Eveline non plus ne le quitte pas, surveille sa santé et s'inquiète en assistant à ce déclin. Les palpitations l'épuisent et il s'évanouit à plusieurs reprises. Les maux de tête sont fréquents, suivis de crachements de sang. Sa fatigue est telle qu'il parle sur le souffle et que l'on comprend à peine ses paroles. Sur l'ordre de Mme Hanska, les deux médecins de Wierzschovnia, les docteurs Knothé père et fils se relaient à son chevet et lui soignent énergiquement le cœur et les poumons mais à leur manière. Ces deux hommes de science possèdent le secret de certains médicaments de leur composition que Mme la comtesse juge infaillibles. A ces poudres mystérieuses s'ajoute l'obligation pour le malade de ne se nourrir que de choux aigres et de jus de citron. Son estomac n'y résiste pas : tant d'acidité dans l'épigastre lui provoque des aigreurs d'estomac si douloureuses qu'un beau matin, après une contraction brûlante, il est foudroyé par une syncope. Il écrit ensuite à sa sœur : « Ma tête pesait des millions de kilogrammes et je suis resté neuf heures sans pouvoir bouger ; puis, lorsque j'ai voulu faire un mouvement, j'ai ressenti des douleurs vertigineuses telles que, pour les expliquer, il faudrait comparer ma tête à la coupole Saint-Pierre, imaginer des douleurs pareilles à des sons qui se répercuteraient sur l'étendue de cette coupole. »

En septembre 1849, une bronchite l'oblige à s'aliter durant six semaines. Il se remet peu à peu et en janvier 1850 émet le désir d'aller à Kiev, visiter « la Rome du Nord, la ville aux trois cents églises ». Mais son organisme est affaibli et, sur place, une nouvelle bronchite le terrasse. Il rentre à Wierzschovnia enveloppé de fourrures, silencieux, miné par les étouffements et ne s'exprimant plus que par gestes.

Deux mois plus tard, au début de l'été, il se lève un peu et Thomas lui rapprend à marcher. Il se remet doucement et Ève, qui passe la majeure partie de son temps à ses côtés, lui offre une robe de chambre en laine blanche dans laquelle il s'enveloppe pour aller faire, en sa compagnie, quelques pas dans le parc et contempler au loin le spectacle reposant des champs de blé striés par les bandes rouges des coquelicots. Soutenu par Thomas, prêt à l'aider à la moindre défaillance, il reprend ses longues conversations avec Mme Hanska. Le brave moujik, qui vivra plus de cent ans, témoignera plus tard de son étonnement : comment Balzac, faible au point de trébucher à chaque pas et de ne s'exprimer qu'à voix basse, peut-il s'entretenir avec sa maîtresse jusqu'à quatre heures du matin ? Thomas ne comprend pas le français et se demandera toujours ce qu'ils pouvaient se dire jusqu'à une heure aussi avancée de la nuit. C'est simple cependant : il parle, Ève l'écoute et retrouve le génie, le grand homme qu'elle n'a jamais cessé d'aimer. Peu à peu, la maladie fait de lui un enfant qui s'abandonne. Il a maigri d'une vingtaine de kilos et son état de délabrement physique est inquiétant. Elle le sait gravement atteint et admire cette volonté de vivre, cette intelligence qui se transcende tout entière vers un seul but : la concrétisation de son amour par le mariage. De Wierzschovnia, il écrit à son amie Zulma Carraud : « J'ai vu éclater ici une terrible maladie de cœur, préparée par mes quinze ans de travaux forcés... Voilà trois ans que j'arrange un nid qui a coûté ici une fortune, hélas ! et il manque les oiseaux. Quand viendront-ils ? Les années courent, nous vieillissons et tout se flétrira... » Ce sont ces mêmes propos qu'il répète à Mme Hanska afin de la convaincre. Les deux médecins de Wierzschovnia qui constatent les progrès du mal le considèrent comme perdu et font certainement part à la comtesse de leur inquiétude puisqu'ils sont à son service. Alors, Eve se résout à exaucer le vœu de son amant en s'unissant avec lui devant Dieu. Elle entreprend des démarches auprès du général-gouverneur afin d'obtenir, au cas où elle se remarie-rait avec M. de Balzac, de nationalité française, la propriété de ses biens personnels. Réponse en forme de refus : « J'ai l'honneur de vous informer que Sa Majesté l'Empereur n'a pas accordé son consente-ment à ce que vous conserviez, Madame, vos droits de propriété sur la terre que vous possédez dans le cas de votre mariage avec M. de Balzac. » Le 5 janvier 1849, Honoré écrit au comte Ouvaroff, ministre de l'Ins-truction publique, pour lui demander d'être son avocat auprès de l'empereur car « vous êtes, mentionne-t-il, le seul protecteur que j'aie en Russie ». Il propose fort adroitement une séparation de biens : « Dans un désir bien naturel de faire cadrer notre droit français avec les lois russes, notre intention est de nous marier séparés de biens, si Sa Majesté daigne consentir à cette union. » Et il conclut avec emphase : « Monsieur le Comte, si dans l'affaire de mon bonheur vous ne pou-vez être mon interprète, du moins daignez être mon conseil et mon appui. Je vous associerai dans ma recon-naissance à l'empereur, de qui tout doit venir, et vous aurez, ailleurs qu'en Russie, deux cœurs où votre nom sera gravé, comme celui de Sa Majesté y sera tou-jours béni. » Mais Sa Majesté se montre intraitable et refuse d'accorder son consentement.

La déception est si grande que Balzac rechute. Son état est alarmant : palpitations et suffocations se suc-cèdent et épuisent le peu de forces qui lui restent. Sa vue baisse. Il ne peut plus lever les bras et Thomas doit le raser, le coiffer et procéder à ses ablutions. Eve, bouleversée au spectacle de ce génie vaincu, se jure de lui apporter le seul réconfort qu'il attend d'elle : devenir Mme de Balzac et pour ce faire, passer outre les difficultés en lui sacrifiant tout. Pour l'épouser, elle abandonnera sa fortune et s'exilera avec lui. Et cette femme « avare », « intéressée », et « prudente » selon Balzac, renonce à ses biens en les léguant à sa fille Anne qui s'engage à lui verser jusqu'à la fin de ses jours une pension qui lui permettra de vivre. Ainsi, rien ne s'oppose plus à son mariage ni à son installation en France. Son frère Adam, au nom de la famille Rzewuski, l'adjure de renoncer à ce projet. Elle refuse de céder et répond : « Je dois quelque chose à l'homme qui a tellement souffert pour moi et par moi et dont j'ai été l'inspiration et la joie... Je demeurerai fidèle à l'idéal que je représente pour lui, et si, ainsi que le disent les médecins, il doit bientôt mourir, que ce soit avec sa main dans la mienne, avec mon image dans son cœur et puisse son dernier regard s'arrêter sur moi, la femme qu'il a tant aimée et qui l'a aimé si sincèrement et si réellement. »

Les détracteurs de Mme Hanska qui ne voient en elle que turpitude vont jusqu'à l'accuser de n'avoir agi ainsi que par intérêt, ne visant par ce subterfuge qu'à sauver sa fortune en l'augmentant des futurs droits d'auteur de l'écrivain dont elle était certaine de devenir bientôt la veuve. Une telle duplicité est inconcevable car elle ne correspond ni au caractère ni à l'attitude constante de Mme Hanska. Ce n'est pas l'homme-enfant toujours en quête d'un giron maternel qu'elle aime, ni le moujik implorant qui sait si bien se prêter à ses désirs mais le génie qu'elle fut l'une des premières à reconnaître, à admirer puis à inspirer. Son œuvre est un peu la sienne parce qu'il est un peu son œuvre. Auprès de lui, Eveline a toujours fait preuve de sentiments élevés et de noblesse de cœur. Pour accepter d'abandonner, outre sa fortune, ce qu'elle a de plus cher, la terre de ses aïeux, ses enfants, sa famille de haute aristocratie, ses proches et le château de Wierzschovnia, afin d'épouser un grand malade, non seulement pauvre mais endetté de plus de 100 000 francs, de partir avec lui en exil dans une France en ébullition, pour habiter une maison qu'elle trouve « sinistre », c'est qu'elle vit un amour exceptionnel dont elle exprime en agissant ainsi la valeur absolue, transcendante.

Eveline charge Georges Mniszech d'entreprendre les démarches nécessaires et, le 14 mars 1850, le mariage a lieu en l'église Sainte-Barbe à Berditchev, petite ville située à une cinquantaine de kilomètres de Wierzschovnia qui dépend de l'évêché catholique de Jitomir, capitale de la Volhynie. Balzac, athée depuis sa première communion, se confesse à l'abbé Ozarowski puis reçoit pieusement l'eucharistie. Au cours de l'office, il semble transfiguré. Un sentiment d'euphorie, sans doute, lui donne les forces nécessaires pour assister sans faiblir à l'interminable cérémonie dont les témoins sont le comte Georges Mniszech et le comte Olizar. Anna, ravie, accompagne sa mère et contemple avec satisfaction ce « père adoré » prier avec une ferveur qui métamorphose sa laideur en beauté.

Le soir même, le couple rentre à Wierzschovnia. Et, dès le lendemain, Balzac triomphant écrit à Madame Mère : « Dis à ton gendre, le sceptique Surville, que j'épouse la plus haute noblesse d'Europe. Mme Eve de Balzac, ta belle-fille, a pris, pour lever tous les obstacles d'affaires, une résolution héroïque et d'une sublimité maternelle : c'est de donner toute sa fortune à ses enfants en ne se réservant qu'une rente. » Puis il donne à sa mère des instructions pour que la maison de la rue Fortunée soit chaleureuse, lumineuse, parée de fleurs, afin d'accueillir comme elle le mérite sa noble épouse. En dépit du mal qui le ronge, il pense à tout et demande à Madame Mère de s'adresser à un jardinier des Champs-Elysées auquel il a déjà eu affaire « pour garnir la maison de fleurs par quinzaine »... Le coût ne doit pas dépasser 750 francs par an. « Donc ce jardinier, poursuit-il, ayant garni une fois la maison, aura des bases pour faire avec toi le marché. Tâche d'avoir de belles fleurs, sois exigeante. » Suit une étonnante liste de ce qui doit être garni : la jardinière de la première pièce, celle du salon en japon, les deux de la chambre en coupole, les jardinières des paliers de l'escalier et « de petites bruyères du Cap dans les deux bols montés par Feuchère ».

Le 24 avril 1850, M. et Mme Honoré de Balzac quittent définitivement Wierzschovnia pour venir s'installer à Paris. Les saltimbanques se séparent et Anna est en larmes en embrassant une dernière fois son « père chéri ».

CHAPITRE XX

A NOUS DEUX MAINTENANT !

Les événements qui suivent sont connus pour avoir été relatés par les biographes de Balzac. Nous ne les rappelons que pour mémoire et afin d'apporter un démenti aux détracteurs d'Eve de Balzac.

Ce bonheur tardif, mais enfin consenti, Honoré va le payer au prix fort. Le voyage qu'il entreprend pour rentrer à Paris est un chemin de croix. Les courts extraits de lettres que nous reproduisons ci-dessous, les unes adressées par Anna à sa mère [1], les autres rédigées par Eveline ou Honoré en sont la preuve.

« 7 mai 1850. — Mes parents idolâtrés ! Vous avez passé par beaucoup d'embarras et de fatigues ! Vous avez eu un chemin atroce ! Vous avez été embourbés !...

« Anna »

---

1. Correspondance empruntée à la collection Lovenjoul et publiée par Mme de Korwin-Piotrowska dans *Balzac et le monde slave.*

246

Deux serviteurs qui ont accompagné Eve et Honoré jusqu'à la frontière sont de retour à Wierzschovnia :

« 11 mai. — Moïse et Naska sont revenus hier soir... Ils disent que notre Bilboquet était toujours étouffé. Par pitié mon Père chéri, soignez-vous bien, ne songez qu'à vous reposer et à vous distraire...

« Anna »

Après avoir passé la frontière polonaise, Eveline écrit à sa fille :

« Je ne suis pas contente de sa santé. Il est dans un état de faiblesse excessive. Les étouffements deviennent de plus en plus fréquents. On l'a trouvé si changé à Radzivilof qu'on a peine à le reconnaître. »

Lettre adressée à Honoré :

« 12 mai. — Au nom de Dieu et j'ose dire de votre Anna, mon adoré Bilboquet, soignez-vous bien et consultez les médecins de Paris ; ne vous bornez pas à M. Nacquart, mais consultez-en plusieurs, consultez le grand M. Roux. Songez que M. Knothé vous disait que les inquiétudes sont fatales à la santé de notre divine maman idolâtrée ; il ne faut pas traiter légèrement sa santé quand on est dans ce bas monde le bonheur de trois personnes, la gloire du plus beau pays du monde et l'admiration de l'univers.

« Anna »

De Dresde où ils sont arrivés dans le courant du mois de mai, Balzac écrit :

« Nous avons mis un grand mois à faire le chemin qui se fait en six jours. Ce n'est pas une fois, c'est cent fois que nos vies ont été en danger. Nous avons

247

souvent eu besoin de quinze ou seize hommes et de crics pour nous retirer des bourbiers sans fond où nous étions ensevelis jusqu'aux portières. Enfin me voilà ici, mais malade et fatigué. Un pareil voyage me vieillit de dix ans. »

Un peu plus tard, Balzac nous apprend que sa femme est incapable de tenir un porte-plume tant « ses mains sont si prodigieusement enflées par suite de l'humidité et du gel ».

Une semaine de repos à Dresde leur permet de visiter quelques musées et de se livrer à leur occupation favorite : flâner chez les boutiquiers. Balzac fait l'acquisition d'une pièce rare : un vidrecome, sorte de grand verre que les Allemands font circuler autour d'une table et que chaque convive doit vider à son tour. Eve achète, pour l'offrir à sa fille, un superbe collier de perles. Après ce léger répit, Balzac rechute. Il se nourrit à peine et les douleurs « du côté du cœur et des poumons » sont si fortes qu'il doit garder la chambre. Son acuité visuelle diminue et il peine à reconnaître les objets à sa portée. Pendant quelques jours, il doute de pouvoir regagner Paris.

Après un léger mieux, il parvient à se lever et, en compagnie d'Eve, quitte Dresde pour Francfort d'où il écrit à sa mère pour lui donner les dernières consignes. La maison doit être prête et « bien coquette pour recevoir sa nouvelle maîtresse ». Il la charge de donner des ordres à François le valet de chambre afin que, le soir de leur arrivée, il soit en faction à la porte, après avoir éclairé *a giorno* la demeure tout entière, les chambres, le grand salon, les couloirs et le petit salon. Et qu'ensuite Madame Mère quitte les lieux car, écrit-il, « il ne serait pas digne, ni convenable, que tu reçoives ta belle-fille chez elle. Elle te doit le respect et doit t'aller trouver chez toi. » Pourquoi craint-il cette première rencontre entre les deux femmes, alors que l'une et l'autre sont désireuses de se connaître et que, quelques jours auparavant, Eve ajoutait de sa main sur une lettre d'Honoré à sa mère : « Quant à vous, Madame, soyez persuadée que j'attends avec impatience le moment d'offrir personnellement mes respects à la mère à laquelle je dois un excellent et si parfait mari et qu'elle trouvera en moi une fille bien affectionnée » ? Simplement parce qu'il a souvent parlé de sa mère à Eve, l'accablant de tous les défauts et la qualifiant même de « monstrueuse ». Il estime qu'avant ce premier contact, une mise en condition des deux femmes, une sorte de préparation psychologique est nécessaire. Et Madame Mère obéit, abandonne la place, et va demeurer à Suresnes chez sa fille. M. et Mme de Balzac quittent Francfort et arrivent à Paris, sur les quais des chemins de fer du Nord, le 21 mai 1850. Ils prennent une voiture et se font conduire rue Fortunée.

La suite, jamais l'imagination, cependant fertile, de Balzac, n'aurait pu la concevoir. C'est la plume d'Edgar Poe qu'il faudrait pour décrire cette scène cauchemardesque.

Il fait nuit lorsqu'ils arrivent devant le perron de la maison. Tout va bien. Honoré est satisfait car les fenêtres sont illuminées et répandent dans la rue une vive clarté, ce qui est du plus bel effet. Exténué, il s'extirpe péniblement de la voiture et tire sur la chaîne de la sonnette du portail. Personne ne vient. Il recommence, agite la chaîne à plusieurs reprises, cogne à l'huis. Aucune réponse, silence total. Il fait un tel tapage que les voisins sortent et s'attroupent avec les passants. Honoré s'énerve et ordonne au cocher d'aller quérir un serrurier qui arrive un quart d'heure plus tard et crochète la porte. A l'intérieur, le spectacle est hallucinant : François, le valet, est là, prostré, assis sur une chaise, les bras ballants, marmonnant des paroles inintelligibles, dans une lumière crue, au centre d'une débauche de fleurs... Il est sans réaction et ne lève même pas les yeux lorsque son maître le secoue. Atteint de folie quelques heures auparavant, il devient soudain furieux, et s'agite au point qu'il faut le maîtriser à plusieurs et le conduire sur-le-champ dans un asile d'aliénés.

Dès le lendemain, Eve s'organise et la vie reprend. Honoré coule des jours heureux et va de son salon damassé d'or à son bureau dans lequel il a fait installer une splendide bibliothèque en bois de marqueterie. Mais il ne peut ni lire ni écrire tant sa vue décline. Le docteur Nacquart qui lui rend visite chaque jour ne peut que le soulager avec des potions calmantes. Eve engage deux jeunes servantes que Balzac surnomme Catherine Iʳᵉ et Catherine II. Jusqu'au bout, pour rassurer sa femme, il se montre guilleret, plus Bilboquet et joyeux drille que jamais.

Vers la fin du mois de mai, les douleurs le reprennent, si lancinantes qu'Eve réunit en consultation trois médecins, les docteurs Roux, Foulquier et Louis. Diagnostic : le cœur est hypertrophié et le ventre gonflé d'hydropisie. Et, tels les médecins de Molière, les trois savants ordonnent saignées et purgations. Honoré se sent si mal que, le 4 juin, il fait son testament, léguant à Eve la totalité de sa succession dont le passif excède de beaucoup l'actif.

Le vendredi 7 juin, Eve écrit à sa fille : « François est toujours fou à la maison de santé, Marguerite toujours malade et notre pauvre Bilboquet, quoique beaucoup mieux, même pour les yeux, ne peut pas encore les occuper, ainsi l'exige l'ordonnance du médecin. Donc, je fais toute sa correspondance. D'ailleurs, son traitement exige des soins continuels... Bilboquet est arrivé ici (maintenant je puis te l'avouer) dans un état beaucoup plus affreux que tu ne l'as jamais vu, ne pouvant ni voir, ni marcher et avec des défaillances continuelles... Il a été saigné et je crois qu'on va lui appliquer des sangsues. Au reste, outre deux purgatifs violents (l'un desquels a été pris dans le jus d'un citron entier ; dis-le bien à M. Knothé et que le citron n'a produit aucun désordre cette fois-ci) il ne prend aucune drogue jusqu'ici [1]. »

Le mal lui laisse en effet quelque répit ; dans sa chambre rouge il reçoit des artistes, des journalistes, des écrivains avec lesquels il se montre disert, enjoué et curieux de tout. En juillet, une nouvelle syncope le terrasse : il reste cloué dans son lit, le souffle court, le cœur affaibli, trempé de sueur, entouré de cuvettes, de sangsues, de potions et de livres qu'il fait sortir de sa bibliothèque et, qu'incapable de lire, il se contente de serrer d'une main en les effleurant de l'autre avant de les jeter sur le sol où ils s'amoncellent. Eve, deux médecins, une infirmière et Madame Mère, rappelée d'urgence devant l'ampleur du mal, se relaient à son chevet. Les praticiens examinent son ventre démesurément enflé et diagnostiquent une péritonite. En faisant des ponctions, les docteurs retirent de son corps plusieurs litres d'eau. Il se désespère à l'idée de ne pouvoir terminer *la Comédie humaine* et lutte de toutes les forces qui lui restent contre la maladie. Dès qu'il ressent la plus petite amélioration, il envisage l'avenir avec optimisme. Au mois d'août, après une brève rémission, il se lève avec effort et heurte sa jambe gauche contre un meuble ; de la plaie naît un abcès que le docteur Nacquart opère. La plaie s'infecte et provoque la gangrène. Balzac a encore la force de dicter à Eve une lettre qu'il adresse à un ami : « Mon abcès à la jambe ne guérit pas. Tout cela est, je le crois, le prix demandé par le ciel pour l'immense bonheur de mon mariage. » A son insu, Eve ajoute ces quelques lignes : « Vous vous demandez, cher Monsieur, comment la triste secrétaire a eu la force d'écrire cette lettre. C'est que ce pauvre est à bout de

---

1. Septième lettre des *Lettres inédites* de Marcel Bouteron.

tout et n'est plus qu'une machine qui fonctionne jusqu'à ce que la Providence en brise le ressort au moment de la miséricorde. » Les médecins sont dans l'obligation de cesser les ponctions car ses chairs se sont tellement durcies qu'il devient impossible de les pénétrer avec la pointe de l'instrument. La gangrène gagne la cuisse et, dans la chambre, la puanteur est si forte que l'on ne peut y demeurer qu'avec un linge sur le nez. Maintenant il est inconscient et Eve n'a plus la force d'entrer dans cette pièce pour assister à la déchéance, à l'horrible mort de son mari.

La fin est proche et, le 18 août, au cours d'un intervalle du lucidité, il demande au docteur Nacquart de ne rien lui cacher. Le médecin lui dit la vérité et Balzac demande à recevoir l'extrême-onction. Eve envoie chercher un prêtre qui lui donne les derniers sacrements. Il est encore conscient mais commence aussitôt après à divaguer, en proie à un accès de délire. Il se calme. Ses forces déclinent. Il perd connaissance. Eve quitte cette chambre où sa présence est devenue inutile et dans laquelle elle n'aura plus le courage de pénétrer tant que durera la terrible agonie de Balzac.

Ce même 18 août, Victor Hugo vient rendre visite à son ami vers neuf heures du soir. Plus tard, il décrira cette scène dans *Choses vues*. Ce témoignage (on dirait aujourd'hui reportage, tant le style en est dépouillé) fixe pour l'éternité les derniers instants de Balzac. C'est pourquoi nous reproduisons, et toujours pour mémoire, ce morceau d'anthologie de la littérature française :

« Je sonnai. Il faisait un clair de lune voilé de nuages. La rue était déserte. On ne vint pas. Je sonnai une seconde fois. La porte s'ouvrit. Une servante m'apparut avec une chandelle.

— Que veut Monsieur ? dit-elle.

« Elle pleurait. Je dis mon nom. On me fit entrer dans le salon qui était au rez-de-chaussée, et dans lequel il y avait, sur une console, opposée à la cheminée, le buste colossal de Balzac par David. Une bougie brûlait sur une riche table ovale posée au milieu du salon et qui avait en guise de pieds six statuettes dorées du plus beau goût.

« Une autre femme vint qui pleurait aussi et qui me dit :

— Il se meurt. Madame est rentrée chez elle. Les médecins l'ont abandonné depuis hier. Il a une plaie à la jambe gauche. La gangrène y est. Les médecins ne savent ce qu'ils font. Ils disaient que l'hydropisie de Monsieur était une hydropisie couenneuse, une infiltration, c'est leur mot, que la peau et la chair étaient comme du lard et qu'il était impossible de lui faire la ponction. Eh bien, le mois dernier, en se couchant, Monsieur s'est heurté à un meuble historié, la peau s'est déchirée et toute l'eau qu'il avait dans le corps a coulé. Les médecins ont dit : "Tiens !" Cela les a étonnés et depuis ce temps-là, ils lui ont fait la ponction. Ils ont dit : "Imitons la nature." Mais il est venu un abcès à la jambe... Ce matin, à neuf heures, Monsieur ne parlait plus. Madame a fait chercher un prêtre. Le prêtre est venu et a donné à Monsieur l'extrême-onction. Monsieur a fait signe qu'il comprenait. Une heure après, il a serré la main à sa sœur, Mme de Surville. Depuis onze heures, il râle et ne voit plus rien. Il ne passera pas la nuit. Si vous voulez, Monsieur, je vais aller chercher Mme de Surville qui n'est pas encore couchée.

« La femme me quitta. J'attendis quelques instants. La bougie éclairait à peine le splendide ameublement du salon et de magnifiques peintures de Porbus et de Holbein suspendues aux murs. Le buste de marbre se dressait vaguement dans cette ombre comme le spectre de l'homme qui allait mourir. Une odeur de cadavre emplissait la maison.

« M. de Surville entra et me confirma tout ce que m'avait dit la servante. Je demandai à voir M. de Balzac.

« Nous traversâmes un corridor. Nous montâmes un escalier couvert d'un tapis rouge et encombré d'objets d'art, vases, statues, tableaux, crédences portant des émaux, puis un autre corridor, et j'aperçus une porte ouverte. J'entendis un râlement haut et sinistre. J'étais dans la chambre de Balzac.

« Un lit était au milieu de cette chambre, un lit d'acajou ayant au pied et à la tête des traverses et des courroies qui indiquaient un appareil de suspension destiné à mouvoir le malade. M. de Balzac était dans ce lit, la tête appuyée sur un monceau d'oreillers auxquels on avait ajouté des coussins de damas rouge empruntés à un canapé de la chambre. Il avait la face violette, inclinée à droite, la barbe non faite, les cheveux gris et coupés courts, l'œil ouvert et fixe. Je le voyais de profil et il ressemblait ainsi à l'Empereur.

« Une vieille femme, la garde, et un domestique se tenaient debout des deux côtés du lit. Une bougie brûlait derrière le chevet sur une table, une autre sur une commode près de la porte. Un vase d'argent était posé sur la table de nuit. Cet homme et cette femme se taisaient avec une sorte de terreur et écoutaient le mourant râler avec bruit.

« La bougie, au chevet, éclairait vivement un portrait d'homme jeune, rose et souriant, suspendu près de la cheminée.

« Une odeur insupportable s'exhalait du lit. Je soulevai la couverture et je pris la main de Balzac. Elle était couverte de sueur. Je la pressai. Il ne répondit pas à la pression. La garde me dit :

— Il mourra au point du jour.

« Je redescendis, emportant dans ma pensée cette

254

figure livide ; en traversant le salon, je retrouvai le buste immobile, impassible, altier et rayonnant vaguement et je comparai la mort à l'immortalité. »

Deux heures plus tard, vers onze heures trente, Balzac meurt à l'âge de cinquante et un ans. Il n'est marié que depuis cinq mois et quatre jours.

Ses obsèques ont lieu le mercredi 21 août à onze heures du matin en présence de nombreuses personnalités parmi lesquelles ses amis Alexandre Dumas et Victor Hugo et son ennemi intime Sainte-Beuve.

C'est Victor Hugo qui prononce l'éloge funèbre de celui dont « la vie a été courte, mais pleine, plus remplie d'œuvres que de jours... »

Cette dernière scène se déroule dans le cimetière du Père-Lachaise, là où, coïncidence étrange, Balzac avait enterré le Père Goriot, là où Rastignac regarde les fossoyeurs jeter « quelques pelletées de terre sur la bière pour la cacher » puis marche vers le haut du cimetière, contemple Paris à ses pieds, « tortueusement couché le long des deux rives de la Seine... » et dit : « A nous deux maintenant ! »

CONCLUSION

Eve n'était pas au chevet du mourant dans la soirée du 18. Victor Hugo le mentionne, sans commentaire : « Il se meurt. Madame est rentrée chez elle. » Nous savons qu'Eve a assisté son mari jusqu'à ce que celui-ci perde connaissance. Ensuite, à bout de force, elle n'a pu trouver en elle les ressources nécessaires pour demeurer dans cette chambre aux relents pestilentiels, auprès d'un malade inconscient, incapable d'apprécier sa présence, et que les médecins eux-mêmes, toujours selon Victor Hugo, « ont abandonné ».

Ce comportement logique et compréhensible sera, plus tard, mal interprété et deviendra la preuve, pour certains, qu'Eve n'a jamais aimé son mari.

Pour comprendre ce jugement et en démontrer l'inexactitude, il faut se reporter au retour du couple à Paris, après le mariage. Aussitôt, les visiteurs affluent rue Fortunée. On veut connaître Mme de Balzac, contempler l'Inconnue, cette femme belle, noble, riche, dont Honoré se plaît à répéter qu'elle descend de la famille de Marie Leszczynska et qui intrigue le Tout-Paris. Eve qui n'a aucune envie de parader surprend d'abord, puis choque la bienséance avec sa curieuse façon de recevoir, assise dans les salons de sa folie, notables et célébrités, sans jamais

257

quitter son fauteuil, se contentant d'accepter les hommages avec une nonchalance qui frise l'insolence. Et lorsque Balzac évoque le château de Wierzschovnia, ses trois cents domestiques et ses trois mille serfs, ne sent-elle pas le ridicule de sa situation présente, rue Fortunée, où elle ne dispose pour tout personnel que de deux servantes ? S'imagine-t-elle pouvoir régner sur Paris comme elle régnait sur son village ? Si au début elle excitait la curiosité, maintenant cette femme irrite avec ses allures de princesse d'opérette. Elle était l'Etrangère, elle devient la Moscovite, comme Marie-Antoinette devint l'Autrichienne.

Après la mort de Balzac, Eve fuit cette hostilité, ne sort plus, ne reçoit plus et s'isole dans le bureau d'Honoré dont elle fait un musée du souvenir. Elle se consacrera désormais à la promotion de *la Comédie humaine* et engage, pour la seconder, en qualité de secrétaire, Champfleury, un jeune écrivain de trente ans qui, pour avoir été en relation de travail avec Balzac, connaît bien l'homme et son œuvre. Ensemble, ils mettront en ordre les manuscrits des *Paysans* et prépareront une réédition complète de *la Comédie humaine*. Champfleury est un garçon suffisant et peu talentueux. Il prétend interpréter la pensée de Balzac et se montre intransigeant. A la suite d'une violente discussion, Eve le congédie. Selon une autre version, Mme de Balzac n'a pas résisté aux charmes de l'élégant Champfleury, de vingt ans son cadet. Il devient son amant, se lasse vite et rompt avec elle quelques semaines plus tard. Mais il ne s'agit que de suppositions, car jamais personne n'a pu apporter la moindre preuve de cette liaison.

Eve exécute scrupuleusement les volontés de son mari en payant ses dettes et en versant à sa mère une rente viagère de 3 000 francs.

Anne et Georges Mniszech abandonnent définitivement Wierzschovnia pour venir s'installer à Paris, rue

Fortunée. Eve à qui pesait la solitude est ravie de cette présence et semble reprendre goût à la vie. En 1852, la comtesse Anna fait exécuter son portrait par Jean Gigoux, un peintre renommé qu'elle présente à sa mère. Il décide Eve à poser également pour lui et, au cours des séances de travail, naît entre elle et cet homme en vue, érudit, très au fait de l'actualité littéraire et artistique, une amitié qui durera trente années, jusqu'à la mort de Mme de Balzac en 1882. Sans doute devient-il son amant mais Eve, par respect pour le nom qu'elle porte, refusera toujours de l'épouser. C'est cependant lui qui lui permettra de terminer dignement sa vie. Après avoir cédé à tous les caprices d'Anna qui, follement dépensière, ne cesse de s'endetter, Eve accepte de vendre le château de Wierzschovnia pour payer les créanciers qui poursuivent sa fille. Ruinée, elle est ensuite contrainte de mettre en vente la maison de la rue Fortunée, à la seule condition d'y demeurer jusqu'à sa mort. Dénuée du nécessaire, c'est grâce à Jean Gigoux, qui lui « avance » souvent de l'argent et la ravitaille en boissons et en produits alimentaires, qu'elle peut subsister.

Alors, en admettant même que Mme de Balzac ait cédé à un coup de foudre pour Champfleury, et qu'elle soit devenue ensuite la maîtresse de Jean Gigoux, parce que dans sa solitude elle ressentait un besoin d'affection et de protection, que peut-on lui reprocher ? N'oublions pas que la « souveraine » riche et adulée se retrouve seule, exilée, avec peu de ressources et beaucoup de dettes, après trois mois de vie commune avec un mourant auquel elle survivra trente longues années.

Et pourtant, en 1882, après sa mort, on commence à étudier son comportement et à juger néfaste son influence sur Balzac. Au fond, la Moscovite était orgueilleuse et cruelle. Elle avait tenu Balzac en laisse, l'obligeant à d'épuisants voyages, à de folles dépenses, l'humiliant sans cesse, avec l'espoir toujours déçu d'un mariage enfin consenti par intérêt à un mourant. Personne n'a jamais observé, dans son œuvre et dans sa correspondance, que c'est précisément cet état de soumission, d'infériorité, qui comblait Balzac.

Ces propos en l'air sont insuffisants, la légende persiste, il faut la détruire. Vingt-cinq ans après la mort d'Eve de Balzac, une rumeur circule, se répand : tandis que son mari agonisait, sachez que la Moscovite batifolait dans une chambre voisine avec Jean Gigoux, son amant ! C'est Octave Mirbeau, écrivain impressionniste, mysogine, ennemi des valeurs traditionnelles, auteur d'œuvres troubles comme *le Journal d'une femme de chambre* ou *le Jardin des supplices* qui, en 1907, lance ce ragot dans un livre intitulé *la 628-E 8*. Le chapitre consacré à l'affaire, truffé de détails ignobles, aurait été écrit à la suite de confidences faites par Jean Gigoux à Octave Mirbeau. Eve y est décrite comme une femme qui se donne au premier venu, une mante religieuse qui provoque les hommes pour les anéantir. La presse s'empare de l'information et la diffuse avant la publication du livre.

Il est facile d'apporter un démenti à ces calomnies. D'une part, Anna n'a présenté le peintre à sa mère qu'en 1852. Dans *Eve de Balzac, sa fille, son amant*, Jean Pommier estime mensongère la thèse de Mirbeau en s'appuyant sur le fait que les premières lettres adressées par Jean Gigoux à Eve avec « une progression d'intimité de l'une à l'autre » sont datées de 1852, corroborant ainsi l'affirmation d'Anna. D'autre part, après le décès d'Eve de Balzac, Jean Gigoux a publié un livre dans lequel il évoque son souvenir avec amour et respect. Dernier élément qui démontre à quel point le pamphlétaire était peu sûr de lui : du fond de son couvent, une religieuse âgée de quatre-vingts ans, qui pour l'état civil se nomme Anna Mniszech, proteste contre ces propos et menace d'un procès en diffamation. Mirbeau accède à sa demande et supprime de son manuscrit le chapitre incriminé. Mais le mal est fait. L'information continue de circuler, et aujourd'hui encore, pour certains, le doute demeure parce que, selon Paul Valéry, « le mensonge et la crédulité s'accouplent pour engendrer l'opinion ».

En fait, ces querelles misérables importent peu. Nous devons beaucoup à Eve du seul fait qu'elle fut la passion, la conseillère et l'inspiratrice de Balzac.

C'est pourquoi nous avons simplement essayé de dresser un portrait séparé de l'un et de l'autre, d'établir un parallèle entre ces deux vies, de la naissance à la mort, pour mieux connaître et approfondir les motivations de chacun. Les centaines de lettres qui servirent de base à ce livre forment un roman d'amour vécu, unique dans l'histoire de la littérature française... « Je voudrais vous consacrer toute ma vie, ne penser qu'à vous, n'écrire que pour vous... Aimer Eve, c'est toute ma vie... »

Dans le cimetière du Père-Lachaise, M. et Mme Honoré de Balzac reposent côte à côte, désormais inséparables, pour l'amour qu'ils ont donné, pour l'amour qu'ils ont reçu.

TABLE DES MATIERES

Cet ouvrage a été réalisé par la
SOCIÉTÉ NOUVELLE FIRMIN-DIDOT
Mesnil-sur-l'Estrée
pour le compte des Éditions Perrin
en mars 1999

Imprimé en France
Dépôt légal : avril 1999
N° d'édition : 1427 – N° d'impression : 46295